LE NOUVEAU SANS FRONTIÈRES 4

JACKY GIRARDET

Arts - Culture - Littérature

27, rue de la Glacière, 75013 Paris

Le NOUVEAU SANS FRONTIÈRES est une méthode complète de français pour adolescents et adultes.

Ce quatrième niveau de la collection s'adresse aux étudiants qui, après avoir suivi environ 400 heures d'enseignement de français, souhaitent poursuivre les objectifs suivants :

- Perfectionnement linguistique. Enrichissement lexical, grammatical et stylistique. Acquisition des compétences nécessaires à la pratique orale ou écrite de l'exposé de problèmes, du débat d'idées, de l'analyse, de la synthèse et du commentaire.
- Approfondissement des connaissances culturelles. Idées contemporaines dans les domaines sociologiques, historiques, psychologiques, politiques, etc. Littérature et genres artistiques divers (cinéma, peinture, architecture, musique, etc.).
- Acquisition des compétences nécessaires à l'analyse des objets culturels ainsi qu'à la recherche et à l'organisation des faits et des idées.

Les douze dossiers de l'ouvrage comportent chacun les parties suivantes.

IDÉES : articles de presse et extraits d'ouvrages organisés autour d'un problème contemporain de société ou d'une tendance de l'esprit français. Les autres parties du dossier sont conçues comme des rencontres avec ce thème de départ.

LITTÉRATURE : extraits d'œuvres françaises ou francophones permettant une présentation des principaux auteurs et courants littéraires ainsi qu'une initiation à l'analyse et au commentaire des textes.

LA SCÈNE ET L'ÉCRAN : extraits de pièces de théâtre ou de scripts de films. On y aborde les problèmes de mise en scène, l'analyse de l'image et l'adaptation cinématographique des œuvres narratives.

LES ARTS : peintures, œuvres musicales ou architecturales proposées à des fins d'analyse et de réflexion sur l'histoire de l'art.

VOIX : activités d'écoute et matériaux complémentaires pour l'exploitation des documents sonores enregistrés sur la cassette. Les 20 minutes d'enregistrement consacrées à chaque dossier proposent quatre rubriques :

INFO-MÉMOIRE : informations et commentaires d'événements politiques, sociaux ou culturels.

OPINIONS : points de vue sur des problèmes divers donnés par des personnalités ou par l'homme de la rue.

À TRAVERS LA FRANCE : les régions de France évoquées et commentées par ceux qui y habitent.

LA SCÈNE ET L'ÉCRAN : extraits de spectacles.

OUTILS POUR L'EXPRESSION : points de grammaire et de rhétorique, regroupements lexicaux et exercices pratiques pour une acquisition méthodique de la maîtrise des discours d'analyse, de synthèse et de commentaire.

Matériaux complémentaires

4 CASSETTES : 4 heures de **documents sonores authentiques** exploités dans les pages « Voix » du livre.

UN CAHIER D'EXERCICES : révision des principaux problèmes de grammaire, activités d'enrichissement lexical visant en particulier la maîtrise des registres de langue et de l'expression métaphorique, la synthèse de textes en vue de la préparation au DALF, textes et exercices complémentaires pour l'expression écrite.

UN LIVRE DU PROFESSEUR : corrigés des activités, informations culturelles complémentaires, propositions de compte rendu et de synthèse de textes (préparation au DELF/DALF).

SOMMAIRE

DOSSIER 1 • LA SOCIÉTÉ SPECTACLE 10

DOSSIER 2 • L'EMPRISE DES SIGNES 26

SOMMAIRE

DOSSIER 3 • LA RÈGLE DU « JE » 44

DOSSIER 5 • UN CERTAIN GOÛT DE LA PROVOCATION 76

SOMMAIRE

SOMMAIRE

SOMMAIRE

DOSSIER 11 • LA TENTATION DE L'IRRATIONNEL 178

1 La société spectacle

Si vous avez une âme et qu'elle est présentable
nous vous recommandons un comité d'experts
qui vous dira comment en tirer profit.

Alain Bosquet, *Sonnets pour une fin de siècle,* Gallimard, 1980.

Apparence
Beauté
Décors
Enfer
Images
Mise en scène
Réalisme
Regard
Romantisme
Sujet
Surréalisme
Titres

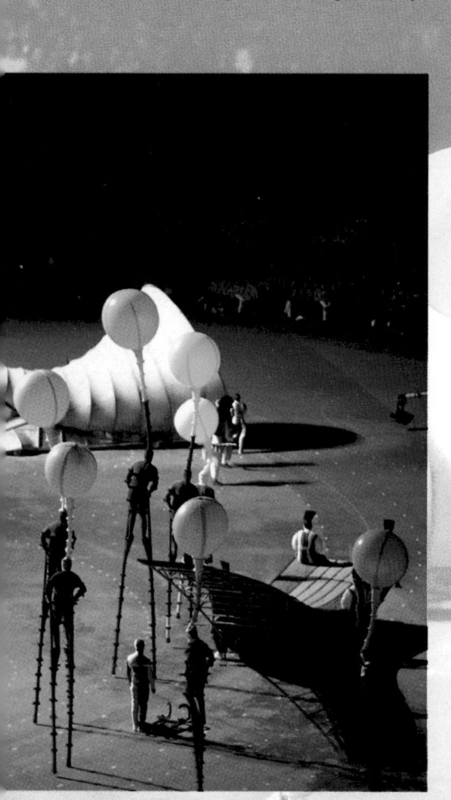

Cérémonie d'ouverture des jeux Olympiques d'Albertville 1992.

Le musée de la Femme à Bruxelles.

Le monde entier est un spectacle
Et tous, hommes et femmes, n'en sont que les acteurs.

William Shakespeare, *Comme il vous plaira,* 1623.

IDÉES

LE TRIOMPHE DE L'APPARENCE

DÉSORMAIS LE SEXE FORT VEUT ÊTRE BEAU

Il existe un malaise devant la beauté masculine : l'homme esthétiquement favorisé est à priori suspect et doit commencer par s'excuser d'exhiber un corps et un visage bien proportionnés. « *La beauté,* disait Talleyrand*, *cela fait gagner quinze jours* », prouvant par cette remarque combien, pour un homme, l'esprit et la conversation peuvent aisément suppléer à une physionomie médiocre. Et Sartre* se disculpait de sa laideur en offrant aux femmes qu'il courtisait de beaux objets. La beauté féminine suffoque, enchante ou dérange ; mais elle reste dans l'ordre des choses, elle a cette fonction, canalisée par la société, d'éveiller le désir. Au contraire un homme qui n'est que beau semble une malédiction ou une aberration : il casse la division des sexes, entre dans le registre du fatal. Traditionnellement l'homme n'est pas chargé de faire flamber la libido mais de travailler à la civilisation.

Qu'on le déplore ou non, la ravissante idiote est devenue un stéréotype culturel et l'alliance de la beauté, de la bêtise et d'un rien de cruauté a même donné quelques œuvres d'une force extrême. L'Apollon stupide encourt*, lui, une réprobation, il est littéralement déshumanisé, ravalé* au rang d'un bibelot ou d'un étalon. La beauté masculine n'est tolérable qu'en amont chez l'enfant où elle se trouve parée de tous les traits de l'innocence, et en aval chez le vieillard où elle semble le complément naturel de la sagesse – à cet âge, les gens ont mérité leur visage.

Tout homme plastiquement parfait doit passer par une période probatoire et prouver qu'il ne se réduit pas à sa tournure. [...]

Il lui faut en quelque sorte spiritualiser sa beauté, lui conférer cette profondeur qui la rend seule tolérable. Mais une fois le soupçon levé, il est amplement récompensé, les portes s'ouvrent sans effort devant lui et tous ses actes sont amplifiés par cette aura*, cette qualité qui le rendent à nul autre pareil.

Mais là réside l'inégalité fondamentale : chez l'homme, la beauté est un plus, non une contrainte, et s'il en est dépourvu, il peut la rattraper par l'intelligence, l'humour ou l'argent. Chez la femme, elle est une nécessité et la disgrâce physique est trop souvent encore pour elle une disgrâce métaphysique. À cette disparité vécue comme un scandale, notre époque donne deux réponses contraires. La première, que j'appellerai la réponse américaine, consiste à dénoncer sans relâche le chantage esthétique qui pèse sur le deuxième sexe et à convier les femmes à déserter les injonctions des industries cosmétiques et des magazines de mode pour retrouver leur délicieuse nature. L'autre réponse, que je qualifierai d'européenne, prétend étendre le souci de l'apparence aux deux parties de l'humanité et exige des hommes qu'ils partagent avec les femmes une même obsession de leur image corporelle.

Pascal Bruckner, *Le Nouvel Observateur,* 19.12.1991.

Talleyrand : homme politique (1754-1838). Il était boiteux mais supérieurement intelligent et cultivé.

Sartre : philosophe et écrivain (1905-1980). Il était affecté d'un strabisme.

encourir : s'exposer à, risquer.

ravaler : rabaisser, déprécier.

une aura : atmosphère spirituelle que dégage un être. La beauté donne à l'homme une qualité quasi spirituelle.

LECTURE-RECHERCHE

- Faites la liste des images (idées et stéréotypes) que la société associe :
  – à la beauté masculine,
  – à la beauté féminine.
- Analysez le comportement face à la beauté dans la société américaine et dans la société européenne. Quelle est selon vous la meilleure attitude ?

SYNTHÈSE

- Résumez cet article en deux phrases : « Traditionnellement... Mais aujourd'hui... »

JEU DE RÔLES

- Vous êtes conseiller en image ou conseiller en communication. Conseillez :
  – un chef d'entreprise peu apprécié par ses ouvriers ;
  – une présentatrice de télévision qui passe mal à l'écran ;
  – un serveur débutant dans un grand restaurant.

DÉBAT

- La beauté : atout ou handicap ?

LA MISE EN CAUSE DES IMAGES

Chaque citoyen français a désormais, dirait-on, une télécommande dans la tête avec laquelle il zappe* comme un dératé*. Du monde qui l'entoure, il *voit* de plus en plus et *sait* de moins en moins. Il n'est aucune grande affaire nationale qu'il n'appelle, avec sa télécommande, en un carrousel d'images, mais qu'il n'abandonne aussi vite. Toute grande cause politique trouve ainsi un défouloir expéditif dans un spectacle, une procession, un défilé : autant de « représentations » et psychodrames télévisés qui donneront le sentiment, hélas fallacieux, d'avoir hâté la solution.

Nous aurons ainsi reçu de Vaulx-en-Velin un court spectacle violent et animé, sorte de clip sur les malheurs de l'immigration. Puis, à Paris, un épisode « lycées » du feuilleton sur la grande misère de l'enseignement français. Et nous suivrons, tout au long de l'automne, le mélodrame CSG*, celui de la nouvelle cotisation-impôt : brefs coups de projecteur obliques sur le panier percé* de la Sécurité sociale et nos records de prélèvements obligatoires*.

Mais, notez-le, ni la grande faillite de l'enseignement français, ni la menace croissante d'une immigration en ghettos, ni l'archaïsme d'une fiscalité aberrante n'auront, dans ces exhibitions pourtant édifiantes, avancé d'un pas vers leur solution. Au contraire : ces trois énormes boulets de la nation française auront été tout à la fois évoqués, escamotés et évacués dans le kaléidoscope d'une attention publique aussi fébrile qu'oublieuse.

On aperçoit bien les avantages et les inconvénients de ce nouveau comportement collectif : il mithridatise* l'opinion, insensibilise et anesthésie la démocratie. Il la rend, par-là même, moins vulnérable aux grandes fièvres et coups de sang du temps jadis. Mais, en même temps, il ne contrarie en rien les ravages lents et insidieux de ces « longues maladies » qui ruinent la vieillesse et forment le déclin des sociétés. [...]

Claude Imbert, *Le Point*, 5.11.1990.

zapper : passer rapidement d'une chaîne de télévision à l'autre à l'aide de la télécommande.

un dératé : de l'expression courir comme un dératé : courir très vite.

CSG : contribution sociale généralisée. Impôt complémentaire très controversé.

un panier percé : dépensier incorrigible. Allusion au déficit budgétaire de la Sécurité sociale.

les prélèvements obligatoires : sommes déduites obligatoirement des salaires pour cotisations sociales (Sécurité sociale, pension vieillesse, etc.).

mithridatiser : Mithridate, roi du Moyen-Orient antique, absorbait tous les jours une petite quantité de poison afin d'être immunisé contre un empoisonnement. Les médias immunisent progressivement l'opinion publique.

LECTURE-RECHERCHE

• Montrez que l'article de Claude Imbert est construit sur le schéma suivant :

Comportement du téléspectateur

Présentation de l'information

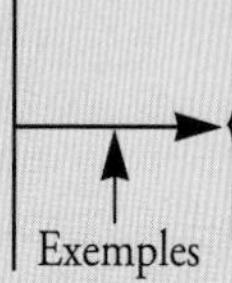

Exemples

Conséquences sur :
la qualité de l'information
la réflexion du téléspectateur
la formation de l'opinion
la démocratie

• Énumérez les exemples donnés par l'auteur pour montrer que la télévision se contente de donner sur l'actualité de brefs coups de projecteur successifs.

• Quel grand problème illustrent ces événements ?

VOCABULAIRE

• Relevez tous les mots associés :
– à l'idée de spectacle,
– à l'idée de brièveté et d'éphémère.

Comportement des voyageurs
Organisation des transports

Exemples

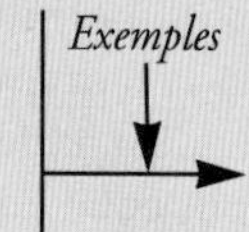

• DÉBAT

Êtes-vous d'accord avec l'idée que la télévision « insensibilise l'opinion et anesthésie la démocratie » ?
Pour discuter cette opinion, analysez les diverses émissions de télévision dont l'objectif est d'informer le téléspectateur sur l'actualité (journal télévisé, reportage, débat, face à face, etc.).

ÉCRITURE

• Imaginez un paragraphe construit sur le même schéma que l'article précédent.
Exemple :

Conséquences :
....
....
....

HISTOIRE DES RAPPORTS ENTRE L'HOMME ET L'IMAGE

l'origine, la fonction de l'image est de restituer un *lien magique* entre l'homme et l'objet, l'animal ou le dieu représenté. Ce lien va rapidement se transformer en *culte* et c'est ce culte qui suscitera l'interdiction de Dieu adressée aux Hébreux pendant l'Exode*. *« Tu ne te prosterneras point devant elles (les images) et tu ne les serviras point. »* On rapporte que bien des païens refusèrent de se convertir au christianisme parce qu'ils étaient idolâtres et que les premiers chrétiens observaient les commandements de Moïse. Mais les tolérances arrivèrent, les conversions eurent lieu et aussi la renaissance de l'idolâtrie. Il n'y avait plus que les juifs et les musulmans pour rester fidèles aux interdits. Probablement influencés par eux, l'empereur Léon III* fit la guerre aux images vers le début du VIIIe siècle. Il fallut attendre le second concile de Nicée*, à la fin de ce VIIIe siècle, pour qu'on distingue entre la *vénération* de certaines images recommandées et l'*adoration* de certaines images proscrites. L'explosion iconoclaste la plus célèbre a eu lieu à Tournai où la révolte dite des Gueux* mit à sac les églises, les statues, les reliques, les rétables. Il fallut attendre le concile de la Contre-Réforme*, celui de Trente, au milieu du XVIe siècle, pour que les artistes puissent savoir ce qui était autorisé et ce qui était interdit. En fait, la plus grande négation de l'image surviendra dans les temps modernes avec l'art abstrait – mais ce développement nous entraînerait trop loin.

Ce rappel n'était pas inutile pour montrer que l'image n'a jamais été conçue, et ce depuis qu'elle existe, comme innocente, indifférente, neutre ou indolore. […]

Avec le cinéma et la télévision, nous sommes retournés de la vénération à la magie. Toutes les conditions sont d'ailleurs réunies pour créer la léthargie, l'hypnose, c'est-à-dire la passivité, la séduction et l'accueil. Il y a dans la contemplation d'une image fixe, et plus encore dans la lecture, une participation active qui peut se transformer en un dialogue d'égaux. Mais l'image mouvante imite la vie, happe et capte la vie du spectateur, installe un dénivellement où cette image-cinéma occupe un niveau supérieur.

Jean Daniel, *Dossier Nouvel Observateur n° 2,* octobre 1990.

Exode : épisode biblique où les Hébreux quittent l'Égypte et où Moïse reçoit de Dieu les dix commandements.

Léon III : empereur d'Orient (717-740).

Conciles de Nicée, concile de Trente (concile de la Contre-Réforme) : réunions des représentants de la chrétienté où furent prises d'importantes décisions en matière de dogme.

Révolte des Gueux : à partir de 1566, aux Pays-Bas, affrontements entre catholiques et protestants ayant pour cause le culte des images.

LECTURE-RECHERCHE

• Retrouvez les étapes de l'évolution de l'attitude des hommes face aux images.

VOCABULAIRE

• Classez dans le tableau ci-dessous les mots appartenant au thème de la religion. Complétez ce tableau avec d'autres mots que vous connaissez.

DÉBAT

• La civilisation de l'image est-elle en train de remplacer la civilisation de l'écrit (livres, journaux, etc.) ?

• Énumérez les avantages et les inconvénients de ces deux modes d'information et de communication.

Personnes	Objets	Pratiques religieuses	Attitudes et croyances
païen	idôle	culte	se convertir

L'IDÉE DE SOCIÉTÉ-SPECTACLE

• Une des caractéristiques de la société française depuis les années 70 est qu'elle se donne en spectacle à elle-même. Une personne, une chose, une idée n'existent et n'ont de valeurs que dans la mesure où on parle d'elles dans les médias. En est-il de même dans votre pays ?

• Illustrez et commentez cette idée de société-spectacle à partir d'exemples pris dans les domaines politique, artistique, scientifique, etc.

• Observez les photos de la page 10. Dans quelle mesure illustrent-elles l'idée de société-spectacle ? Quelles autres images de cette société aurait-on pu donner ?

La mise en scène romantique

MÉMOIRES D'OUTRE-TOMBE

La scène se passe à Rome. Le narrateur accompagne en promenade une amie atteinte d'une grave maladie.

Un jour, je la menai au Colysée ; c'était un de ces jours d'octobre, tels qu'on n'en voit qu'à Rome. Elle parvint à descendre, et alla s'asseoir sur une pierre, en face d'un des autels placés au pourtour de l'édifice. Elle leva les yeux ; elle les promena lentement sur ces portiques morts eux-mêmes depuis tant d'années, et qui avaient vu tant mourir ; les ruines étaient décorées de ronces et d'ancolies* safranées* par l'automne, et noyées dans la lumière. La femme expirante abaissa ensuite, de gradins en gradins jusqu'à l'arène, ses regards qui quittaient le soleil ; elle les arrêta sur la croix de l'autel, et me dit : « Allons ; j'ai froid. » Je la reconduisis chez elle ; elle se coucha et ne se releva plus.

François René de Chateaubriand,
Mémoires d'outre-tombe, 1850.

ANALYSE DU DÉCOR DE LA SCÈNE

• Faites la liste de tous les éléments du décor de cette scène :
– temps et saisons,
– lumière,
– objets et végétaux,
– structure du lieu,
– mouvements des personnages.
Montrez que chaque élément évoque l'une des impressions suivantes :
– le déclin,
– la mort,
– la religion,
– la transfiguration.

CARACTÉRISTIQUES DU HÉROS ROMANTIQUE

• Montrez de quelle façon le peintre de ce tableau a traduit les caractéristiques de l'homme romantique :
– le sens de la grandeur,
– le désir d'élévation,
– le goût du passé,
– l'obsession de la fuite du temps,
– l'expression du moi et des sentiments,
– le plaisir de la mise en scène.

une ancolie : petite fleur à cinq éperons (le mot à la même consonance que « mélancolie »).

safrané : de couleur jaune safran.

Girodet-Trioson, *Chateaubriand,* Château de Versailles.

LE DÉCOR RÉALISTE

Gustave Courbet, *Les Cribleuses de blé,* 1855, Nantes, musée des Beaux-Arts.

LA COUSINE BETTE

La très jolie Mme Marneffe, fille naturelle du comte de Montcornet, l'un des plus célèbres lieutenants de Napoléon, avait été mariée au moyen d'une dot* de vingt mille francs, à un employé subalterne* du Ministère de la guerre. Par le crédit* de l'illustre lieutenant-général, maréchal de France dans les six derniers mois de sa vie, ce plumigère* était arrivé à la place inespérée de premier commis dans son bureau ; mais, au moment d'être nommé sous-chef, la mort du maréchal avait coupé par le pied les espérances de Marneffe et de sa femme. L'exiguïté de la fortune du sieur Marneffe [...] mais surtout les exigences d'une jolie femme habituée chez sa mère à des jouissances auxquelles elle ne voulut pas renoncer, avaient obligé le ménage à réaliser des économies sur le loyer.

Honoré de Balzac, *La Cousine Bette,* 1846.

une dot : les biens (argent, bijoux, etc.) qu'une femme apporte en se mariant.

subalterne : d'un grade inférieur.

par le crédit de : grâce à.

un plumigère : vieux mot péjoratif qualifiant quelqu'un qui écrit.

LE TABLEAU RÉALISTE

- Décrivez et commentez :
  - le type de scène,
  - le lieu et les objets,
  - l'activité des personnages,
  - leurs gestes et leurs expressions,
  - la couleur,
  - le cadrage de la scène.
- Dans chaque série de trois mots choisissez celui qui convient le mieux pour caractériser la scène.
  - *lassitude, souffrance, ennui*
  - *force, courage, faiblesse*
  - *simplicité, humilité, grandeur*
  - *pauvreté, misère, indigence*
  - *tranquillité, sérénité, fatalité*
  - *réalisme, naturel, idéalisme.*

PERSONNAGES ET DÉCOR

- Lisez la présentation de monsieur et madame Marneffe, personnages du roman de Balzac, *La Cousine Bette.*
- Imaginez l'appartement dans lequel ils vivent.
- Confrontez vos hypothèses avec la description de leur appartement dans le roman de Balzac (voir page suivante).

L'appartement de M. et Mme Marneffe. L'histoire se passe au XIXe siècle.

L'appartement occupé par ce ménage, type de beaucoup de ménages parisiens, offrait les trompeuses apparences de ce faux luxe qui règne dans tant d'intérieurs. Dans le salon, les meubles recouverts en velours de coton passé, les statuettes de plâtre jouant le bronze florentin, le lustre* mal ciselé, le tapis dont le bon marché s'expliquait tardivement par la quantité de coton introduite par le fabricant, [...] tout chantait misère comme un pauvre en haillons* à la porte d'une église.

La salle à manger, mal soignée par une seule servante, présentait l'aspect nauséabond* des salles à manger d'hôtel de province : tout y était encrassé, mal entretenu.

La chambre de monsieur, assez semblable à la chambre d'étudiant, meublée de son lit de garçon, de son mobilier de garçon, flétri, usé comme lui-même, et faite une fois par semaine ; cette horrible chambre où tout traînait, où de vieilles chaussettes pendaient sur des chaises foncées de crin*, dont les fleurs reparaissaient dessinées par la poussière, annonçait bien l'homme à qui son ménage est indifférent, qui vit au-dehors, au jeu, dans les cafés ou ailleurs.

La chambre de madame faisait exception à la dégradante incurie* qui déshonorait l'appartement officiel où les rideaux étaient partout jaunes de fumée et de poussière, où l'enfant, évidemment abandonné à lui-même, laissait traîner ses joujoux partout. Situés dans l'aile qui réunissait, d'un seul côté seulement, la maison bâtie sur le devant de la rue, au corps de logis adossé au fond de la cour à la propriété voisine, la chambre et le cabinet de toilette de Valérie, élégamment tendus en perse, à meubles en bois de palissandre*, à tapis en moquette, sentaient la jolie femme, et, disons-le, presque la femme entretenue*! Sur le manteau de velours de la cheminée s'élevait la pendule alors à la mode. On voyait un petit Dunkerque* assez bien garni, des jardinières en porcelaine chinoise luxueusement montées. Le lit, la toilette, l'armoire à glace, le tête-à-tête*, les colifichets* obligés signalaient les recherches ou les fantaisies du jour.

Honoré de Balzac, *La Cousine Bette,* 1846.

un lustre : appareil d'éclairage suspendu au plafond.

en haillons : vêtements déchirés, en lambeaux.

nauséabond : qui sent mauvais.

le crin : poils d'animaux dont on peut faire des étoffes ou qui servent à rembourrer les fauteuils, les matelas, etc.

une incurie : manque de soin, négligence, laisser-aller.

palissandre : bois exotique.

une femme entretenue : femme qui vit de la générosité de son amant.

Dunkerque : petit meuble à étagères pour présenter des collections.

un tête-à-tête : service à café pour deux personnes.

un colifichet : bibelot ou bijou de fantaisie, sans valeur.

LA SIGNIFICATION DU DÉCOR

- En utilisant le tableau, relevez tous les indices qui vous apprennent quelque chose sur le couple Marneffe.
- Relevez les mots qui appartiennent aux thèmes :
  – du faux et de l'illusion,
  – de l'indigence.
- Montrez que Balzac complète son portrait des Marneffe par la description de leur logement.
- Caractérisez la description balzacienne.

Détails de l'appartement	Ce qu'en dit Balzac	Ce que vous imaginez
Meubles recouverts en velours de coton passé		Goût du luxe mais pauvreté ou négligence

CRÉATIVITÉ

- Imaginez des éléments pour la description du logement d'une personne. (Ces éléments doivent révéler l'histoire, le caractère, le mode de vie de la personne.)

– Un ancien ambassadeur à la retraite ;
– une modeste employée de banque passionnée de cinéma ;
– un descendant d'une grande famille aristocratique ruinée au début du siècle.

LITTÉRATURE

LES MÉTAMORPHOSES DU PAYSAGE SURRÉALISTE

AU CHÂTEAU D'ARGOL

Jeune homme passionné de philosophie et de roman fantastique, Albert possède un vieux château (un manoir) situé entre la lande et la forêt dans une région inhabitée en Bretagne. Il y a invité son ami Herminien. Ce dernier arrive en compagnie d'une jeune femme aussi belle que mystérieuse. À la fin du premier dîner que prennent ensemble les trois jeunes gens, Albert invite Heide à contempler la nuit du haut des terrasses du château.

La lune baignait tout le paysage avec une capiteuse* douceur. La nuit dispensait ses trésors. L'air était d'une fraîcheur délicieuse. Et lorsque Heide et Albert arrivent au bord des parapets de pierre, voici qu'une émotion bizarre les étreint* au même instant. Comme baignées de la lueur d'une rampe*, les têtes rondes des arbres émergent partout des abîmes, serrées en silence, venues des abîmes du silence autour du château comme un peuple qui s'est rassemblé, conjuré* dans l'ombre, et attend que les *trois coups* résonnent sur les tours du manoir. Cette attente muette, obstinée, immobile, étreint l'âme qui *ne peut* pas ne pas répondre à cet insensé, ce merveilleux espoir. Ils restent là tous deux, pâles, sur la haute terrasse, et pris tout à coup dans le rayon de ce regard de la lune et de la forêt, ils n'osent reculer, l'œil rivé* à ce bouleversant théâtre. Ils n'osent se regarder, car tout en cet instant prend à l'improviste* un trop soudain caractère de gravité. Ils ne savent ce qu'ils vont devenir, ni quoi que ce soit de ce qui sera décidé pour eux. Voici la nuit qui leur ressemble. Alors Heide, avec un frisson de toute sa conscience (sans doute en tant que femme elle était moins invinciblement timide et sans doute Albert ne l'aimait-il pas), posa sur la main d'Albert une main froide comme le marbre et brûlante comme le feu ; avec la lenteur d'une torture, elle noua ses doigts aux siens, chacun de ses doigts aux siens avec force, avec frénésie*, et attirant sa tête vers la sienne, elle le força à prendre un long baiser qui secoua tout son corps d'un éclair dévastateur et sauvage. Et maintenant, qu'ils s'en aillent à travers les escaliers, les salles, les lugubres* ténèbres du château vide – ils ne pourront libérer leurs cœurs de la pesanteur alarmante de *l'événement.*

Julien Gracq, *Au château d'Argol*, J. Corti, 1938.

capiteux : enivrant.

étreindre : serrer fort.

une rampe : allusion à l'éclairage des théâtres situé en avant de la scène.

un conjuré : personne qui prépare un complot.

river : fixer.

à l'improviste : sans avertir, sans préparation.`

la frénésie : agitation violente.

lugubre : qui évoque la mort.

LES TRANSFORMATIONS DU DÉCOR

- Relevez les éléments concrets du décor de cette scène.
- Montrez que ce décor se transforme progressivement en scène de théâtre (notez les images qui permettent cette évocation).
- Montrez que les personnages et le décor sont à la fois spectateurs (regardant) et acteurs (regardés).

LE THÈME DE L'ATTENTE

- Le thème de l'attente est le thème majeur de l'œuvre de Julien Gracq. S'agit-il d'une attente au sens quotidien du terme (attendre quelqu'un ou quelque chose) ?
Essayez de la définir en vous appuyant sur le texte (c'est une « émotion bizarre »...).
- Avez-vous fait l'expérience d'un sentiment semblable (dans votre vie ou à travers la littérature) ?

LE MYSTÈRE DU BAISER

- Quels sont les mots qui expliquent le mieux le baiser que Heide donne à Albert ?
l'amour, la fatalité, le désir, la légèreté, l'inconséquence, le caprice, la tendresse, la passion violente, l'inconscience, une nécessité mystérieuse.

LE REGARD DES AUTRES

HUIS CLOS

Trois personnages qui ne se connaissent pas (Estelle, Inès et Garcin) se retrouvent en enfer. Ils sont tous les trois responsables de la mort de ceux qui les ont aimés. D'abord étonnés que l'enfer soit un salon bourgeois et non un lieu peuplé de bourreaux et d'instruments de torture, ils ne tardent pas à comprendre quel supplice les attend. « Le bourreau, c'est chacun de nous pour les deux autres » dit Inès car aucun ne peut cacher sa faute aux deux autres. Voici la dernière scène de la pièce. Estelle tente de séduire Garcin pour s'en faire un allié. Mais Garcin hésite et Inès se moque méchamment de lui.

INÈS

Eh bien, qu'attends-tu ? Fais ce qu'on te dit, Garcin le lâche tient dans ses bras Estelle l'infanticide*. Les paris sont ouverts. Garcin le lâche l'embrassera-t-il ? Je vous vois, je vous vois ; à moi seule je suis une foule, la foule. Garcin, la foule, l'entends-tu ? (*Murmurant.*) Lâche ! Lâche ! Lâche ! Lâche ! En vain tu me fuis, je ne te lâcherai pas. Que vas-tu chercher sur ses lèvres ? L'oubli ? Mais je t'oublierai pas, moi. C'est moi qu'il faut convaincre. Moi. Viens, viens ! Je t'attends. Tu vois, Estelle, il desserre son étreinte, il est docile comme un chien… Tu ne l'auras pas !

GARCIN

Il ne fera donc jamais nuit ?

INÈS

Jamais.

GARCIN

Tu me verras toujours ?

INÈS

Toujours.

(Garcin abandonne Estelle et fait quelques pas dans la pièce. Il s'approche du bronze.)

GARCIN

Le bronze*… (*Il le caresse.*) Eh bien, voici le moment. Le bronze est là, je le contemple et je comprends que je suis en enfer. Je vous dis que tout était prévu. Ils avaient prévu que je me tiendrais devant cette cheminée, pressant ma main sur ce bronze, avec tous ces regards sur moi. Tous ces regards qui me mangent… (*Il se retourne brusquement.*) Ha ! vous n'êtes que deux ? Je vous croyais beaucoup plus nombreuses. (*Il rit.*) Alors, c'est ça l'enfer. Je n'aurais

Huis clos, Comédie-Française.

jamais cru... Vous vous rappelez : le soufre, le bûcher, le gril*... Ah ! quelle plaisanterie. Pas besoin de gril : l'enfer, c'est les Autres.

ESTELLE

Mon amour !

GARCIN, *la repoussant.*

Laisse-moi. Elle est entre nous. Je ne peux pas t'aimer quand elle me voit.

ESTELLE

Ha ! Eh bien, elle ne nous verra plus.

(Elle prend le coupe-papier sur la table, se précipite sur Inès et lui porte plusieurs coups.)

INÈS, *se débattant et riant.*

Qu'est-ce que tu fais, qu'est-ce que tu fais, tu es folle ? Tu sais bien que je suis morte.

ESTELLE

Morte ?

(Elle laisse tomber le couteau. Un temps, Inès ramasse le couteau et s'en frappe avec rage.)

INÈS

Morte ! Morte ! Morte ! Ni le couteau, ni le poison, ni la corde. C'est *déjà* fait, comprends-tu ? Et nous sommes ensemble pour toujours. *(Elle rit.)*

ESTELLE, *éclatant de rire.*

Pour toujours, mon Dieu que c'est drôle ! Pour toujours !

GARCIN, *rit en les regardant toutes deux.*

Pour toujours !

(Ils tombent assis, chacun sur son canapé. Un long silence. Ils cessent de rire et se regardent. Garcin se lève.)

GARCIN

Eh bien, continuons.

Jean-Paul Sartre, *Huis clos*, Gallimard, 1947.

un infanticide : qui a tué volontairement un enfant.

le bronze : il s'agit d'une sculpture en bronze à la mode dans les intérieurs bourgeois du début du siècle et posée sur la cheminée.

un gril : un instrument qui sert à faire griller la viande. Ici, un instrument de torture.

LE COMPORTEMENT DES PERSONNAGES

• Continuez le résumé de la pièce en faisant la chronologie du comportement des personnages. Expliquez les différents comportements :
« Inès nargue Garcin et Estelle. Elle est jalouse, ne veut pas se retrouver isolée, etc. »

LE THÈME DU REGARD

• Relevez tout ce qui se rapporte à ce thème. Quelle est l'idée que Sartre veut illustrer ?

LA VISION SARTRIENNE DE L'ENFER

• Quels objets, quelles scènes trouve-t-on :
– dans les visions traditionnelles de l'enfer,
– dans la vision de Sartre ?
En quoi le bronze et le coupe-papier sont-ils des objets symboliques ?

• Imaginez une vision originale de l'enfer.

DÉBAT

• « L'enfer, c'est les Autres. » Recherchez des arguments pour ou contre cette affirmation.

INFO MÉMOIRE

CÉRÉMONIE D'OUVERTURE DES JEUX OLYMPIQUES D'HIVER À ALBERTVILLE (8 FÉVRIER 1992)

Pour une surprise, ça va être une surprise : de mémoire de JO on n'a jamais vu ça. Souvenez-vous des (longues) cérémonies d'ouverture, avec athlètes en tenue, drapeaux de tous pays, fanfare clinquante et hymnes wagnériens... Sinistres. À Albertville, changement de décor : Michel Barnier et Jean-Claude Killy, les grands manitous, rêvaient d'un spectacle jeune et surprenant, d'un exploit pour ouvrir la voie aux exploits. [...]

Cette fois, c'est Philippe Découfflé, 30 ans, chorégraphe facétieux, qui a pris la direction des opérations. Attention les yeux. [...]

Il faudrait être aussi brillamment givré que Découfflé et ses talentueux comparses pour imaginer, au bout du compte, ce que sera le spectacle : une débauche magique d'imagination, de grâce et d'humour ; un exploit de sales gosses, à déguster comme on trempe ses doigts dans la confiture. Une « découfflerie » : poétique, bigarrée, un rien mégalo. Pas besoin d'être féru de sport pour apprécier ces JO-là.

Valérie Péronnet, *Télérama,* n° 2195, 15.2.1992.

• À l'aide de l'article et du document sonore (extrait du journal de France-Info) trouvez les renseignements suivants.

La cérémonie d'ouverture :
- type de cérémonie,
- heure,
- durée,
- lieu,
- nombre de spectateurs attendus,
- nombre de téléspectateurs.

Le créateur du spectacle :
- nom,
- profession,
- âge,
- personnalité et caractère.

Le spectacle :
- caractéristiques générales,
- détails de la manifestation.

• Imaginez un spectacle original pour l'ouverture des jeux Olympiques (d'été ou d'hiver) dans votre ville.

28 *

Les dernières heures de la Cinq

TÉLÉVISION-RADIO

La Cinq : la mort en direct

Jusqu'à l'écran noir, hier soir, la rédaction a livré son dernier baroud d'honneur.

PORTRAIT

5,50 F ● MERCREDI 25 MARS 1992

LE CAHIER SCIE...

Libération

TELE -5

IL Y A DEU... REMANIEMEN... DANS L'AIR

Profiter du mauvais score des ministres pour réduire le nombre de portefeuilles, comme le souhaite Edith Cresson ; ou rendre responsable le Premier d'entre eux de l'échec de dimanche : deux visions d'un possible remaniement s'affrontent. Lire page 7.

ECHANGES : L'EMBELLIE

L'économie serait-elle en train de se débarrasser de son indécrottable déficit commercial ? Le solde des échanges extérieurs, en tout ...

VERDICT DU TRIBUNA... DE COMMERCE LE 3...

BERLUSCONI RENONCE A SON PROJET DE REPRISE

LES DERNIÈRES SECONDES DE LA VIE D'UNE CHAÎNE DE TÉLÉVISION

Le 12 avril 1992 la cinquième chaîne de télévision française (la Cinq) cessait d'émettre pour des raisons de faillite financière.

- Écoutez les dernières secondes de la dernière émission. Imaginez ce que les téléspectateurs ont pu voir sur l'écran.
- Accepteriez-vous de voir disparaître une ou plusieurs chaînes de télévision de votre pays ? Donnez vos raisons.

VOIX

OPINIONS

L'ACTEUR MICHEL GALABRU
PARLE DE SON ENFANCE.

Né en 1922, Michel Galabru est un grand acteur de théâtre et de cinéma, aussi à l'aise dans les rôles comiques que dans les registres dramatiques ou psychologiques.

- Relevez les diverses manifestations du goût de M. Galabru et de son fils pour les changements de personnalité.

- Faites l'inventaire du vocabulaire utilisé par M. Galabru pour exprimer les idées de jeu, d'identification et d'imitation.

- Commentez cette phrase de l'interview : « Je ne suis pas moi. Ça m'aide à vivre. »

AIDE À L'ÉCOUTE

Sacha Guitry (1885-1957) : auteur et acteur de nombreuses pièces de théâtre de Boulevard. Célèbre aussi pour son humour.

François Perrier et **Jean-Pierre Marielle :** acteurs de théâtre et de cinéma.

le Conservatoire : école qui forme des comédiens et des musiciens.

À TRAVERS LA FRANCE

PAYSAGES VUS DU HAUT DU MONT-AIGOUAL, POINT CULMINANT DES CÉVENNES

- Après avoir écouté le reportage, rédigez la lettre que la journaliste, qui a passé quelques jours dans la station météorologique, envoie à un ami.

« Je vis depuis deux jours dans la station météorologique du Mont-Aigoual. C'est un bâtiment... D'ici la vue est extraordinaire... Les environs de la station... Mais le temps... »

LA SCÈNE ET L'ÉCRAN

- Écoutez la dernière scène de *Huis clos* (voir p. 18).

LES ARTS

LA MISE EN SCÈNE DES OBJETS

Daniel Spoerri, *Le Petit Déjeuner de Kichka,* 1960 (musée d'Art moderne de New York).

LE TRAVAIL DE L'ARTISTE

• Spoerri, Christo et Tinguely appartiennent comme César et Arman au courant du Nouveau Réalisme qui s'est développé en France dans les années 60. Pour chaque œuvre décrivez le travail de l'artiste (matériaux utilisés, gestes, etc.).

• Faites des hypothèses sur la signification de ces œuvres.

LE SENS DU NOUVEAU RÉALISME

• Voici quelques-uns des buts que se sont fixés les « nouveaux réalistes ». Confrontez-les aux œuvres et commentez.

– Rejeter l'art traditionnel et les formes artistiques à la mode dans les années 60, notamment l'Abstraction (voir p. 38) qui déshumanisent l'art.
– Introduire dans le monde de l'art les objets quotidiens et les produits de la société de consommation.
– Détourner le sens de ces objets.
– Retrouver la vie dans la matière.
– Considérer avec humour notre environnement quotidien.

JEU DE RÔLES

• Les fantômes de Léonard de Vinci, de Van Gogh, de Renoir, etc., visitent une exposition de nouveaux réalistes.

L'ŒUVRE ET SON TITRE

• Expliquez les titres des deux tableaux ci-dessous. Montrez que ces œuvres reflètent une idée différente de la réalité et du travail de l'artiste.

• Trouvez d'autres titres pour les œuvres de cette page. Variez la construction grammaticale de ces titres. Inspirez-vous de la forme des titres des douze dossiers de ce livre.

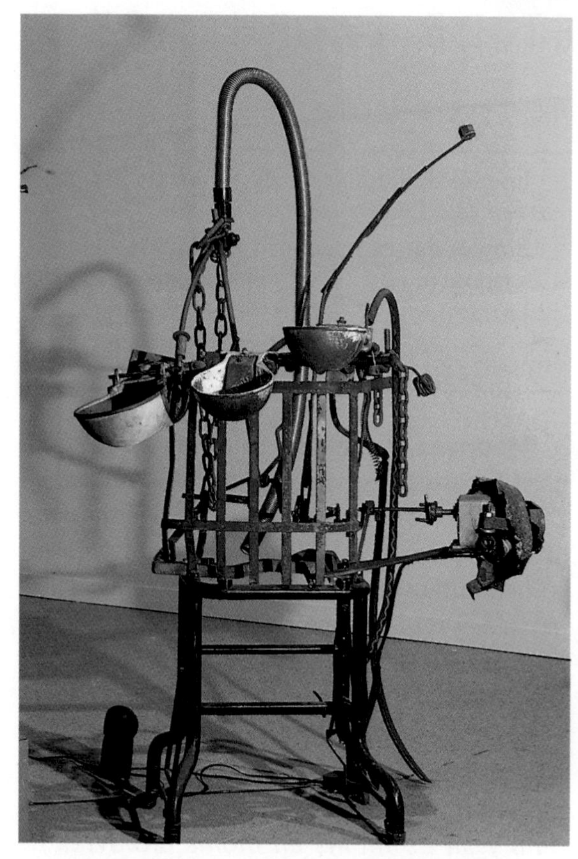

Jean Tinguely, *La Mère,* 1986, musée national d'Art moderne.

Gérard Schlosser, *Je la croyais partie,* 1976, musée national d'Art moderne.

Christo, *Table empaquetée,* 1961, musée national d'Art moderne.

René Magritte, *La Trahison des images : ceci n'est pas une pipe,* 1928, County Museum of Art, Los Angeles.

OUTILS POUR L'EXPRESSION

FORMULER LE SUJET DE LA PHRASE

■ NOMMER LES ACTIONS ET LES QUALITÉS

Pour faire un commentaire à propos d'une action (verbe) ou d'une qualité (adjectif ou adverbe) il est parfois nécessaire d'utiliser une forme nominale. *Les prix augmentent. Ce n'est pas bon pour l'économie.*

□ **Transformation en nom** : *L'augmentation des prix n'est pas bonne pour l'économie.*

□ **Emploi de l'infinitif** : *Augmenter les prix n'est pas bon pour l'économie.*

□ **Emploi des expressions** : « le fait de (que) », « du fait de (que) »... : *Le fait d'augmenter les prix n'est pas bon pour l'économie.*

1 **Réécrivez le texte ci-dessous en utilisant des formes verbales pour décrire les comportements.**

« D'un côté les gens ont besoin de se libérer... »

Comparez les deux façons d'exprimer les mêmes idées.

NOUVEAUX COMPORTEMENTS SOCIAUX

Soif de libération d'un côté, besoin d'enracinement de l'autre. Mais finie l'identification aux vastes et abstraits groupes sociaux du passé, à la classe ouvrière ou au prolétariat international ! La recherche de l'échange psychologique efface la conscience sociale. [...] Alors que le repliement sur la famille étroite était autrefois le comportement courant, l'ouverture aux autres se développe. Le besoin de dialoguer et de communiquer traduit la crainte de la solitude.

Jacques Lesourne, *Les Mille et Un Sentiers de l'avenir,* Seghers, 1981.

2 **Transformez le verbe en nom de façon à donner à l'énoncé l'allure d'un titre de presse.**

Exemple : Le Président est parti pour les États-Unis.

→ Départ du Président pour les États-Unis.

– Les otages ont été libérés.

– Les banques seront fermées le jeudi de l'Ascension.

– Les détenus de la prison de la Santé se sont mutinés.

– Des groupes armés se sont affrontés.

– Un enfant de 10 ans, tombé dans la rivière, a été sauvé par un passant.

– Des quintuplés sont nés dans un village de Russie.

– La pauvreté mondiale s'accroît.

– Les actions Socora ont grimpé de 20 % en un mois.

3 **Réécrivez les textes suivants en remplaçant les mots en italique par des noms.**

L'État *intervient* dans l'industrie cinématographique. Il *incite* à la création, encourage les jeunes auteurs, *subventionne* les œuvres originales et *régule* la production.

Exemple → L'intervention de l'État dans l'industrie...

– Un sondage récent montre que les téléspectateurs *sont insatisfaits* des programmes. Ils regrettent que la publicité *envahisse* l'écran, *qu'il y ait de moins en moins* d'œuvres de qualité et que les émissions intéressantes *soient reportées* à une heure tardive.

– Surtout en Province, les gens *ne sont plus intéressés* par le cinéma en salle. C'est qu'*il faut* se déplacer, que les billets *coûtent* cher et que les bons films *sont rares.*

4 **Prise de notes. Notez les idées principales de ce texte en utilisant des formes nominales.**

Jusqu'à l'an 2020 le déséquilibre entre pays riches et pays pauvres ne fera que s'accroître. Des masses importantes de population émigreront vers les pays économiquement favorisés. Tout cela n'ira pas sans problèmes. Des comportements tribaux renaîtront et le racisme se développera.

Mais les États réagiront et les mentalités évolueront. Ils mettront en place des politiques d'éducation volontaristes et diffuseront partout dans le monde une culture technique de masse. Il faudra attendre le milieu du XXIe siècle pour que les économies s'équilibrent sur la planète et que la démographie se stabilise.

Exemple : 2020 : accroissement du déséquilibre entre les pays riches et les pays pauvres.

5 Expression de l'idée sujet par l'infinitif. Réunissez les deux phrases en faisant du groupe en italique le sujet de la nouvelle phrase.

Exemple : Il faut que vous arriviez au concert avant l'heure. Vous aurez une bonne place.

→ *Arriver avant l'heure vous permettra d'avoir une bonne place.*

– Comment résoudre le chômage ? *Il faut peut-être inciter les entreprises à créer des emplois.*

– *Je dois prendre le métro tous les jours.* Ce n'est pas très réjouissant !

– Vous voulez avoir une bonne orthographe ? *Il faut lire et écrire souvent.*

– *Il sait qu'il n'y aura que 20 places au concours.* Ce n'est pas fait pour l'encourager.

– Vous voulez retrouver la forme ? *Sortez plus souvent !*

6 Emploi des formes « le fait de », « le fait que », etc. Réunissez les deux phrases en faisant du groupe en italique le sujet de la nouvelle phrase et en utilisant l'expression entre parenthèses.

– *Elle doit chanter en public.* Elle est terrorisée. (le fait de)

– Il n'a pas pu faire la longue promenade. *Il est trop âgé.* (du fait de)

– *Elle ne m'a pas invité.* Ça prouve bien qu'elle n'a pas envie de me voir. (le fait que)

– *Cette région a réglé la crise de l'emploi.* C'est à mettre à son actif. (le fait que)

– Le déficit budgétaire de l'État s'est alourdi. *C'est parce qu'il a diminué les impôts.* (le fait de)

– Je n'ai pas pu aller travailler. *Les employés du métro étaient en grève.* (du fait de)

■ LA COHÉRENCE DU SUJET

Lorsque plusieurs phrases ont le même sujet, il est nécessaire de varier la formulation de ce sujet. On peut alors utiliser :

☐ **des pronoms personnels** : il-elle-etc.

☐ **des démonstratifs** ou des mots qui ont la même fonction que les démonstratifs : celle-ci, ce dernier, l'idée précédente, etc.

☐ **des noms de remplacement** : Le chien se mit à aboyer furieusement. *L'animal* s'était détaché etc.

7 La plupart des phrases du texte suivant ont le même sujet. Recherchez ses différentes formulations.

BOUTROS-GHALI,
SECRÉTAIRE GÉNÉRAL DE L'ONU

Il est le premier représentant du continent africain à accéder à ce poste. Boutros Boutros-Ghali vient d'être désigné par le Conseil de sécurité comme secrétaire général des Nations unies. Le vice-Premier ministre égyptien, 69 ans, l'a emporté sur son principal rival, le ministre des Finances du Zimbabwe, avec une nette majorité : 11 voix pour et 4 abstentions. Cette nomination sera confirmée par un vote de l'Organisation. Connu pour avoir été l'artisan du dialogue israélo-arabe et des accords de Camp David, le diplomate égyptien devra succéder, en janvier, à un homme qui a marqué l'histoire de l'ONU, Javier Perez de Cuellar.

Jacques Legrand - Éditions Chronique.

8 Vous venez d'assister à l'arrivée à Ilwaco de Gérard d'Aboville, rameur solitaire qui vient de traverser l'océan Pacifique. À partir des notes suivantes rédigez un article. Variez la formulation du sujet des phrases. Vous pouvez modifier l'ordre de ces phrases.

– Il est parti du Japon le 11 juillet 1991.

– Il a traversé le Pacifique (10 000 km) sur un canot de 600 kg en 134 jours.

– Il s'est imposé une discipline d'enfer : lever à l'aube, puis, 10 à 12 heures d'aviron, quelquefois plus.

– Il a dû affronter deux typhons qui ont retourné son canot et il a été dévié par les courants.

– Il est arrivé à Ilwaco (petit port proche de l'État de Washington) le 21 novembre 1991.

Il est épuisé, a le visage creusé. Il semble venir d'un autre monde. Il a retrouvé sa famille et ses amis.

Gérard d'Aboville marié, 2 enfants, Breton, sportif (pratique l'aviron), descendant d'une famille de navigateurs.
Le nom des d'Aboville remonte au Moyen Âge.

2 L’emprise des signes

Tout est signe mais il faut une lumière ou un cri éclatant pour percer notre myopie ou notre surdité.

Michel Tournier, *Le Roi des aulnes,* Gallimard, 1970.

Graphisme mural à Saint-Denis.

Acteur
Alphabet
Analyse de l’image
Évocation
Femmes
Gestes
Graffitis
Jeux de mots
Jeux Olympiques
Métaphores
Paysages
Signes
Signification

Une grotte sous-marine préhistorique à Cassis (découverte en 1991).

L’harmonie cachée vaut mieux que l’harmonie visible.

Héraclite d’Éphèse (v. 540-550 - v. 480 av. J.C.)

SIGNES DES TEMPS

TAGS

Paris vieillit et l'outrage des ans n'est pas seul responsable. Certains petits malins tartinent* la capitale de fards dangereux pour sa santé. Armés de bombes aérosols, de marqueurs indélébiles, ils « graffitent* », « taguent* », « pochoirisent* » avec acharnement. Tant pis si le démaquillage est coûteux et douloureux. Ils se sont « exprimés ». Les alibis idéologiques et artistiques ne manquent pas. [...]

Mais les vrais artistes sont rares et les vandales nocturnes fort efficaces. Chaque matin, la ville n'a plus qu'à se refaire une beauté. Dix-huit millions de son budget annuel propreté y passent. Ses soixante employés spécialisés réparent les dégâts à grand renfort de jets d'eau et de sable, de ponceuses, de solvants et de peinture. Les sentiments à l'égard de leurs entreprises sont partagés. On condamne la dégradation mais l'on s'empresse d'excuser l'art. Il ne faut pas paraître ringard. Les élus locaux prennent des mesures douces qui n'écorcheront pas leur popularité. Quant à la population, elle comprend, va jusqu'à apprécier ce qu'on dessine plus loin, dans les quartiers sordides où elle ne met pas les pieds, mais réprouve le barbouillage du métro ou de sa façade. Les tags surtout l'insécurisent. Ces signes cabalistiques ont quelque chose d'inquiétant. Ils émanent d'un monde inconnu, dangereux, souterrain, qu'on n'a pas très envie de voir remonter à la surface. S.B.

Madame Figaro, 11.2.1989.

tartiner : couvrir une tartine de pain de beurre ou de confiture ; recouvrir une surface.

graffiter : de « graffiti », dessin ou inscription illicite faite sur les murs, les portes, etc.

tagger : de « tag », dessin, signature, effectué très rapidement.

pochoiriser : de « pochoir », dessin réalisé à l'aide d'un carton découpé et d'une bombe de peinture.

ANALYSE DE LA SUBJECTIVITÉ DU TEXTE

- Analysez le contenu de cet article et la manière dont l'auteur prend position face au phénomène des tags. Examinez en particulier :
  - les taggers et leur activités,
  - l'état de Paris,
  - l'attitude des gens et la réaction des pouvoirs publics.

  Observez : la manière de présenter les informations, le choix du vocabulaire

ÉCRITURE

- Écoutez les taggers parler de leur activité (document p. 43) et rédigez un article à la gloire des tags.

DESSINS PRÉHISTORIQUES

L'ensemble des peintures et des figures gravées dans chaque site constituerait une réunion cohérente de signes visuels qui parleraient, assez mystérieusement il faut le dire, un langage à percevoir dans la totalité de ses aspects. Certains auteurs ont pu parler, à propos de ces groupes d'images réalistes et de figures presque abstraites, d'un système de signes exprimant des conceptions religieuses et mythiques du monde.

La plupart des chercheurs y voient surtout l'idée, que l'on retrouve dans la pensée chinoise la plus ancienne, d'une dialectique fondamentale entre l'élément féminin fécondé et l'élément masculin fécondant. Ce qui a pu faire dire cela est la présence, en dehors de figuration d'animaux (bisons, cervidés, mammouths), de signes énigmatiques répartis schématiquement en deux groupes : traits, lignes de points, bâtonnets, lesquels constitueraient des signes masculins évoquant peut-être le phallus; et d'autres signes, ovales, triangles, cercles fermés, ceux-là féminins...

Georges Jean, *Langage des signes,* Gallimard, 1989.

L'EXPRESSION DE LA SIGNIFICATION

- Quel sens les archéologues donnent-ils aux peintures et aux signes tracés sur les parois des cavernes ?
- Relevez le vocabulaire en relation avec l'idée de signification.

DÉBAT ET RÉDACTION DE COMPTE RENDU

- Organisez un débat au cours duquel vous essaierez de cerner la signification d'un phénomène contemporain propre à votre pays. En France, par exemple, la mode des tags, celle des VTT (vélos tout terrain), certaines coiffures ou habitudes vestimentaires sont hautement significatives.
- Rédigez un compte rendu de ce débat en vous inspirant de l'organisation du texte ci-contre.

LE SENS DES GESTES QUOTIDIENS

MANGER AVEC DES BAGUETTES : UN GESTE LOURD DE SIGNIFICATIONS

Roland Barthes (1915-1980) est un critique et un sémiologue (il étudiait les systèmes de signification). Dans l'ouvrage qui l'a rendu célèbre, « Mythologies », il explique le sens profond des habitudes quotidiennes. Ici, il exerce sa sagacité sur l'utilisation des baguettes dans le comportement alimentaire des Japonais.

La baguette a bien d'autres fonctions que de transporter la nourriture du plat à la bouche (qui est la moins pertinente, puisque c'est aussi celle des doigts et des fourchettes), et ces fonctions lui appartiennent en propre. Tout d'abord, la baguette – sa forme le dit assez – a une fonction déictique : elle montre la nourriture, désigne le fragment, fait exister par le geste même du choix, qui est l'index ; mais par-là, au lieu que l'ingestion suive une sorte de séquence machinale, où l'on se bornerait à avaler peu à peu les parties d'un même plat, la baguette, désignant ce qu'elle choisit (et donc choisissant sur l'instant ceci et non cela), introduit dans l'usage de la nourriture, non un ordre, mais une fantaisie et comme une paresse : en tout cas, une opération intelligente, et non plus mécanique. Autre fonction de la double baguette, celle de pincer le fragment de nourriture (et non plus de l'agripper, comme font nos fourchettes) ; *pincer* est d'ailleurs un mot trop fort, trop agressif (c'est le mot des petites filles sournoises, des chirurgiens, des couturières, des caractères susceptibles) ; car l'aliment ne subit jamais une pression supérieure à ce qui est juste nécessaire pour le soulever et le transporter ; il y a dans le geste de la baguette, encore adouci par sa matière, bois ou laque, quelque chose de maternel, la retenue même, exactement mesurée, que l'on met à déplacer un enfant [...] jamais l'instrument ne perce, ne coupe, ne fend, ne blesse, mais seulement prélève, retourne, transporte. Car la baguette (troisième fonction), pour diviser, sépare, écarte, chipote, au lieu de couper et d'agripper, à la façon de nos couverts ; elle ne violente jamais l'aliment : ou bien elle le démêle peu à peu (dans le cas des herbes), ou bien elle le défait (dans le cas des poissons, des anguilles), retrouvant ainsi les fissures naturelles de la matière (en cela bien plus proche du doigt primitif que du couteau). Enfin, et c'est peut-être sa plus belle fonction, la double baguette *translate* la nourriture, soit que, croisée comme deux mains, support et non plus pince, elle se glisse sous le flocon de riz et le tende, le monte jusqu'à la bouche du mangeur, soit que (par un geste millénaire de tout l'Orient) elle fasse glisser la neige alimentaire du bol aux lèvres, à la façon d'une pelle. Dans tous ces usages, dans tous les gestes qu'elle implique, la baguette s'oppose à notre couteau (et à son substitut prédateur, la fourchette).

Roland Barthes, *L'Empire des signes*, Skira-Flammarion, 1970.

ANALYSE DU TEXTE

• Recherchez et présentez dans un tableau les différentes fonctions des baguettes et les significations profondes de leur usage.

Fonctions des baguettes	Significations profondes
montrer la nourriture, désigner, faire existe, …	fantaisie, paresse, opération intelligente, …

• Les observations recensées dans la colonne « significations » vous paraissent-elles significatives de l'esprit extrême-oriental (japonais, chinois, etc.) ?

RECHERCHE D'IDÉES

• Recherchez les significations profondes :
– d'un aliment : le hamburger et la société américaine, les pâtes et la société italienne, etc. ;
– d'un vêtement : le jean, le chapeau, le bandeau serre-tête, etc. ;
– d'un geste : geste de salutation ou d'adieu, comportement à table, etc.

Le roc dans l'urne dans le cercle vicieux dans le mur raviné dans la double ÉCHELLE.

Michel Leiris, *Mots sans mémoire,* Gallimard, 1969.

MON CŒUR PAREIL à UNE FLAMME RENVERSÉE

Guillaume Apollinaire, *Calligrammes,* Gallimard, 1926.

GRAPHISMES

Avez-vous remarqué combien l'Y est une lettre pittoresque qui a des significations sans nombre ? L'arbre est un Y ; l'embranchement de deux routes est un Y ; le confluent de deux rivières est un Y ; une tête d'âne ou de bœuf est un Y ; un verre sur son pied est un Y ; un lys sur sa tige est un Y ; un suppliant qui lève les bras au ciel est un Y. Au reste cette observation peut s'étendre à tout ce qui constitue élémentairement l'écriture humaine. Tout ce qui est dans la langue démotique* y a été versé par la langue hiératique*. L'hiéroglyphe est la racine nécessaire du caractère. Toutes les lettres ont d'abord été des signes et tous les signes ont d'abord été des images.

La société humaine, le monde, l'homme tout entier est dans l'alphabet. La maçonnerie, l'astronomie, la philosophie, toutes les sciences ont là leur point de départ, imperceptible, mais réel ; et cela doit être. L'alphabet est une source.

Victor Hugo, *Carnets de voyages.*

langue démotique - langue hiératique : les premiers hiéroglyphes égyptiens (langue hiératique) étaient des représentations stylisées des choses et des actions, ce qui nécessitait un nombre très important de signes. Puis, cette écriture s'est simplifiée (langue démotique). Avec un petit nombre de signes on est parvenu à symboliser un plus grand nombre de choses.

LE SENS DE L'ALPHABET

- Quelles significations Victor Hugo attribue-t-il à l'alphabet ?
- Donnez des exemples qui montrent que dans toutes les civilisations l'écriture et l'alphabet ont eu (et peuvent avoir encore aujourd'hui) un sens quasi sacré.

CRÉATIVITÉ

- À l'exemple de Victor Hugo, associez les lettres de l'alphabet à des images ou à des idées.
- Commentez et imitez les productions graphiques ci-dessus.

L'ÉVOCATION DE LA FEMME

La courbe de tes yeux fait le tour de mon cœur,
Un rond de danse et de douceur,
Auréole du temps, berceau nocturne et sûr,
Et si je ne sais plus tout ce que j'ai vécu
C'est que tes yeux ne m'ont pas toujours vu.

Feuilles de jour et mousse de rosée,
Roseaux du vent, sourires parfumés,
Ailes couvrant le monde de lumière,
Bateaux chargés du ciel et de la mer,
Chasseurs des bruits et sources des couleurs

Parfums éclos d'une couvée d'aurores
Qui gît toujours sur la paille des astres,
Comme le jour dépend de l'innocence
Le monde entier dépend de tes yeux purs
Et tout mon sang coule dans leurs regards.

Paul Eluard, *Capitale de la douleur,* Gallimard, 1926.

LA STRUCTURE DU POÈME

• Quels sont les trois « acteurs » principaux (personnes ou objets) évoqués dans le poème ?

• Montrez qu'ils sont reliés dans une construction circulaire.

• Étudiez la présence de cette construction dans le plan général du poème, dans les cinq premiers vers et les trois derniers vers.

• Dégagez le sens du poème.

L'ÉVOCATION DU MONDE

• Commentez brièvement chacune des métaphores énumérées dans l'évocation du monde (vers 6 à 12).

• Classez les mots des vers 6 à 10 :
– selon les quatre éléments fondamentaux : air-terre-eau-feu ;
– selon qu'ils se rattachent à un être animé (homme ou animal) ou inanimé (objet ou végétal).
Quelles sont les catégories de mots les plus importantes ? Qu'en concluez-vous ?

Jean Cousin, *Eva Prima Pandora,* vers 1550, musée du Louvre.

FEMME NOIRE

Léopold Sédar Senghor est un poète sénégalais d'expression française qui a été président de son pays de 1960 à 1980. Sa poésie exalte la grandeur de la « négritude » ainsi que la beauté et la richesse de la civilisation africaine.

Femme nue, femme noire
Vêtue de ta couleur qui est vie, de ta forme qui est beauté !
J'ai grandi à ton ombre ; la douceur de tes mains bandait mes yeux.
Et voilà qu'au cœur de l'Été et de Midi, je te découvre,
Terre promise, du haut d'un haut col calciné
Et ta beauté me foudroie en plein cœur, comme l'éclair d'un aigle.

Femme nue, femme obscure
Fruit mûr à la chair ferme, sombres extases du vin noir, bouche qui fais lyrique ma bouche
Savane aux horizons purs, savane qui frémis aux caresses ferventes du Vent d'Est

Tamtam sculpté, tamtam tendu qui grondes sous les doigts du vainqueur
Ta voix grave de contralto est le chant spirituel de l'Aimée.

Femme nue, femme obscure
Huile que ne ride nul souffle, huile calme aux flancs de l'athlète, aux flancs des princes du Mali
Gazelle aux attaches célestes, les perles sont étoiles sur la nuit de ta peau
Délices des jeux de l'esprit, les reflets de l'or rouge sur ta peau qui se moire
À l'ombre de ta chevelure, s'éclaire mon angoisse aux soleils prochains de tes yeux.

Femme nue, femme noire
Je chante ta beauté qui passe, forme que je fixe dans l'Éternel
Avant que le Destin jaloux ne te réduise en cendres pour nourrir les racines de ta vie.

Léopold Sédar Senghor, *Chants d'Ombre,* Seuil, 1964.

Statue Senoufo, musée de Dakar.

ÉTUDES DES IDENTIFICATIONS

• Relevez tous les mots qui caractérisent la femme évoquée par le poète (qualifications, évocations, mises en relation). Classez-les selon qu'ils suggèrent :
– des images de l'Afrique : noire, éclair d'un aigle, etc. ;
– des images générales de la femme : nue, vie, beauté, douceur, Terre promise, etc.

• Faites l'inventaire des différentes constructions grammaticales qui permettent ces identifications.

• Analysez la succession de ces images :
« Femme nue, femme noire » image primitive et originelle, etc.

• Faites la synthèse de ces diverses observations pour dégager les intentions du poète et le sens du poème. Utilisez le vocabulaire de l'évocation p. 40.

CRÉATIVITÉ

• Utilisez les procédés d'évocation et d'identification que vous avez observés dans les deux poèmes pour évoquer un lieu (maison, ville, paysage) ou une personne.

RÉDACTION DE COMMENTAIRE

• Regroupez dans un bref commentaire les principales observations que vous aurez faites sur l'un des deux poèmes (utilisez le vocabulaire de la p. 40).

RECHERCHE

• Recherchez différentes images de la femme dans la littérature et dans la peinture.
Ces images sont-elles liées à l'époque où elles ont été produites ? Les retrouve-t-on encore aujourd'hui ?

LITTÉRATURE

L'ÉVOCATION DES CHOSES

DU CÔTÉ DE CHEZ SWANN

Marcel Proust, le narrateur, se souvient d'une promenade en voiture à cheval qu'il a faite dans son enfance.

Nous poursuivîmes notre route ; nous avions déjà quitté Martinville depuis un peu de temps et le village après nous avoir accompagnés quelques secondes avait disparu, que restés seuls à l'horizon à nous regarder fuir, ses clochers et celui de Vieuxvicq agitaient en signe d'adieu leurs cimes ensoleillées. Parfois l'un s'effaçait pour que les deux autres pussent nous apercevoir un instant encore ; mais la route changea de direction, ils virèrent dans la lumière comme trois pivots d'or et disparurent à mes yeux. Mais, un peu plus tard, comme nous étions déjà près de Combray, le soleil étant maintenant couché, je les aperçus une dernière fois de très loin, qui n'étaient plus que comme trois fleurs peintes sur le ciel au-dessus de la ligne basse des champs. Ils me faisaient penser aussi aux trois jeunes filles d'une légende, abandonnées dans une solitude où tombait déjà l'obscurité ; et tandis que nous nous éloignions au galop, je les vis timidement chercher leur chemin et, après quelques gauches trébuchements de leurs nobles silhouettes, se serrer les uns contre les autres, glisser l'un derrière l'autre, ne plus faire sur le ciel encore rose qu'une seule forme noire, charmante et résignée, et s'effacer dans la nuit.

Marcel Proust, *Du côté de chez Swann,* Gallimard, 1913.

CE QUE NOUS SOMMES

Tu es radeau dans l'éclaircie
Tu es silence dans les villes
Tu es debout
Tu gravites
Tu es rapt d'infini

Mais *tel que je suis*
que j'écris *que je tremble*
Je te sais parfois
refroidi de toi-même
quand les fables et le sel t'ont quitté !

Je te sais
Tantôt mutilé
Tantôt espace
Tantôt épave
Ou illumination

Je te sais
disloqué par les parcelles du monde

Mais je te sais
De face
Dans la forge de ton feu.

Andrée Chédid, « Visage premier » (1970-1972), *Poèmes pour un texte,* Flammarion, 1991.

DU CÔTÉ DE CHEZ SWANN

• Répartissez dans les tableaux toutes les notations descriptives des clochers qui sont marquées par l'imagination du poète.

• Analysez la progression des cinq identifications des clochers. Caractérisez l'imaginaire révélé par ces évocations (imaginaire de l'enfant ou de Proust se souvenant de son enfance).

Formes verbales → personnification des clochers
à nous regarder fuir

Formes nominales → identification à d'autres éléments
cimes ensoleillées

CE QUE NOUS SOMMES

• Faites des hypothèses sur les différentes significations que peut avoir le " tu " (objet ou personne auxquels s'adresse Andrée Chédid) dans chacune des évocations de ce poème.

Exemple : " Tu es radeau dans l'éclaircie " → lieu de refuge fragile auquel on peut se raccrocher. Mais l'objet ne devient refuge que lorsqu'il y a éclaircie, lorsqu'il s'éclaire, etc.

• Trouvez une signification du " tu " qui soit cohérente pour tout le poème : Dieu ? L'être aimé ? Le visage des hommes ? Un pays ? (Andrée Chedid est née en Égypte d'une famille d'origine libanaise.)

CRÉATIVITÉ

• Inspirez-vous de la structure du poème d'Andrée Chédid. Évoquez sans le nommer un objet ou une personne par des métaphores, des identifications ou des caractérisations ambiguës.

La faute de l'abbé Mouret

Le jeune abbé de province Serge Mouret, qui est tombé malade, est soigné au « Paradou », la propriété d'un misanthrope qui professe une philosophie matérialiste. Là, il rencontre Albine, la nièce du propriétaire, une jeune sauvageonne qui a grandi isolée du monde extérieur dans l'immense parc à l'abandon du « Paradou ». Les deux jeunes gens font de longues promenades dans ce paradis terrestre. Albine y cherche un arbre autour duquel elle a construit une mystérieuse légende. Longtemps auparavant, un jeune seigneur et son épouse s'étaient installés dans la propriété. Ils y vivaient reclus et la femme n'en était plus sortie. Albine suppose « qu'ils avaient découvert dans le jardin un endroit de félicité parfaite, où ils finissaient par vivre toutes leurs heures. »
Dans la scène suivante, Albine et Serge (qui se prête au jeu de la jeune fille) pensent avoir découvert le lieu magique.

C'était là certainement que devait se trouver l'arbre tant cherché, dont l'ombre procurait la félicité parfaite. Ils le sentaient proche, au charme qui coulait en eux, avec le demi-jour des hautes voûtes. Les arbres leur semblaient des êtres de bonté, pleins de force, pleins de silence, pleins d'immobilité heureuse. Ils les regardaient un à un, ils les aimaient tous, ils attendaient de leur souveraine tranquillité quelque aveu qui les ferait grandir comme eux, dans la joie d'une vie puissante. Les érables, les frênes, les charmes, les cornouillers, étaient un peuple de colosses, une foule de douceur fière, des bonshommes héroïques qui vivaient de paix, lorsque la chute d'un d'entre eux aurait suffi pour blesser et tuer tout un coin du bois. Les ormes avaient des corps énormes, des membres gonflés, engorgés de sève, à peine cachés par les bouquets légers de leurs petites feuilles. Les bouleaux, les aunes, avec leurs blancheurs de fille, cambraient des tailles minces, abandonnaient au vent des chevelures de grandes déesses, déjà à moitié métamorphosées en arbres. Les platanes dressaient des torses réguliers, dont la peau lisse, tatouée de rouge, semblait laisser tomber des plaques de peinture écaillée. Les mélèzes, ainsi qu'une bande barbare, descendaient une pente, drapés dans leurs sayons* de verdure tissée, parfumés, d'un baume fait de résine et d'encens. Et les chênes étaient rois, les chênes immenses, ramassés carrément sur leur ventre trapu, élargissant des bras dominateurs qui prenaient toute la place au soleil, arbres titans, foudroyés, renversés dans des poses de lutteurs invaincus, dont les membres épars plantaient à eux seuls une forêt entière.

N'était-ce pas un de ces chênes gigantesques ? ou bien un de ces beaux platanes, un de ces bouleaux blancs comme des femmes, un de ces ormes dont les muscles craquaient ? Albine et Serge s'enfonçaient toujours, ne sachant plus, noyés au milieu de cette foule. Un instant, ils crurent avoir trouvé : ils étaient au milieu d'un carré de noyers, dans une ombre si froide, qu'ils en grelottaient. Plus loin, ils eurent une autre émotion, en entrant sous un petit bois de châtaigniers, tout vert de mousse, avec des élargissements de branches bizarres, assez vastes pour y bâtir des villages suspendus. Plus loin encore, Albine découvrit une clairière, où ils coururent tous deux, haletants. […]

Puis, ils s'en allèrent, n'ayant pas senti là le bonheur surhumain qu'ils cherchaient.

Émile Zola, *La Faute de l'abbé Mouret*, 1875.

un sayon : sorte de veste épaisse portée par les guerriers de l'Antiquité.

L'ÉVOCATION DES ARBRES

• Relevez les différents noms d'arbres qui se succèdent dans ce passage. Cherchez la traduction de ces mots dans un dictionnaire bilingue.

• Analysez les groupes de mots qui caractérisent les arbres. Répertoriez dans un tableau les différentes identifications.

• Regroupez ces identifications et définissez la vision des arbres et de la nature donnée par Zola.

Les arbres	Ce qu'ils évoquent
les arbres les érables, etc.	êtres de bonté - force - bonheur peuple de colosses, etc.

LES ÉMOTIONS DES PERSONNAGES

• Que ressentent les deux personnages ? Quel message leur adresse la nature ?

• Serge est une jeune abbé partagé entre une conception rigide de la morale chrétienne et une grande compréhension pour les « péchés » des hommes. Imaginez les conséquences de son séjour au « Paradou ».

LITTÉRATURE ET NATURE

• Connaissez-vous des écrivains et des poètes pour qui la nature a été une source importante d'inspiration et de réflexion ? Présentez rapidement une de leurs œuvres. Quelle vision particulière de la nature ont-ils donnée ? (Réflexion sur la fuite du temps, expression des sentiments, etc.)

LE CINÉMA D'IMAGES

« LE GRAND BLEU »,
UN FILM DE LUC BESSON (1988)

L'histoire

Deux hommes, l'Italien Enzo et le Français Jacques sont à la fois amis et rivaux. Ils parcourent le monde en essayant de se ravir l'un l'autre le record du monde de plongée sous-marine en apnée (sans respirer) dans un continuel défi à leurs limites physiques. Joana, une jeune Américaine, suit Jacques dans ses voyages, fascinée par son étrange personnalité. Les deux jeunes gens vivent quelque temps ensemble mais Jacques ne semble heureux que dans l'eau ou à jouer avec les dauphins. Enzo, qui veut surpasser les performances surhumaines de Jacques, a un accident et décide de se laisser couler au fond de la mer guidé par son ami. Jacques ne remontera à la surface que pour dire définitivement adieu à Joana et au monde avant d'aller rejoindre Enzo.

J.-M. Barr (Jacques) et J. Reno (Enzo) dans *Le Grand Bleu.*

Séquences

Joana, qui n'a jusqu'alors rencontré Jacques que brièvement au Pérou, vient de le rejoindre en Sicile. Si Enzo manifeste un intérêt immédiat pour la jeune fille, Jacques, en revanche, semble partagé entre l'indifférence et la timidité.

JACQUES

Tout à l'heure, au déjeuner, tu voulais que je te pose des questions.

ENZO

Ah ! Je parierais que tu veux tout savoir sur les femmes…

JACQUES

C'est ce qu'il y a de plus important ?

ENZO

Non, ça dépend. Des fois c'est important oui. Qu'est-ce que tu veux savoir ?

JACQUES

Je veux tout savoir.

ENZO

Tout savoir sur quoi ?

JACQUES

Pas sur tout.

ENZO

Mama mia !... Donc moi, entre mama, Loreto et Alfredo, ça hurle à longueur de journée. Mais à la fin tout le monde s'embrasse. Comment t'expliquer ça toi ? Hein ? Tu vois, l'amour, c'est pas autre chose. Tu respires un coup sur deux mais t'es pas tout seul dans ton coin. C'est ça l'amour et ça donne une grande et merveilleuse famille.

Opinions

La morale qui semble commune aux jeunes metteurs en scène des années 80, c'est celle de la belle image, quelquefois même de l'image pour l'image.

Besson fuit le monde réel et a peur des autres à la manière des enfants. *Le Grand Bleu ,* qui a battu tous les records d'entrées, n'est ni plus ni moins – par grands fonds interposés – que le grand rêve du retour au ventre de la mère. C'est l'évasion définitive et suicidaire, conséquence de la peur de vivre. Il est d'ailleurs symptomatique que les fans du *Grand Bleu,* qui vont le revoir pour la dixième, douzième ou quinzième fois, ne vont plus voir aucun autre film : ils se shootent au *Grand Bleu.*

D'après *Télérama,* n° 2088, 17.1.1990.

J. Reno (Enzo) et J.-M. Barr (Jacques) dans *Le Grand Bleu.*

ANALYSE DES IMAGES

Dans *Le Grand Bleu* comme dans beaucoup de films contemporains, les images nous en apprennent plus sur l'histoire et sur les personnages que les dialogues.

• Dégagez le contenu et le message des images. Analysez :
– le cadrage (les éléments que le metteur en scène a choisi de montrer ensemble, la position des personnages par rapport aux objets et aux autres personnages),
– la symbolique du décor, des objets et des attitudes,
– les relations entre l'image et le texte.

J. Reno (Enzo) et R. Arquette (Joana) dans *Le Grand Bleu.*

ENZO : *avant la compétition au cours de laquelle il mourra :*
Ça va être un très grand jour demain.

LES SIGNIFICATIONS DU FILM

• Quel sens ce film donne-t-il :
– à la vie ?
– à l'amour ?
– à la mort ?

• Donnez de ce film une interprétation :
– psychologique : en analysant le caractère et les sentiments des personnages ;
– sociologique : pourquoi un tel film a-t-il eu autant de succès en 1988 ?

JEUX DE MOTS

LE PLAISIR DES SENS

Raymond Devos (né en 1922) est un comédien humoriste qui suscite le rire en démontant la logique du langage et en poussant à l'extrême l'absurdité de certaines situations quotidiennes.

Mon vieux !… le problème de la circulation… ça ne s'arrange pas !.
J'étais dans ma voiture…
J'arrive sur une place…
Je prends le sens giratoire…
Emporté par le mouvement, je fais un tour pour rien…
Je me dis : « Ressaisissons-nous. »
Je vais pour prendre la première à droite : *sens interdit.*
Je me dis : « C'était à prévoir... je vais prendre la deuxième. »
Je vais pour prendre la deuxième : *sens interdit.*
Je me dis : « Il fallait s'y attendre !... prenons la troisième. » *Sens interdit !*
Je me dis : « Là ! Ils exagèrent !... Je vais prendre la quatrième. »
Sens interdit !
Je dis : « Tiens. »
Je fais un tour pour vérifier.
Quatre rues, quatre sens interdits !...
J'appelle l'agent.
– Monsieur l'Agent ! Il n'y a que quatre rues et elles sont toutes les quatre en sens interdit.
– Je sais... c'est une erreur.
– Alors ? pour sortir ?...
– Vous ne pouvez pas !
– ! Alors ? qu'est-ce que je vais faire ?
– Tournez avec les autres.
– ! Ils tournent depuis combien de temps ?
– Il y en a, ça fait plus d'un mois.
– ! Ils ne disent rien ?
– Que voulez-vous qu'ils disent !... ils ont l'essence... ils sont nourris... ils sont contents !
– Mais... il n'y en a pas qui cherchent à s'évader ?
– Si ! Mais ils sont tout de suite repris.
– Par qui ?
– Par la police... qui fait sa ronde... mais dans l'autre sens.
– Ça peut durer longtemps ?
– Jusqu'à ce qu'on supprime les sens.
– ! Si on supprime l'essence... il faudra remettre les bons.
– Il n'y a plus de « bons sens ». Ils sont « uniques » ou « interdits ». Donnez-moi neuf cents francs.
– Pourquoi ?
– C'est défendu de stationner !
– !...
– Plus trois cents francs !
– De quoi ?
– De taxe de séjour !
– ! Les voilà !
– Et maintenant filez !... et tâchez de filer droit !... Sans ça, je vous aurai au tournant.
Alors j'ai tourné... j'ai tourné...
À un moment, comme je roulais à côté d'un laitier, je lui ai dit :
– Dis-moi laitier... ton lait va tourner ?…
– T'en fais pas !... je fais mon beurre...
– !
Ah ben ! je dis : « Celui-là ! il a le moral !... »
Je lui dis :
– Dis-moi ? qu'est-ce que c'est que cette voiture noire là, qui ralentit tout ?
– C'est le corbillard, il tourne depuis quinze jours !
– Et la blanche là, qui vient de nous doubler ?
– Ça ? c'est l'ambulance !... priorité !
– Il y a quelqu'un dedans ?
– Il y avait quelqu'un.
– Où il est maintenant ?
– Dans le corbillard !
– !
Je me suis arrêté... J'ai appelé l'agent... je lui ai dit :
– Monsieur l'Agent, je m'excuse... j'ai un malaise...
– Si vous êtes malade, montez dans l'ambulance !

Raymond Devos, *Matière à rire,* Olivier Orban, 1991.

L'ABSURDITÉ DE LA SITUATION

• Faites la liste des différentes situations absurdes qui se succèdent dans cette histoire. Caractérisez-les en montrant qu'il y a une gradation. Utilisez les qualificatifs : *illogique, fou, incohérent, aberrant, kafkaïen, absurde, angoissant, inattendu, incompréhensible.*

• Imaginez d'autres situations absurdes dans un autre contexte (voyage en train ou en avion, spectacle, etc.).

LES JEUX DE MOTS

• Si, comme cela se fait souvent à la télévision, vous deviez faire le bruitage de cette scène, à quels endroits déclencheriez-vous la « machine à rires » ?

• Montrez que les effets comiques sont :
– des situations absurdes ou inattendues,
– des mots ou expressions inhabituels dans leur contexte,
– des jeux de mots. Relevez-les et expliquez-les.

*Exemple : « **Ils ont l'essence** » Jeu sur « **l'essence** » nécessaire aux voitures et « **les sens** » interdits.*

UN MOT POUR UN AUTRE

Jean Tardieu, né en 1903, est un poète et un auteur dramatique virtuose du jeu verbal insolite. Sa pièce, « Un mot pour un autre », présente des substitutions cocasses de mots.

Décor : *un salon « 1900 ». Au lever de rideau, Madame, assise sur un sofa, est en train de lire.*
La sonnette de l'entrée retentit au loin.

IRMA,
entrant. Bas à l'oreille de Madame et avec inquiétude. – C'est Madame de Perleminouze, je fris bien : Madame *(elle insiste sur « Madame »),* Madame de Perleminouze !

MADAME,
un doigt sur les lèvres, fait signe à Irma de se taire, puis, à voix haute et joyeuse. – Ah ! Quelle grappe ! Faites-la vite grossir !

Irma sort. Madame, en attendant la visiteuse, se met au piano et joue. Il en sort un tout petit air de boîte à musique.
Retour d'Irma, suivie de Madame de Perleminouze.

IRMA,
annonçant. – Madame la Comtesse de Perleminouze !

MADAME,
fermant le piano et allant au-devant de son amie. – Chère, très chère peluche ! Depuis combien de trous, depuis combien de galets n'avais-je pas eu le mitron de vous sucrer !

MADAME DE PERLEMINOUZE,
très affectée. – Hélas ! Chère ! J'étais moi-même très, très vitreuse ! Mes trois plus jeunes tourteaux ont eu la citronnade, l'un après l'autre. Pendant tout le début du corsaire, je n'ai fait que nicher des moulins, courir chez le ludion ou chez le tabouret, j'ai passé des puits à surveiller leur carbure, à leur donner des pinces et des moussons. Bref, je n'ai pas eu une minette à moi.

MADAME.
– Pauvre chère ! Et moi qui ne me grattais de rien ! [...]

Jean Tardieu, *Un mot pour un autre,* Gallimard, 1951.

CRÉER DES HISTOIRES À LA RAYMOND DEVOS

• Trouvez une situation absurde.
Exemple : Au réveil, un homme s'aperçoit qu'il n'a plus que quatre doigts à sa main...
• Cherchez des mots associés aux mots clés de cette histoire.
Exemple : ***doigt*** *→ pouce, index, phalange, etc.*
• Cherchez dans un dictionnaire de la langue française les emplois où ces mots prennent un sens différent.
Exemple : ***doigt*** *→ se mettre le doigt dans l'œil (se tromper)*
- se servir un doigt de Porto (une petite quantité) ;
- s'en mordre les doigts (regretter) ;
index *→ mettre à l'index (condamner, exclure) ;*
phalange *→ formation militaire ou politique ;*
pouce *→ crier pouce (crier grâce).*
• Utilisez ces expressions pour construire votre histoire.

LES SUBSTITUTIONS DE MOTS

• Soulignez les mots qui n'ont aucun sens dans le contexte de la pièce de Tardieu.
• Pour chacun de ces mots :
– donnez le sens : *je fris bien* → frire (faire cuire dans l'huile),
– trouvez le mot qui aurait convenu : *je fris bien* → je crois bien,
– comparez les deux mots : entre « *je fris* » et « je crois » il y a une ressemblance graphique et sonore (consonne + r + finale « is »).

Le vocabulaire de l'artiste

Pablo Picasso (1881-1973), *Le Pigeon aux petits pois,* 1912, musée d'Art moderne de la Ville de Paris.

Jean Dewasne (1921), *KIIK,* 1973, collection particulière.

René Magritte (1898-1967), *Le Libérateur,* 1947, musée national d'Art moderne.

Yves Tanguy (1900-1955), *Jour de lenteur,* 1937, musée national d'Art moderne.

ASSOCIATIONS LIBRES

• Notez dans le tableau les images concrètes, les sensations, les sentiments qui vous viennent à l'esprit quand vous regardez ces œuvres.

Images concrètes	Impressions sonores ou tactiles goûts – odeurs	Sentiments

ANALYSE DU VOCABULAIRE DE L'ARTISTE

Tout artiste se forge un langage. Il crée des formes originales qui deviennent son vocabulaire. Il organise ensuite ces formes dans une composition qui, comme une grammaire, a ses propres lois (voir p. 106).

• Caractérisez les formes de ces quatre tableaux.

Forme figurative, concrète/non figurative, abstraite.

Aspect figuré/géométrique (carré, cercle, angle, etc.), ressemblant à/aspect abstrait non géométrique qui évoque, fait penser à.

Contours nets, marqués/diffus, effacés/fondus – lignes droites/brisées/courbes, etc.

Éléments juxtaposés/superposés/recouverts/enchevêtrés/etc. couleurs vives/ternes/pastel/etc. (voir p. 54).

• Retrouvez le courant artistique auquel appartient chacune de ces œuvres.

■ CUBISME (1907-1920)
géométrisation des formes, rejet de la perspective classique, couleurs ternes, camaïeu, utilisation de la lettre comme signe graphique.

■ SURRÉALISME (1924-1969)
formes figuratives ou abstraites, rapprochements insolites d'éléments divers, images produites par l'inconscient.

■ ABSTRACTION (à partir de 1910)
abandon de toute forme identifiable, absence de référence extérieure au tableau, simple jeu de formes pures et de couleurs.

LA SIGNIFICATION

• Formulez des hypothèses sur les significations possibles de ces œuvres.

– Signification historique : mettez-les en relation avec les réalités historiques de leur époque.

– Signification philosophique : l'artiste veut-il atteindre une idée pure, une vérité cachée (intérieure ou extérieure) ? Veut-il représenter quelque chose ?

• Formulez votre interprétation personnelle.

OUTILS POUR L'EXPRESSION

MISES EN RELATION ET MÉTAPHORES

Pour exprimer une idée on peut la mettre en relation avec une autre idée (comparaison, association) ou bien utiliser des mots appartenant à un thème différent (métaphore).

LA MISE EN RELATION

☐ **Identité**
c'est comme... pareil à... ça correspond à...
on peut établir une identité, une adéquation, une équivalence (équivaloir)...
être synonyme, identique, homologue...

☐ **Évocation**
ça rappelle... fait penser à... évoque...
ça annonce... suggère... révèle...

☐ **Liaison**
ça symbolise... se rattache à...
c'est lié à...
on peut relier... associer...
mettre en relation (avec)...
ça implique...

☐ **Signification**
ça veut dire (que)... signifie... dénote... connote...
ça désigne... montre... représente... traduit (traduire)... exprime...

1 **Complétez en utilisant les verbes ci-dessus. Essayez de n'utiliser chaque verbe qu'une seule fois.**

Patrice vient de sortir du bureau du directeur. Son comportement agité et la rougeur de son visage..... une très grande nervosité et..... que l'entretien a dû très mal se passer. Je connais Patrice. Son attitude..... une crise de nerfs et peut-être un coup d'éclat. S'il démissionnait cela..... de grands changements dans l'entreprise.

Dans ce vers célèbre : « La Terre est bleue comme une orange » le poète Paul Eluard..... deux mots qui n'ont en apparence rien en commun et..... deux couleurs opposées. Pourtant la forme ronde de la Terre..... à celle de l'orange et les couleurs qui caractérisent la Terre..... à celles des photos prises par les satellites d'observation spatiale.

« Sur l'onde calme et noire où dorment les étoiles
La blanche Ophélia flotte comme un grand lys »
Dans ces deux vers, Arthur Rimbaud..... les derniers moments d'Ophélie emportée par le courant d'une rivière qui..... le fleuve des Enfers de la mythologie grecque. Les images de noirceur et de sommeil..... la mort et s'opposent à la blancheur de la robe d'Ophélie et à l'image du lys qui..... la pureté.

2 **Commentez la comparaison suivante. À quels autres objets pourrait-on comparer la vie ?**

La vie c'est comme un puzzle, à la différence que vous n'avez pas l'image sur le couvercle de la boîte pour vous aider à assembler les pièces. En plus, vous n'êtes même pas sûr d'avoir tous les morceaux.

Roger Van Oech, *Créatif de choc,* A. Michel, 1986.

3 **En utilisant le vocabulaire de la mise en relation, comparez :**

l'amour		un dîner
l'amitié	à	une promenade
le temps		une fleur
		la mer, etc.

LES MÉTAPHORES ET IMAGES

En plus de leur sens propre les mots peuvent avoir des sens figurés. Certains mots appartenant à des domaines familiers ont parfois un nombre important d'emplois figurés. C'est le cas du mot « tête » :

La tête du lit - Une tête d'épingle
Il est en tête du défilé - Elle est à la tête de l'entreprise

L'utilisation de la capacité d'un mot à avoir des sens figurés permet de créer des images et des métaphores. Ces figures de style rendent l'expression plus originale.
Ainsi, pour parler de la compétition entre deux entreprises on pourra employer les mots « bataille », « guerre », « combat », « troupes », etc., qui appartiennent au vocabulaire militaire.

4 Dans les phrases suivantes, recherchez les mots employés dans un sens figuré. Expliquez le passage du sens propre au sens figuré.

Jacques est le bras droit du directeur.
Ce qu'il dit est un tissu de mensonges.
Le mois dernier les prix se sont envolés.
C'est un problème épineux.
Mireille affiche un visage rayonnant.
Pour retrouver l'enfant disparu les policiers ont passé la région au peigne fin.

5 Dans les trois textes ci-contre repérez les différentes métaphores. Par exemple, dans le texte de Sartre, l'utilisation du vocabulaire des religions pour exprimer l'importance accordée aux livres.

6 Réécrivez les deux textes suivants en créant des métaphores. Inspirez-vous du vocabulaire des encadrés ci-contre.

– Présentation d'un livre

Aux Armes Citoyens est une excellente description de la Révolution française. S'appuyant sur une riche érudition, l'auteur a su raconter avec précision et finesse les grands moments de cette époque. On voit se succéder la Prise de la Bastille, la Nuit du 4 août, etc. Un gros travail a été fait pour faire vivre les principaux personnages qui ont marqué ce moment de l'Histoire. Un ouvrage vivant, clair, documenté qui reste à la portée du grand public et où on ne s'ennuie pas une seconde.

Exemple : Aux Armes Citoyens est une agréable promenade dans les paysages variés de la Révolution...

– Discours d'un grincheux

Notre société ne va pas, Monsieur !
Les immigrés nous envahissent ! Le chômage est partout ! La délinquance augmente ! Et personne ne bouge. Les jeunes n'ont plus envie de travailler. Les entreprises font de l'immobilisme et nos hommes politiques disent n'importe quoi ! Où allons-nous ? Je vous le demande. Croyez-moi, il n'y a qu'une solution à cela...

J'ai commencé ma vie comme je la finirai sans doute : au milieu des livres. Dans le bureau de mon grand-père, il y en avait partout ; défense était faite de les épousseter sauf une fois l'an, avant la rentrée d'octobre. Je ne savais pas encore lire que, déjà, je les révérais, ces pierres levées : droites ou penchées, serrées comme des briques sur les rayons de la bibliothèque ou noblement espacées en allées de menhirs, je sentais que la prospérité de notre famille en dépendait. Elles se ressemblaient toutes, je m'ébattais dans un minuscule sanctuaire, entouré de monuments trapus, antiques qui m'avaient vu naître, qui me verraient mourir et dont la permanence me garantissait un avenir aussi calme que le passé. Je les touchais en cachette pour honorer mes mains de leur poussière mais je ne savais trop qu'en faire et j'assistais chaque jour à des cérémonies dont le sens m'échappait : mon grand-père – si maladroit, d'habitude, que ma mère lui boutonnait ses gants – maniait ces objets culturels avec une dextérité d'officiant.

Jean-Paul Sartre, *Les Mots*, Gallimard, 1964.

FROISSEMENTS ET ACCROCS CHEZ CHANEL

25 juillet. Les dessous de la haute couture sont sous les projecteurs : la nouvelle de l'année, c'est la déchirure irréparable entre le couturier de Chanel, Karl Lagerfeld, et le mannequin fétiche de la maison, Inès de la Fressange. Pour la première fois en six ans, la star n'a pas présenté la nouvelle collection, malgré le contrat d'exclusivité qu'elle a signé en 1984 et pour sept ans. [...]

Jacques Legrand - Éditions Chronique.

Présentation d'une collection de vêtements

« Gourmandes des bonnes affaires (...) voici une mode d'été délicieuse, des surprises succulentes et des prix anniversaires savoureux ! Bon appétit ! »

Catalogue *Les 3 Suisses.*

Vocabulaire du tourisme :
une promenade – une exploration – une photographie – un monument – un paysage – visiter – etc.

Vocabulaire de la santé et de la médecine :
– être malade, affaibli, atteint de fatigue chronique, frappé de congestion, etc. – asphyxier – délirer– un cancer – un remède.

INFO MÉMOIRE

LE PAVILLON FRANÇAIS À L'EXPOSITION UNIVERSELLE DE SÉVILLE (1992)

AIDE À L'ÉCOUTE

un parvis : espace situé devant une église ou un bâtiment.

une dalle : plaque de pierre ou de marbre destinée au pavement du sol.

Mistinguett (1876-1956) : la vedette de musci-hall la plus célèbre de l'entre-deux-guerres.

un soufflet : dispositif, qui dans un train, permet de passer d'un wagon à l'autre. Ici, passage entre deux espaces, ressemblant à un « bec verseur ».

un « travelator » : un tapis roulant.

- À l'aide de l'enregistrement et des photos, dessinez le plan du pavillon français.
- Vous avez visité le pavillon français de l'exposition de Séville. Un ami qui ne l'a pas vu vous pose les questions suivantes. Répondez.

« – C'est une architecture originale ?
– Qu'est-ce qu'on peut voir à l'intérieur ? Que peut-on y faire ?
– Quel est l'architecte concepteur de ce projet ? Qu'a-t-il voulu montrer ? Quelles étaient ses intentions ? »

- Votre gouvernement vous demande d'imaginer le pavillon de votre pays pour la prochaine exposition universelle. Faites le projet.

OPINIONS

PROPOS DE TAGGERS

Dans l'émission de radio « Le téléphone sonne » (France-Inter) les auditeurs posent des questions à un groupe de personnes réunies autour d'un sujet particulier. Ici, un auditeur a critiqué les activités des taggers. Deux taggers (André et Willy) ainsi qu'une sociologue répondent.

- Faites la liste des arguments que ces trois personnes avancent pour justifier ou expliquer les tags.
- Remarquez la fréquence de certains mots « appuis du discours » utilisés par ces personnes (bon – effectivement – etc.)

RAYMOND DEVOS PARLE DE L'HUMOUR

- Dans la scène racontée par Raymond Devos relevez ce que pensent les deux conducteurs et imaginez les gestes qu'ils font.
- Jouez les scènes suivantes dans lesquelles ce que dit et fait chaque personnage est en contradiction avec ce qu'il pense. Pour cela chaque personnage sera joué par deux acteurs : le personnage lui-même qui parle et agit et « la voix de ses pensées » interprétée par un acteur se tenant derrière lui.

– La scène racontée par Raymond Devos.

– La librairie-papeterie est pleine d'acheteurs à l'occasion des fêtes de Noël. Vous, vous voulez seulement acheter une enveloppe de 15 cm sur 10 cm à 0,80 F que le vendeur est obligé d'aller chercher dans la réserve.

– Vous êtes en vacances et en tenue négligée. Vous entrez chez le concessionnaire Mercedes et interrogez le vendeur sur un modèle haut de gamme de cette marque.

À TRAVERS LA FRANCE

TOPONYMIE (NOMS DES LIEUX)
DANS LE MARAIS POITEVIN

Le Marais Poitevin est situé non loin de La Rochelle, de part et d'autre de la rivière la Sèvre-Niortaise et constitue la frontière naturelle de trois anciennes provinces : la Vendée, le Poitou et l'Aunis. Raymond Beauzier parle du pouvoir évocateur des noms de lieux dans cette région.

- Relevez les mots qui permettent de se faire une idée du paysage du Marais poitevin.
- Montrez que les noms de lieux sont révélateurs de la géographie et de l'histoire du pays.
- Voici des noms de lieux situés en France. Observez la composition des mots et formulez des hypothèses sur ce que l'on peut voir dans ces lieux et sur leur histoire.

Rochebelle – Aix-les-Bains – Miremont – Châteauneuf-du-Pape – L'Isle-sur-la-Sorgue – Beaufort – Clermont – Entraigues – Noirmoutier – Vaison-la-Romaine – La Roche-des-fées – Royaumont – Bourg-la-Reine – le Trou-du-Toro – le Puy-du-fou – Castelnau-Sarrasin.

LA SCÈNE ET L'ÉCRAN

Écoutez le sketch de Raymond Devos (p. 36).

3. La règle du « Je »

Astrologie
Couples
Égoïsme
Expressionisme
Impressionisme
Jalousie
Psychanalyse
Psychologie
Rêves
Sociabilité
Solitude
Timidité

Je est un autre.

Arthur Rimbaud, *Correspondance à Paul Demeny*, 1871.

La seule vérité est qu'il faut se créer, créer !
C'est alors seulement qu'on se trouve.

Luigi Pirandello, *Se trouver*, 1932.

IDÉES

L'ÉVOLUTION DE LA SOCIABILITÉ

DU « MOI-JE » AU « MOI-NOUS »

On avait pu craindre pendant les années 1970 que des individus, s'approfondissant à la recherche de leur identité et de leur accomplissement, centrés sur leurs sensations et leurs émotions, soient emportés par un mouvement narcissique* et que la société se fragmente à l'extrême. C'est tout autrement que les choses se sont passées. En fait, un ensemble de courants a éloigné la société occidentale de la « foule solitaire » des années 1950 et 1960. Les gens sont progressivement sortis de leurs forteresses intérieures. Ils ont essayé de se mettre à la place des autres, devenant plus capables d'empathie*. Ils ont souhaité établir, souvent sans en avoir encore les moyens, des liens plus chauds et conviviaux avec leurs semblables. C'est la génération du « moi-je » qui a prévalu dans les années 1970 : je m'affirme, je m'épanouis, je regarde mon nombril*.

À partir de 1980, la génération du « moi-nous » prend la relève*. Il apparaît une sorte de solidarité, une conscience immédiate du « nous ». Elle est plus guidée par l'instinct et le sentiment de former un système avec les autres que par un quelconque sens du devoir ou une exigence idéologique. Elle est dirigée par le sentiment quasi biologioque d'être inséré dans un ensemble vivant, mobile, interactif. La sociabilité se développe : d'une part, sous la forme d'un désir de rencontrer d'autres individus de toutes origines. D'autre part, sous celle d'une capacité à se connecter, à dialoguer, à interagir, à faire réseau. Le courant porte le développement du sens de l'interdépendance et le renouveau d'une certaine responsabilité sociale.

Thierry Gaudin, *2100, Récit du prochain siècle,* Payot, 1990.

narcissique : attention tournée vers soi (voir légende de Narcisse, p. 71).

l'empathie : faculté de s'identifier à quelqu'un, d'éprouver ses sentiments.

un nombril : cicatrice au milieu du ventre résultant de la coupure du cordon ombilical ; symbole du centre de soi.

prendre la relève : remplacer.

LECTURE-RECHERCHE
- Caractérisez la psychologie de chacune des trois décennies (années 60, 70 et 80).
- Confrontez les affirmations de Thierry Gaudin avec vos souvenirs et avec votre connaissance de ces époques.
- Quelles sont, d'après vous, les causes de cette évolution ? Comment l'imaginez-vous dans les années 90 et dans le futur ?

VOCABULAIRE
- Recherchez les mots et expressions qui évoquent :
  – la tendance au repli sur soi,
  – la tendance vers l'autre.

Cela se passait dans un wagon-restaurant où mangeaient par tables de quatre une soixantaine de voyageurs. Personne ne voyait personne. Personne ne parlait à personne. Le repas terminé, le voisin du narrateur, un solide Helvète franc et buriné*, commanda un kirsch*. Il plongea un sucre dans son verre et lui sourit : « Je réponds à son sourire, raconte l'auteur. Il plongea alors un second sucre dans son kirsch et l'espace de quelques secondes tendit imperceptiblement sa main dans ma direction. Vraisemblablement il souhaitait que je goûte le "canard"* qu'il avait préparé à mon intention. Mais entre nous, entre nos corps, il y avait un mur, un mur infranchissable. Son geste avorta. »

Michel Tournier, *Le Vent Paraclet,* Gallimard, 1977.

buriné : au visage marqué de traits énergiques.

kirsch : alcool de cerise.

un canard : (fam.) morceau de sucre trempé dans un alcool.

RÉCIT ORAL D'UN SOUVENIR
- Lisez l'anecdote racontée par Michel Tournier.
- Vous souvenez-vous d'une situation de communication avortée ? difficile ? réussie ? Racontez.

ÉCRITURE
- Élaborez (en groupe) un test de sociabilité en 20 questions. *Exemple : « Dans une réception parlez-vous facilement à une personne que vous ne connaissez pas ? »*

PSYCHOLOGIE ET PSYCHANALYSE

LA TIMIDITÉ

Agnès, 24 ans... Assise sur le rebord de sa chaise, la tête effacée dans les épaules, Agnès n'a guère ouvert la bouche de toute la soirée. Au moment de quitter ses hôtes, elle a voulu les remercier et s'est enlisée dans une sorte de bourbier verbal. En rentrant chez elle, elle s'est alors tenu tout un discours intérieur, émaillé de réflexions brillantes. Tout ce qu'elle aurait dû dire tout à l'heure !

Mais là, face à autrui, elle avait la tête désespérément vide. Un ami est venu lui susurrer quelques propos aimables. Las ! Sa tête sonnait encore plus creux... Funeste timidité ! Ce mal, ce fléau intérieur, cette peur des autres, qui fait que l'on se liquéfie sous leur regard ou leurs remarques. En tout cas, les symptômes de la timidité sont parfaitement répertoriés : dans ce paquet d'émotions aussi paralysantes les unes que les autres, on retrouve pêle-mêle la boule dans la gorge, le rouge aux joues, les oreilles vermillon, les sueurs froides... Le corps vous lâche, la machine ne répond plus, et le naufrage psychologique que l'on voudrait enfouir au plus profond de soi apparaît alors aux yeux de tous.

Et si à cet instant même l'on pouvait radiographier le cerveau, on y verrait une violente modification des échanges chimiques, une tempête neuro-endocrinienne et une inondation d'adrénaline. Résultat : vasodilatation (qui provoque le rougissement), hypersudation, perte de tonicité musculaire (les jambes qui flageolent), dessèchement des muqueuses qui gêne l'élocution, perturbation du système de régulation de la température (sensations successives de chaud et de froid), sans oublier l'inconfort psychique, le cerveau au point mort et la mémoire qui fait des faux pas ou vous abandonne, lâchement...

« C'est inscrit dans les gênes, on hérite de la timidité comme des yeux bleus ou des pieds plats », affirment les généticiens. « Faux, corrigent les comportementalistes. On sait déjà que les enfants timides ou peu sûrs d'eux reproduisent le comportement de leurs parents. » C'est le fameux « effet miroir ». Le père et la mère peuvent également être « psychotoxiques » en maintenant une pression constante sur leur enfant, en le dévalorisant, ou bien en désamorçant chez lui toute velléité d'autonomie ou d'épanouissement. « Fais pas ci, fais pas ça », « Imite plutôt ton père ou ta grande sœur », « Tais-toi ! Laisse donc parler les grands ».

Il faut aussi savoir que les enfants sont souvent le réceptacle de tous les désirs, de toutes les attentes des parents. En clair, ils essayent de modeler leur enfant à leur image et ne le regardent pas tel qu'il est, mais tel qu'ils voudraient qu'il soit.

Bref, l'enfant devient timide parce qu'il n'arrive pas à coller à l'image que l'on attend de lui. Même scénario à l'âge adulte : la timidité est là encore l'expression d'un malaise provoqué par le décalage entre l'image que l'on donne aux autres et ce que l'on est vraiment.

« À l'arrière-plan de la timidité, il y a presque toujours un immense manque de confiance en soi qui finit par déboucher sur un manque de confiance dans les autres, et surtout, sur un idéal du moi très élevé, nous dit le docteur Anne Blanchard-Rémond, neuropsychiatre. C'est parce qu'il se fait de lui une idée trop parfaite que le timide ne peut plus agir normalement. Il ne s'accorde jamais le moindre droit à l'échec, et la perspective même de celui-ci le décourage d'agir… La timidité traduit aussi la peur de ne pas être à la hauteur, de décevoir l'autre… »

Jacques Thomas, *Top Santé,* mai 1992.

ÉTUDE DE L'ORGANISATION DU TEXTE

• Découpez ce texte en cinq parties. Donnez-leur un titre . Notez les principales idées développées dans chaque partie.

• Imaginez un découpage du texte en deux puis en trois parties.
Donnez un titre à chacune.

RECHERCHE D'IDÉES

• Vous devez rédiger un article sur l'un des problèmes psychologiques suivants :
– **l'orgueil** (la vanité, la suffisance, la prétention, la mégalomanie),
– **l'agressivité** (la mauvaise humeur, la colère, l'emportement, la violence verbale ou physique).

• Recherchez des exemples, des points d'information et d'explication et organisez-les selon le plan du texte ci-dessus.

DÉBAT

• Certains handicaps psychologiques comme la timidité ou une trop grande agressivité sont-ils « inscrits dans nos gènes » (donc héréditaires) ou sont-ils le résultat de l'environnement (famille, école, etc.) ? Pour répondre à cette question examinez des cas précis. Le timide a-t-il un parent, un frère timide, etc. ?

• La timidité apparaît-elle dans certaines situations particulières ?

ÉCRITURE

• Rédigez dix conseils aux timides pour un hebdomadaire dont vous définirez le public (adolescents, femmes, cadres, etc.).

LA RÉVOLUTION EXPLIQUÉE PAR LA PSYCHANALYSE

La démocratie est incompatible avec le pouvoir paternel d'antan*. Toute émancipation est d'abord libération par rapport au père. La souveraineté* populaire est née du parricide*. En tuant le roi-père, le peuple, longtemps tenu à l'état de mineur, gagne l'autonomie de l'adulte. Pour en arriver là, il a fallu guillotiner* le souverain sur la place publique, afin que chacun prenne bien conscience du changement d'État. L'acte accompli, le renversement des valeurs devenait effectif. Le triptyque Liberté, Égalité, Fraternité* se substitua à l'ancien : Soumission, Hiérarchie et Paternité. En république, l'amitié fraternelle entre citoyens remplace le sentiment de respect qui unit les fils au père. Les liens verticaux cèdent la place à des liens horizontaux, seuls compatibles avec l'idéal égalitaire. [...]

La démocratie moderne se présente comme « une recherche de fraternité accompagnée d'un refus de paternité ». La fraternité révolutionnaire, scellée par le parricide royal, donne à la notion de sacré un autre sens. « Au lieu du sacré qui procède d'une participation à une réalité supérieure, il y a celui qui naît de la communion des égaux. »

On aura compris que le rejet du roi et du père est ici, encore plus profondément, celui de toute transcendance. La révolte ne pouvait épargner Dieu, le Père universel du genre humain. Les révolutionnaires de 1789, qui ont passionnément cherché à promouvoir le concept d'Humanité associé aux valeurs d'égalité, de liberté et de fraternité, ne pouvaient pas ne pas rencontrer sur leur route Dieu, intimement lié aux anciennes valeurs. Les philosophes du XIXe siècle, parmi lesquels Feuerbach, Proudhon, Marx ou Nietzsche, tirant les conséquences de la Révolution française, ont proclamé la mort de Dieu, celle-ci apparaissant comme la condition nécessaire de la libération de l'humanité.

Élisabeth Badinter, *L'Un et l'Autre,* O. Jacob, 1986.

L'EXPLICATION PSYCHANALYTIQUE

- Faites la chronologie des événements historiques évoqués par E. Badinter.
- Analysez les identifications et les relations établies entre les acteurs de l'histoire, les idéologies et la psychanalyse.
- L'explication d'Élisabeth Badinter vous paraît-elle cohérente ? complète ? utile ?
- Imaginez l'explication psychologique ou psychanalytique d'un grand phénomène historique.

La colonisation – les périodes protectionnistes – les soulèvements populaires – la dictature – le communisme – etc.

d'antan : (mot vieilli), du temps passé.

une souveraineté : autorité suprême et indépendance totale.

le parricide : meurtre du père (une des images symboles de la **psychanalyse**).

guillotiner : exécuter un condamné à mort en lui tranchant la tête au moyen d'une guillotine. Les exécutions capitales ont été effectuées en France par ce moyen depuis la Révolution jusqu'en 1981.

Liberté, Égalité, Fraternité : devise de la France datant de la Révolution. Sous l'Occupation (1940-1944), elle fut remplacée par Travail, Famille, Patrie.

LA PSYCHANALYSE FREUDIENNE

☐ L'être humain est dès sa naissance gouverné par deux principes contradictoires :

– **le principe de plaisir** qui regroupe les **pulsions** primordiales (pulsion de vie et pulsion de mort), les **besoins** (physiques et sexuels), les désirs, etc. ;

– **le principe de réalité.** La tendance à la satisfaction immédiate des besoins et des désirs se heurte aux habitudes sociales, aux règles, aux interdits.

Les désirs non satisfaits peuvent être **refoulés** dans l'inconscient, **sublimés** (déviés vers un autre but) ou **symbolisés** (au lieu d'être satisfaits, ils sont représentés).

☐ **L'inconscient** est un réservoir de souvenirs, d'images, de pulsions, de désirs refoulés.

☐ **Le complexe d'Œdipe.** L'enfant a une relation privilégiée avec sa mère. Elle incarne le principe de plaisir. Le père au contraire a tendance à incarner le principe de réalité. Lorsque le poids des interdits devient trop fort (vers 4 à 5 ans) il en résulte une crise (renforcement de l'amour pour la mère et rejet du père). Cette crise sera dépassée mais laissera des traces dans la mémoire (l'inconscient) de l'enfant devenu adulte.

☐ **Le Moi** est la résultante de toutes les « forces » qui s'exercent sur l'individu.

RÊVES

LES FILLES DU FEU

« Plongé dans une demi-somnolence » Gérard de Nerval (1808-1855) se rappelle un moment de son enfance à mi-chemin entre rêve et souvenir.

Je me représentais un château du temps de Henri IV avec ses toits pointus couverts d'ardoises et sa face rougeâtre aux encoignures dentelées de pierres jaunies, une grande place verte encadrée d'ormes et de tilleuls, dont le soleil couchant perçait le feuillage de ses traits enflammés. Des jeunes filles dansaient en rond sur la pelouse en chantant de vieux airs transmis par leurs mères, et d'un français si naturellement pur, que l'on se sentait bien exister dans ce vieux pays du Valois*, où, pendant plus de mille ans, a battu le cœur de la France.

J'étais le seul garçon dans cette ronde, où j'avais amené ma compagne toute jeune encore, Sylvie, une petite fille du hameau voisin, si vive et si fraîche, avec ses yeux noirs, son profil régulier et sa peau légèrement hâlée !... Je n'aimais qu'elle, je ne voyais qu'elle, – jusque-là ! A peine avais-je remarqué, dans la ronde où nous dansions, une blonde, grande et belle, qu'on appelait Adrienne. Tout d'un coup, suivant les règles de la danse, Adrienne se trouva placée seule avec moi au milieu du cercle. Nos tailles étaient pareilles. On nous dit de nous embrasser, et la danse et le chœur tournaient plus vivement que jamais. En lui donnant ce baiser, je ne pus m'empêcher de lui presser la main. Les longs anneaux roulés de ses cheveux d'or effleuraient mes joues. De ce moment, un trouble inconnu s'empara de moi. – La belle devait chanter pour avoir le droit de rentrer dans la danse. On s'assit autour d'elle, et aussitôt, d'une voix fraîche et pénétrante, légèrement voilée, comme celle des filles de ce pays brumeux, elle chanta une de ces anciennes romances pleines de mélancolie et d'amour, qui racontent toujours les malheurs d'une princesse enfermée dans sa tour par la volonté d'un père qui la punit d'avoir aimé. [...]

A mesure qu'elle chantait, l'ombre descendait des grands arbres, et le clair de lune naissant tombait sur elle seule, isolée de notre cercle attentif. – Elle se tut, et personne n'osa rompre le silence. La pelouse était couverte de faibles vapeurs condensées, qui déroulaient leurs blancs flocons sur les pointes des herbes. Nous pensions être en paradis. – Je me levai enfin, courant au parterre du château, où se trouvaient des lauriers, plantés dans de grands vases de faïence peints en camaïeu. Je rapportai deux branches, qui furent tressées en couronne et nouées d'un ruban. Je posai sur la tête d'Adrienne cet ornement, dont les feuilles lustrées éclataient sur ses cheveux blonds aux rayons pâles de la lune. Elle ressemblait à la Béatrice de Dante* qui sourit au poète errant sur la lisière des saintes demeures.

Adrienne se leva. Développant sa taille élancée, elle nous fit un salut gracieux, et rentra en courant dans le château [...] nous ne devions plus la revoir, car le lendemain elle repartit pour un couvent où elle était pensionnaire.

Gérard de Nerval, *Les Filles du feu,* 1854.

le pays du Valois : région au nord de Paris qui fut une des premières à faire partie du royaume de France.

Béatrice de Dante : c'est à 9 ans que Dante rencontra pour la première fois Béatrice Portinari qui avait à peu près son âge. Elle lui inspira un amour durable et plusieurs poèmes. Dans « La Divine Comédie », où le poète erre dans l'Au-delà à travers les Enfers, elle apparaît plusieurs fois. Par sa beauté et sa bonté, elle est la médiatrice du salut.

L'IDÉALISATION DE LA SCÈNE

- Résumez les principales étapes de cette anecdote enfantine.
- Montrez que le souvenir rêvé idéalise et transfigure tous les éléments de cette scène :
  – le décor : les bâtiments, l'espace, les éclairages. Analysez l'évolution de ce décor tout au long de la scène ;
  – Adrienne : aspect physique, actions, etc. Montrez qu'elle est opposée à Sylvie ;
  – la danse : montrez qu'elle devient une sorte de cérémonie sacrée.
- Peut-on dire qu'Adrienne est : une initiatrice, un idéal sublime et inaccessible, un fantasme ?
- Retrouvez dans ce texte les caractéristiques du Romantisme (voir p. 14) et du Fantastique (voir pp. 182 à 184).

LA NUIT SACRÉE

Désespéré et honteux de n'avoir eu que des enfants de sexe féminin, un père décide de cacher aux autres l'identité de sa dernière-née. Elle s'appellera Ahmed et sera élevée comme un garçon... Drame d'Ahmed lorsqu'elle découvre qu'elle n'est pas un garçon. Pourtant, sous la pression de la société cloisonnée et rigide dans laquelle elle vit, elle jouera le jeu et épousera même Fatima une cousine malade, dédaignée par sa famille et qui mourra très jeune. La jeune femme qu'on a forcée à être un homme raconte un de ses cauchemars.

Je passai toute la nuit à lutter contre les courants d'une eau lourde et gluante dans un lac profond habité par toutes sortes de bêtes et de plantes. Il montait de cette eau morte, mais agitée de l'intérieur par le va-et-vient des rats se jouant d'un chat blessé, une odeur suffocante, une odeur épaisse et indéfinissable.

Il y avait quelque chose de stagnant et de mobile en même temps. J'avais la possibilité de tout voir. Enfermée dans une cage de verre, une main me faisait descendre jusqu'au fond et me remontait à sa guise. J'étouffais, mais mes cris ne sortaient pas de la cage. Je reconnus le corps de Fatima, la malheureuse cousine épileptique que j'avais épousée pour sauver les apparences et que j'aimais parce qu'elle était une déchirure béante et sur laquelle ne se posait aucune affection. Son visage était serein et son corps intact. Elle gisait au fond de ce lac comme une vieille chose dont personne ne veut. Curieusement les rats l'épargnaient. Je la vis et je poussai un cri si violent que je me réveillai, affolée, en sueur.

Tahar Ben Jelloun, *La Nuit sacrée,* Seuil, 1987.

L'INTERPRÉTATION DU RÊVE D'« AHMED »

- Faites une liste des différents éléments de ce rêve susceptibles d'être interprétés.

Distinguez : les actions, les personnages, les lieux, les éléments naturels (eau, etc.), les objets ou animaux.
Notez les caractérisations et les impressions liées à ces éléments.
« La narratrice lutte contre des courants d'eau lourde, gluante. Elle se trouve dans un lac profond ,etc. »

- Cherchez la signification symbolique de ces éléments.

L'INTERPRÉTATION DU TABLEAU DE CHAGALL

- Relevez tous les éléments étranges de ce tableau.
- Interprétez-le comme s'il s'agissait d'un rêve. Vous étudierez en particulier la relation intérieur (l'appartement) / extérieur (Paris), les figures doubles, la figure inversée du train (métro ?), le parachutiste, la symbolique de la composition.

Marc Chagall, *Paris, vu de ma fenêtre,* collection Hazan.

LE CINÉMA PSYCHOLOGIQUE

« LES NUITS DE LA PLEINE LUNE » (EXTRAITS)

Éric Rohmer est l'un des représentants les plus originaux du cinéma français de ces vingt dernières années. Peuplés de garçons et de filles ordinaires qui hésitent, se quittent, se reprennent, ses films décrivent les troubles de l'amour et les mouvements intimes du cœur. Chez Rohmer, « ce n'est pas l'action qui fait le film mais le mouvement des sentiments, le jeu des regards et la parole » (P. Bonitzer, « les Cahiers du Cinéma »).

Dans l'appartement où vivent Rémi et Louise, à Marne-la-Vallée, une ville nouvelle de la banlieue parisienne.

RÉMI. Écoute, n'exagère pas. C'est moi qui pourrais me plaindre ! Chaque soir, tu rentres à la maison de plus en plus tard. Bientôt, tu viendras ici uniquement pour dormir !

LOUISE. Je peux voir mes amis, quand même ! Je n'appelle pas ça sortir. Puisque j'en ai l'occasion ce soir, j'en profite, c'est tout. J'ai un besoin absolu de passer une nuit blanche de temps en temps, ce n'est pas contre toi. *(Lui caressant l'épaule.)* Je suis comme ça. Et puis, si tu m'aimes pas, ne viens pas.

RÉMI *(se rapprochant, lui prenant la main, qu'il embrasse, lui caressant doucement le dos).* Mais j'aime être avec toi. Quand on vit ensemble, on sort ensemble. C'est normal, hein ?

LOUISE. Pas forcément, si l'autre n'aime pas. Il ne faut pas que l'un oblige l'autre à faire ce qu'il n'aime pas et à ne pas faire ce qu'il aime.

Louise a conservé le studio parisien qu'elle occupait avant de rencontrer Rémi. Elle est en train de le réaménager. Octave, son ami et son confident est passé la voir.

LOUISE. Pour moi. J'ai besoin d'un pied-à-terre.

OCTAVE. Oh là-là, là-là ! C'est dangereux, ça !

LOUISE. Peut-être, mais tu sais, j'ai pris mes précautions. Tu es là ce soir parce que ce n'est pas encore fait, mais après, pas question, ni pour toi ni pour un autre, de venir ici. J'ai besoin d'être seule de temps en temps, vraiment seule. Parce que, même si je quittais Rémi, ce qui n'arrivera pas de si tôt, ce ne serait sûrement pas pour vivre avec un autre. Imagine quand même que, depuis l'âge de quinze ans, il n'y a pas eu une journée ou une période où j'ai pu me dire complètement seule. Parce que, quand j'ai quitté le premier garçon avec qui j'ai vécu, eh bien, je connaissais déjà le second, et la transition s'est faite sans secousse. Je m'attachais de plus en plus au nouveau tandis que je me détachais doucement de l'ancien. Je crois qu'il y a une chose qui me manque absolument, c'est d'avoir éprouvé la solitude, et peut-être même d'en avoir souffert.

OCTAVE. La solitude, ce n'est pas marrant du tout.

LOUISE. Je verrai. Qu'on me laisse au moins voir par moi-même !

OCTAVE. Qui t'en empêche ?

LOUISE. Les autres. Les gens qui m'aiment, en général. On m'aime trop.

Pascale Ogier et Tcheki Karyo dans *Les Nuits de la pleine lune.*

Louise et Octave sont au café. Louise descend un instant aux toilettes. En sortant des toilettes, Louise croit apercevoir Rémi. Pendant ce temps Octave, dans la salle du café, croit apercevoir Camille, une amie de Louise. Louise et Octave se font mutuellement part de leur impression.

LOUISE. Ben, alors c'est sûrement elle. Elle était sûrement avec lui. Ce n'est pas possible.
OCTAVE. Crois-moi, tout est possible.
LOUISE. Mais non, pas ça ! Parce que, l'autre soir, il y a deux mois, j'ai proposé à Rémi de sortir avec elle, en plaisantant, parce qu'elle-même, en plaisantant, m'avait proposé de sortir avec lui. Alors ils m'auraient prise au mot, tous les deux !
OCTAVE. Ah, tu as un fiancé très obéissant, et une amie extrêmement dévouée. Peut-être qu'ils nous espionnaient.
LOUISE. À deux ?
OCTAVE. Ils se sont rencontrés par hasard.
LOUISE. Et ils nous ont rencontrés par hasard ! Ça en fait des hasards !
OCTAVE. Je vois une explication, mais enfin, c'est une telle vue de l'esprit que... Mais non... Enfin, je peux te le dire parce qu'elle est tellement peu plausible que c'est impossible qu'elle t'alarme. Mais enfin, non, ça ne tient pas debout. C'est complètement...
LOUISE. Et alors ?
OCTAVE. Tu penses qu'ils n'ont pas obéi à ta suggestion. Ce serait trop beau, dis-tu. Et pourtant, ils se sont rencontrés, et pas par hasard, dis-tu. Alors, qu'est-ce qu'il reste ? Que leur rencontre était décidée avant, avant ta suggestion. Tu piges ? Ils se sont débrouillés pour que tu leur demandes de faire ce qu'ils faisaient déjà. Ce n'est pas étonnant que ton mec ait marché à ton idée de chambre en ville !

À 4 heures, au matin d'une nuit de pleine lune. Louise est seule dans un café. À côté d'elle, un homme d'une cinquantaine d'années, d'aspect sympathique, dessine.

LE PEINTRE. Vous habitez dans le quartier ?
LOUISE. Euh... Non... Oui, enfin, c'est-à-dire que j'ai deux appartements.
LE PEINTRE. Ah ! Vous avez de la chance.
LOUISE. Non. C'est très difficile de vivre dans deux endroits à la fois. Quand je suis dans l'un, j'ai envie d'être dans l'autre, et jusqu'ici, ça n'avait fonctionné que dans un sens, mais maintenant, le sens est inversé.
LE PEINTRE. Vous vivez seule ?
LOUISE. Non, j'ai un ami.
LE PEINTRE. Un ami dans chaque maison ?
LOUISE. Non. Enfin, cette nuit, il y en avait un dans chaque maison. Et je ne sais plus très bien où aller.
LE PEINTRE. Ben, tirez à pile ou face !
LOUISE. Non, j'ai fait mon choix. Il y a un appartement où je ne peux vivre qu'avec une personne. Et dans l'autre je ne peux vivre que seule. D'ailleurs, j'ai essayé d'amener quelqu'un cette nuit, et j'ai cru étouffer.

L'Avant-scène Cinéma, n° 336.

Fabrice Lucchini et Pascale Ogier dans *Les Nuits de la pleine lune.*

LE DIALOGUE :
AFFRONTEMENT ET JEU DES IMAGES

• Quand deux personnages A et B communiquent, il y a souvent un décalage entre :
– le sens que A donne à ses paroles et l'interprétation qu'en fait B ;
– l'image que A veut donner de lui en parlant et l'image que lui renvoie B ;
– l'image que A veut donner de B et celle que B perçoit effectivement.
Analysez ce jeu d'affrontement et de cache-cache dans le déroulement des répliques à l'aide du tableau suivant :

	Intentions du personnage qui parle Image qu'il veut renvoyer	Interprétation de l'autre Images perçues
Rémi/Louise	Plaintes – reproches Image de tolérance et de compréhension	Atteinte à sa vie privée. Rémi perçu comme autoritaire et jaloux. Louise perçoit son comportement comme anormal.
Louise/Rémi		

CRÉATIVITÉ NARRATIVE
• À partir de ces quatre scènes imaginez ce que pourrait être l'intrigue des *Nuits de la pleine lune.* (Les quatre scènes sont dans l'ordre chronologique. La première se situe au tout début. La dernière est proche du dénouement.)
• Imaginez des épisodes et des scènes intermédiaires.

SCÈNE DE JALOUSIE

BOUBOUROCHE

Le ***théâtre de Boulevard*** *a connu son heure de gloire à la « Belle Époque » où la bourgeoisie triomphante des années 1900 cultivait un mélange de joie de vivre et de raffinement, fréquentant assidûment l'Opéra, les salons décrits par Proust et les cabarets de Montmartre peints par Toulouse-Lautrec. Cette bourgeoisie n'était pas sans défauts. Des auteurs comme Courteline et Feydeau s'en sont moqué dans des pièces légères, bâties sur des quiproquos et qui devaient leur succès à leur rythme et au talent des comédiens qui les interprétaient.*
Aujourd'hui, le théâtre de Boulevard et ses thèmes favoris (le quiproquo amoureux, l'adultère, etc.) continue à attirer public et nouveaux auteurs.
Voici le début de « Boubouroche » de Courteline. Boubouroche, un bourgeois riche et heureux, entre furieux chez sa maîtresse Adèle...

Boubouroche entre comme un fou, descend en scène, se rend à la porte de droite, qu'il ouvre, plonge anxieusement ses regards dans l'obscurité de la pièce à laquelle elle donne accès ; va, de là, à la fenêtre de gauche, dont il écarte violemment les rideaux.

ADÈLE, *qui l'a suivi des yeux avec une stupéfaction croissante;* – Regarde-moi donc un peu.

Boubouroche, les poings fermés, marche sur elle.

ADÈLE, *qui, elle, vient sur lui avec une grande tranquillité.* – En voilà une figure !... Que se passe-t-il ? Qu'est-ce qu'il y a ?

BOUBOUROCHE. – Il y a que tu me trompes.

ADÈLE. – Je te trompe !... Comment, je te trompe ?... Qu'est-ce que tu veux dire, par là ?

BOUBOUROCHE. – Je veux dire que tu te moques de moi ; que tu es la dernière des coquines et qu'il y a quelqu'un ici.

ADÈLE. – Quelqu'un !

BOUBOUROCHE. – Oui, quelqu'un !

ADÈLE. – Qui ?

BOUBOUROCHE. – Quelqu'un !

Un temps.

ADÈLE, *éclatant de rire.* – Voilà du nouveau.

BOUBOUROCHE, *la main haute.* – Ah ! ne ris pas !... Et ne nie pas ! Tu y perdrais ton temps et ta peine : je sais tout !... C'est cela, hausse les épaules ; efforce-toi de me faire croire qu'on a mystifié ma bonne foi. *(Geste large.)* Le ciel m'est témoin que j'ai commencé par le croire et que je suis resté dix minutes les pieds sur le bord du trottoir, les yeux rivés à cette croisée, m'accusant d'être fou, me reprochant d'être ingrat !... J'allais m'en retourner, je te le jure, quand, tout à coup, deux ombres – la tienne et une autre !... ont passé en se poursuivant sur la tache éclairée de la fenêtre. A cette heure, tu n'as plus qu'à me livrer ton complice ; nous avons à causer tous deux de choses qui ne te regardent pas. Va donc me chercher cet homme, Adèle. C'est à cette condition seulement que je te pardonnerai peut-être, car *(très ému)* ma tendresse pour toi, sans bornes, me rendrait capable de tout, même de perdre un jour le souvenir de l'inexprimable douleur sous laquelle sombre toute ma vie.

ADÈLE. – Tu es bête !

BOUBOUROCHE. – Je l'ai été. Oui, j'ai été huit ans ta dupe ; inexplicablement aveugle en présence de telles évidences qu'elles auraient dû me crever les yeux !... N'importe, ces temps sont finis ; la canaille* peut triompher, une minute vient toujours où le bon Dieu, qui est un brave homme, se met avec les honnêtes gens.

ADÈLE. – Assez !

BOUBOUROCHE, *abasourdi.* – Tu m'imposes le silence, je crois ?

ADÈLE. – Tu peux même en être certain !... *(Hors d'elle.)* En voilà un énergumène, qui entre ici comme un boulet, pousse les portes, tire les rideaux, emplit la maison de ses cris, me traite comme la dernière des filles, va jusqu'à lever la main sur moi !...

BOUBOUROCHE. – Adèle...

ADÈLE. – ... tout cela parce que, soi-disant, il aurait vu passer deux ombres sur la transparence d'un rideau ! D'abord tu es ivre.

BOUBOUROCHE. – Ce n'est pas vrai.

ADÈLE. – Alors tu mens.

BOUBOUROCHE. – Je ne mens pas.

ADÈLE. – Donc, tu es gris* ; c'est bien ce que je disais !... *(Effarement ahuri de Boubouroche.)* De deux choses l'une : tu as vu double ou tu me cherches querelle.

BOUBOUROCHE, *troublé et qui commence à perdre sa belle assurance.* – Enfin, ma chère amie, voilà ! Moi..., on m'a raconté des choses.

ADÈLE, *ironique.* – Et tu les as tenues pour paroles d'évangile ? Et l'idée ne t'est pas venue un seul instant d'en appeler à la vraisemblance ? aux huit années de liaison que nous avons derrière nous? *(Silence embarrassé de Boubouroche.)* C'est délicieux ! En sorte que je suis à la merci du premier chien coiffé* venu... Un monsieur passera, qui dira : « Votre femme vous est infidèle », moi je paierai les pots cassés*.

BOUBOUROCHE. – Mais...

ADÈLE. – Détrompe-toi.

BOUBOUROCHE, *à part.* – J'ai fait une gaffe*.

ADÈLE. – Celle-là est trop forte, par exemple. *(Tout en parlant, elle est revenue au guéridon et elle y a pris la lampe, qu'elle apporte à Boubouroche.)* Voici de la lumière [...] j'exige... tu entends ? j'exige que tu ne quittes cet appartement qu'après en avoir scruté, fouillé l'une après l'autre, chaque pièce. – Il y a un homme ici, c'est vrai.

BOUBOUROCHE, *goguenard.* – Mais non.

ADÈLE. – Ma parole d'honneur. *(Indiquant de son doigt le bahut où est renfermé André.)* Tiens, il est là-dedans ! *(Boubouroche rigole.)* Viens donc voir.

BOUBOUROCHE, *au comble de la joie.* – Tu me prendrais pour une poire* !...

ADÈLE. – Voici la clé de la cave.

BOUBOUROCHE, *les yeux au ciel.* – La cave !...

ADÈLE. – Tu me feras le plaisir d'y descendre.

BOUBOUROCHE. – Tu es dure avec moi, tu sais.

ADÈLE. – ... et de regarder entre les tonneaux et les murs. Ah ! je te fais des infidélités ? ... Ah ! je cache des amants chez moi ?... Eh bien, cherche, mon cher, et trouve !

BOUBOUROCHE. – Allons ! Je n'ai que ce que je mérite.

La lampe au poing, il va lentement, non sans se retourner de temps en temps pour diriger vers Adèle, qui demeure impitoyable et muette, des regards suppliants de chien battu, jusqu'à la petite porte de droite, qu'il atteint enfin et qu'il pousse. – Coup d'air. La lampe s'éteint.

BOUBOUROCHE. – Bon !

Mais à la seconde où l'ombre a envahi le théâtre, la lumière de la bougie qui éclaire la cachette d'André est apparue très visible.

ADÈLE, *étouffant un cri.* – Ah !

BOUBOUROCHE, *à tâtons.* – Voilà une autre histoire. – Tu as des allumettes, Adèle ? *(Brusquement.)* Tiens !... Qu'est-ce que c'est que ça ?... de la lumière !

Précipitamment, il dépose sa lampe ; court au bahut, l'ouvre tout grand et se recule en poussant un cri terrible.

Georges Courteline, *Boubouroche,* (Acte II, scène II) 1865.

la canaille : les gens méprisables.

être gris : être à demi saoul.

un chien coiffé : (expression vieillie), personne méprisable mais d'apparence respectable.

payer les pots cassés : être injustement tenu pour responsable.

faire une gaffe : commettre une maladresse, une bévue.

prendre quelqu'un pour une poire : pour un naïf, un imbécile.

MISE EN SCÈNE

• Étudiez cette scène comme si vous deviez en faire la mise en scène.

– Dessinez le décor. Décrivez brièvement les costumes. Faites la liste des accessoires nécessaires.

– Prévoyez les déplacements des acteurs sur la scène.

– Pour chaque réplique complétez les indications données par Courteline en indiquant : les attitudes, les gestes et les expressions du visage, l'intonation. (Utilisez le vocabulaire des sentiments : colère, étonnement, etc.)

Fernand Ledoux, Jean Martinelli, Madeleine Renaud dans *Boubouroche,* Comédie-Française, 1937.

IMPRESSION ET EXPRESSION

Auguste Renoir (1841-1919), *La Grenouillère,* 1869, National Museum, Stockholm.

L'ANALYSE DE LA COULEUR

☐ **Aspect :** couleur vive, éclatante, criarde/pâle, tendre, pastel, douce ; couleurs nuancées, changeantes, fondues, dégradées/franches, tranchées.

☐ **Dominante :** tons bleus, rouges, etc., couleurs chaudes/froides, la tonalité (les tons, les teintes, les nuances, les pigments), la coloration.

☐ **Manière de passer la couleur :** par petites touches (légères/appuyées), touches larges, un aplat, une tache, un trait, une pâte fine/épaisse, un point, par projection sur la toile.

☐ **Rapport entre la couleur et l'objet :**

– contours de l'objet délimités par du noir ou par contiguïté avec une autre couleur, contours fondus ;

– la couleur peint la réalité d'une manière conventionnelle (l'herbe verte), selon des effets de lumière (l'herbe peut paraître bleue ou noire), sans référence à la réalité (l'herbe devient rouge).

☐ **Fonction de la couleur :**

– rendre des impressions visuelles, des effets de lumière sur les objets,

– exprimer et susciter des sentiments,

– exister, se montrer pleinement en tant que couleur, sans référence à la réalité au risque de déformer l'objet.

IMPRESSIONNISME
FAUVISME
EXPRESSIONNISME

• Analysez le jeu des couleurs dans ces trois tableaux. Utilisez les indications ci-contre.

• En vous appuyant sur les observations que vous venez de faire et sur vos connaissances artistiques, présentez les caractéristiques de ces trois écoles de peinture.

Impressionnisme (1863-1884) : Renoir, Monet, Sisley, Pissaro, etc.

Fauvisme (1905-1910) : Derain, Vlaminck, Dufy, etc.

Expressionnisme (1900-1930) : Van Gogh (précurseur), Rouault, Chagall, Soutine (ainsi que de nombreux peintres allemands, autrichiens, etc.).

André Derain (1880-1954), *Hyde Park,* 1906, musée d'Art moderne de Troyes.

Vincent Van Gogh (1853-1890), *La Nuit étoilée,* 1989, M.O.M.A., New York.

LA SUBJECTIVITÉ ET L'OBJECTIVITÉ

Lorsqu'on veut exprimer un sentiment, un avis, une opinion ou un jugement on peut le faire soit en faisant apparaître sa subjectivité d'une manière explicite (en disant « je », « selon moi », etc.), soit en effaçant les marques de cette subjectivité.

■ EXPRESSION SUBJECTIVE DES OPINIONS

☐ **Vocabulaire des opinions**

L'expression subjective met en jeu les pronoms personnels de la première personne (je, moi, mon, le mien, etc.). L'opinion peut être introduite par :

- à mon avis... à mon sens... selon moi... d'après moi...
- de mon point de vue...
- mon idée, mon sentiment, mon opinion c'est que...
- je pense (que...) – je crois (que...) – j'estime (que...) – je trouve (que...)
- cette idée me semble... me paraît...
- quant à moi – pour moi (sont souvent utilisés pour introduire une opinion différente de celle de l'interlocuteur précédent)
- je crains (que...) – je doute (de/que...) – etc. (autres sentiments.)

1 Dans les textes suivants recherchez les marques de la subjectivité.

En octobre 1990, M. Gruhier avait publié dans le Nouvel Observateur *un article qui critiquait violemment les nuisances occasionnées par les chiens dans Paris. Cet article valut au magazine un abondant courrier des lecteurs dont voici trois extraits.*

« Enfin quelqu'un qui dit tout haut ce que beaucoup pensent plus bas. Je suis entièrement d'accord avec M. Gruhier ; dans la ville les chiens sont devenus une véritable calamité. [...]

J'admets les chiens à la campagne mais pas à la ville ; ça devrait tout simplement être interdit. »

« Votre journal ne nous avait pas habitués à une telle partialité, à un tel mépris condescendant pour le commun des mortels, ces demeurés, ces pelés, ces galeux qui osent aimer leur chien... (...) Je trouve parfaitement... déplaisant (c'est un euphémisme) de se moquer d'une dame qui a été catastrophée par la mort de son caniche égorgé ! »

« (...) Comment peut-on écrire un article aussi caricatural, aussi provocateur, aussi ulcérant, aussi odieux ? Mais de qui parlez-vous donc ? D'un monstre revenu tout droit de la préhistoire, du loup mangeur d'homme, du tigre de Bengale ? Mais non, tout simplement du chien. [...]

Je vis avec (et non pas je possède) non pas un mais deux chiens ; ni par trouille de mon prochain, ni par manque d'affection humaine, ni par fantasme, ni – et surtout pas – par virilité, mais par passion pour la gent canine. J'ai toujours vécu avec des chiens, leur présence m'est indispensable. J'aime leur simplicité, leur intelligence, leur façon excessive de nous témoigner leur affection et leur tendresse, leur silence ; en un mot, leur différence... (...) »

Le Nouvel Observateur, 1.11.1990.

2 Rédigez un court paragraphe ou organisez un jeu de rôles pour exprimer vos opinions sur les sujets suivants.

– La justice est-elle trop ou pas assez sévère ?
– Le nombre important d'accidents de la route est-il une fatalité ?
– Les personnes âgées sont-elles plus heureuses dans notre société moderne que dans le passé ?

■ EXPRESSION EXPLICITE DES SENTIMENTS

☐ **Vocabulaire des sentiments**

- je crains (que)... je doute (de/que)... je me méfie (de)... je m'étonne (de/que)... je regrette (que)...
- j'ai, j'éprouve, je ressens, je sens... de la sympathie, de la satisfaction, de la tristesse, du dégoût pour...
- il y a de quoi – avoir peur, honte, etc. – être déçu, satisfait, etc.
- je suis fier, surpris, jaloux, etc.
- cela m'inquiète, me surprend, m'intéresse, me fascine, me désespère, m'attriste, etc.
- cela me rend heureux, triste, envieux, etc.
- cela me fait peur, honte, etc.

3 Imaginez les réactions de ces couples de personnages aux questions et aux affirmations suivantes. Variez les formules d'introduction des sentiments.

L'optimiste et le pessimiste.

– Comment ça va ? En forme ?
– Quel temps va-t-il faire demain ?
– Philippe et Agnès se marient. Ils ne se connaissent que depuis trois mois. Je me demande ce que va bien pouvoir donner ce mariage !
– Il paraît qu'on aurait trouvé un vaccin contre le sida.

L'égoïste et l'altruiste.

– La municipalité a prévu d'accueillir 200 familles d'immigrés.
– Il a gagné le gros lot au Loto.
– « Médecin sans frontières » organise une soirée pour récolter des dons qui serviront à construire un hôpital dans un pays pauvre.

L'orgueilleux et le modeste.

– J'ai appris que vous aviez eu une promotion.
– Il est pas mal le tableau que vous avez dans votre salon !
– Et votre fille, ça va ? Elle travaille bien à l'école ?

4 Rédigez la lettre de Pascal en exprimant les sentiments donnés entre parenthèses (variez les formulations).

Pascal et sa femme Isabelle sont fonctionnaires et travaillaient à Paris. Mais Pascal vient d'être muté à Aubusson, petite ville de 6 000 habitants dans le centre de la France. Il écrit à un ami.

« J'ai été muté, à Aubusson. *(amertume)*
Je sais que c'est un coup de Lambert, mon chef de service. *(rancune)*
Isabelle n'a pas pu me suivre. *(regret)*
Ce sera peut-être possible l'année prochaine. *(espoir)*
Mais cette séparation risque de déstabiliser notre couple. *(crainte)*
J'ai découvert Aubusson. C'est une petite ville, loin de tout, où je n'ai trouvé pour l'instant qu'un seul cinéma. *(surprise, déception, ennui)*
Seule la campagne est belle et j'y fais de longues promenades. *(satisfaction, intérêt)* »

Exemple : « Je viens d'être nommé à Aubusson et j'en éprouve une certaine amertume... »

EXPRESSION NEUTRE DES SENTIMENTS ET DES OPINIONS

Dans certains discours écrits (rapports, comptes rendus, etc.) et même oraux (exposés objectifs d'une situation) il peut être nécessaire d'effacer en totalité ou en partie les traces de subjectivité. Quelques procédés le permettent.

☐ **Le sentiment ou l'opinion devient caractérisation de l'objet**
Je suis contre cette idée. → *Cette idée est très controversée.*
C'est une idée qui suscite des critiques.

☐ **Le remplacement du pronom personnel par l'indéfini**
J'ai beaucoup aimé le spectacle. → *On a beaucoup aimé le spectacle.*

☐ **L'emploi d'une forme impersonnelle**
J'ai été ému(e) par ce spectacle. → *Il est émouvant de voir ce spectacle.*

☐ **L'emploi d'une forme pronominale**
En lisant ce poème j'ai ressenti une impression de tristesse. → *Une impression de tristesse se dégage de ce poème.*

☐ **L'emploi d'une forme passive**
Ils ont apprécié le concert. → *Le concert a été apprécié.*

5 À partir du discours oral de Florence Beaujeu rédigez le rapport que celle-ci fera à son patron.

Représentant commercial dans une fabrique de jouets, Florence Beaujeu a été chargée de tester auprès des distributeurs un nouveau modèle de jouet, le Roboflic. Elle en parle avec un collègue.

« Je vais te dire... J'ai vu pas mal de distributeurs au sujet du Roboflic. Ce n'est pas très encourageant. Ils n'aiment pas sa forme, trouvent qu'il est trop grand, trop bruyant et beaucoup pensent qu'il est trop cher. J'ai même appris qu'un de nos concurrents ne va pas tarder à sortir un jouet semblable. Si tu veux mon avis, il va y avoir une invasion de robots policiers sur le marché. On ferait mieux de choisir un autre créneau. Je crains que le nôtre ne soit pas très apprécié par la clientèle et je crois que si on le lance on n'en vendra pas beaucoup. Bon, maintenant il faut que je fasse mon rapport pour convaincre le patron. »

Exemple : « De nombreuses présentations du projet Roboflic ont été faites auprès de nos distributeurs... »

INFO MÉMOIRE

L'ACTEUR ALAIN DELON PARLE DE L'INTERPRÉTATION D'ISABELLE ADJANI DANS LE FILM CAMILLE CLAUDEL.

Alain Delon est interviewé par Jacques Chancel au cours de l'émission « Radioscopie ».

• Notez tous les mots et expressions utilisés par Alain Delon pour faire l'éloge d'Isabelle Adjani. Classez-les dans le tableau ci-dessous.

Noms et formes nominales	Adjectifs	Verbes et expressions verbales

• Quels sont les traits de la personnalité d'Alain Delon qui apparaissent dans cette interview ?

• Faites un pastiche du discours élogieux d'Alain Delon . Invité au vernissage de l'exposition d'un jeune peintre, l'acteur vante les talents de l'artiste devant les journalistes.

Alain Delon (né en 1935) poursuit une longue carrière d'acteur de cinéma où il s'est d'abord fait une réputation dans les films policiers jouant tantôt le rôle du truand tantôt celui du flic.

Isabelle Adjani (née en 1955) a débuté très jeune à la Comédie-Française et au cinéma. Elle s'est révélée comme une des plus grandes actrices de sa génération dans *L'Été meurtrier* et dans *Camille Claudel.* Dans ce dernier film elle joue le rôle de Camille Claudel, une femme sculpteur amoureuse du sculpteur Rodin (interprété par Gérard Depardieu) et passionnée par son art au point de sombrer dans la folie.

LE NAVIGATEUR EN SOLITAIRE DANIEL GILARD PARLE DE SA PASSION POUR LA VOILE ET LA MER.

Après avoir fait de nombreuses traversées en solitaire Daniel Gilard a disparu au large des Açores en 1987 lors de la course La Baule-Dakar.

AIDE À L'ÉCOUTE

Le summum : l'apogée, le plus haut degré.

une présomption : opinion fondée sur des apparences.

formule I : voiture de sport et par extension, type de course avec ces voitures.

un chavirage : de « chavirer », lorsque le bateau se retourne.

un dématage : de « mât », lorsque le mât casse.

prendre ses dispositions (testamentaires) : rédiger son testament.

un zombi : un fantôme, un être sans réalité.

• Voici un article sur Daniel Gilard écrit par un journaliste peu consciencieux. Relevez les erreurs.

« Ce qui pousse Daniel Gilard à partir pour de longs séjours en solitaire à travers l'océan, c'est le désir de se dépasser et de prouver aux autres qu'il peut être un champion. Mais la voile est aussi pour Daniel une raison de vivre. Naviguer seul procède d'une véritable démarche philosophique : atteindre un absolu, communier avec la nature, sentir qu'on peut être aussi puissant que le plus puissant des éléments : l'eau.

Daniel Gilard ne part jamais sans un sentiment de peur (il refait d'ailleurs son testament avant chaque départ) : crainte du problème technique, peur du chavirage ou du dématage, peur enfin de disparaître. Aussi pense-t-il un jour abandonner pour redevenir un terrien comme les autres. »

• Jeux de rôles : un journaliste interviewe les personnes suivantes et les interroge sur leurs motivations :

– un Américain qui collectionne les voitures anciennes. Il en possède actuellement 1 700 estimées à plus de 30 millions de francs ;

– Jean-Jacques Guyon. Il a la passion de l'équitation. Il a été champion olympique en 1968 à Mexico.

OPINIONS

L'IRRATIONNEL COMME MODE DE RECRUTEMENT

Pour sélectionner les candidats à un emploi, les recruteurs des entreprises ne se contentent plus d'étudier leur curriculum vitæ et d'avoir un entretien avec eux. Des techniques comme la graphologie, l'astrologie, la numérologie, la morphopsychologie sont également utilisées. Dans quelles mesures ces pseudo-sciences sont-elles fiables ? C'est l'objet de ce débat qui réunit des journalistes, une graphologue et (voir texte ci-contre) un chasseur de têtes (recruteur pour postes de haut niveau).

• D'après les intervenants au débat et l'article du *Nouvel Observateur,* quelle est la fonction et quelles sont les limites des techniques de recrutement suivantes :
la graphologie – l'entretien – la morphopsychologie ?

• Confrontez votre opinion sur ce sujet avec celle des membres de votre groupe.

VOIX

Une journaliste nous parle de Bernard Alexandre, chasseur de têtes (recruteur pour personnel de haut niveau), qui participe à l'émission.

Le chasseur d'hommes sent que la méthode américaine et ses données objectives « *ne suffisent plus* ». Alors, retour à la graphologie. Attention, pas celle des amateurs. M. Alexandre prend des garanties. « *Pour la même personne, je fais appel à trois ou quatre graphologues de qualité. Et ce n'est qu'un des paramètres de mon évaluation.* » Les autres ? L'astrologie, par exemple. Là encore, pas celle des magazines pour midinettes. C'est pas parce que vous êtes Lion que vous allez bouffer le client. « *J'utilise l'astrologie pour clarifier les structures profondes de certaines personnalités.* » Exemple : « *Un jour, je présente à l'un de mes clients, provincial, un candidat qui avait tout à fait le profil recherché. Mais le client trouve qu'il fait un peu trop le beau. Bref, refusé. Moi, je trouve ça bête. La graphologie m'avait dit que le type était intelligent. Pour en savoir plus, je suis passé à l'astrologie. Et il a été embauché.* »

[...] Bernard Alexandre recourt aussi à la numérologie. Mais toujours avec un principe : « *Je ne m'en remets pas aveuglément à ces techniques, quelles que puissent être les modes.* » Ça, c'est bon pour « *les incultes, qui n'ont pas de formation* ». Lui ne néglige aucun indice, allant au besoin, quand il a un doute, jusqu'à provoquer un dîner avec le futur cadre et son épouse : « *Il y a des cadres très efficaces parce qu'ils sont heureux en ménage. Il en est d'autres qui se défoncent au boulot parce que ça ne marche pas dans leur couple.* » Comme quoi, quand on a une vilaine écriture et un mauvais signe astral, il vaut mieux être bien marié.

Martine Gilson, *Le Nouvel Observateur*, 1-6-1989.

AIDE À L'ÉCOUTE

se faire l'avocat du diable : formuler des opinions opposées à ses propres convictions pour susciter des réactions chez l'interlocuteur.

se sentir interpellé : se sentir concerné par un problème et avoir envie d'y réfléchir.

une boîte : (fam.) une entreprise.

tout mettre dans le même panier : tout confondre.

un délit de sale gueule : une accusation portée d'après le seul aspect physique de la personne.

À TRAVERS LA FRANCE

L'ORIGINAL DE MAGUELONE

Site de la Méditerranée, près de Montpellier, où s'élève une cathédrale, seul vestige de Maguelone, prospère du VIe au VIIIe siècle.

L'homme qui parle aime venir travailler près de ce site magique.

- Trouvez les informations suivantes :
  - quelle est la profession du narrateur ?
  - dans quelles conditions originales exerce-t-il son activité ?
  - quelles rencontres fait-il sur la plage de Maguelone ?
  - pourquoi se sent-il proche de certaines personnes rencontrées ?
- Avez-vous vécu des situations insolites ? Racontez.

Notre-Dame de Maguelone.

AIDE À L'ÉCOUTE

une abbatiale – une collégiale : édifices religieux.

un hayon : porte de voiture située à l'arrière du véhicule et s'ouvrant de bas en haut.

un centre médico-social : établissement qui accueille des handicapés physiques ou mentaux.

LA SCÈNE ET L'ÉCRAN

Écoutez *Boubouroche*, de Courteline (Acte II, scène 2) voir p. 52.

4 Retour aux Sources

La nature a fait l'homme heureux et bon,
mais la société le déprave et le rend misérable.

Jean-Jacques Rousseau, *Rousseau juge de Jean-Jacques,* 1775.

Site préhistorique de Stonehenge, Angleterre.

Adaptation cinématographique
Contes
Contrefaçons
Écologie
Histoire
Mythologie
Nouvel âge
Retour à la nature
Structure du récit
Traditions
Tribus primitives

L'Histoire n'est qu'un magasin pour ma fantaisie
et les sujets doivent s'adapter et devenir dans mes mains
ce que je veux qu'ils soient.

Friedrich Von Schiller, *Histoire de la guerre de Trente Ans,* 1871.

LES UTOPIES DU CHANGEMENT

CHANGER LA VIE

Les écologistes me semblent souvent avoir une conception étroite et naïve des problèmes sur le plan doctrinal. Ils se polarisent sur des objectifs ponctuels, sans tenir compte de toutes les conséquences de la technique sur la psyché humaine. La technique se développe aujourd'hui de façon indépendante, en dehors de tout contrôle humain. Dans son rêve prométhéen, l'homme moderne croyait pouvoir domestiquer la nature, il n'a fait que se créer un environnement artificiel plus contraignant encore. Il pensait se servir de la technique alors que c'est lui qui la sert. Les moyens sont érigés en fins et la nécessité en vertu.

Nous sommes conditionnés de telle façon que nous adoptons immédiatement toutes les techniques nouvelles sans nous interroger sur leur éventuelle nocivité. L'inquiétude n'est pas la technique en soi mais notre attitude à son égard. Il ne s'agit pas, bien sûr, de revenir au Moyen Âge mais de comprendre que nous sommes dominés par un processus qui nous dépasse et ne nous laisse pas le temps d'opérer un tri. On pourrait se passer de 90 % des techniques que nous utilisons mais la force de la propagande est justement de transformer des objets inutiles en objets nécessaires. Nos besoins ont été créés artificiellement par la publicité et maintenant ils existent naturellement.

Il manque aux écologistes une analyse globale du phénomène technique et de la société technicienne. Ils ne comprennent pas que le système technicien est précisément un « système » et que l'on ne peut prétendre s'attaquer à un élément isolé sans tenir compte de l'ensemble. On ne peut véritablement défendre la nature sans remettre en cause les structures mêmes de notre société.

Je rêve toujours, dans une société équilibrée, d'un mouvement motivé idéologiquement capable de s'opposer, par la masse de ses adhérents, à un pouvoir étatique. Ce n'est pas à partir du système politique que l'on pourra modifier l'orientation de nos industries. La politique ne peut rien résoudre de nos problèmes fondamentaux. Une véritable prise de conscience de ces problèmes implique un changement de vie radical, un renoncement à des facilités et – pourquoi le cacher ? – un retour à une certaine frugalité. Je ne suis pas sûr que l'ensemble de l'électorat écologiste soit prêt à tous ces sacrifices.

Jacques Ellul, propos recueillis par F. Chastenat, *Le Nouvel Observateur*, 7.5.1992.

RECHERCHE D'INFORMATIONS, PRÉALABLE À LA LECTURE DU TEXTE

• Présentez le constat fait par les écologistes sur l'état actuel du monde. Examinez les domaines suivants :
– la nature,
– l'urbanisation,
– le travail,
– les relations humaines,
– la société de consommation,
– les pays pauvres.

• Présentez quelques cas concrets de lutte menée par des mouvements écologistes.

RÉSUMÉ DU TEXTE DE JACQUES ELLUL

• Regroupez les arguments de Jacques Ellul autour des trois points suivants :
– l'organisation de la société,
– ce que croient et font les écologistes,
– ce qu'il faudrait faire.

• Rédigez un résumé de ce texte en cinq lignes.

DÉBAT

• Nombreux sont les mouvements actuels qui veulent « changer la vie » (mouvements écologistes, New Age, mouvements d'inspiration orientale, etc.).
Sont-ils d'après vous utiles, efficaces, réalistes, utopiques, dangereux ?

CIVILISATIONS MORTELLES

« Nous autres civilisations, nous savons maintenant que nous sommes mortelles. »

Paul Valéry, *Variété*, 1924.

En 1492, Christophe Colomb découvrait l'Amérique. Dans les années qui suivirent Cortès entreprenait la conquête de l'empire aztèque (Amérique centrale) et Pizarro celle de l'empire inca (Amérique du Sud). Les conquistadores (aventuriers et nobles espagnols) animés par la soif de l'or, le désir de christianiser, l'ambition et la recherche de la gloire envahissaient alors les territoires des deux empires et colonisaient leurs occupants.
D'une manière générale, l'opinion juge négativement les envahisseurs, surtout lorsque les conquêtes s'accompagnent d'un génocide. C'est le cas en France où une tradition qui remonte à Montaigne (XVIe siècle) en passant par Rousseau (le mythe du bon sauvage) voit dans la conquête des Amériques un des épisodes les plus sombres de l'Histoire.
Dans l'article suivant, Jean-François Revel prétend porter un regard objectif sur ces événements.
Mais il suscitera sans doute bien des réactions.

Rencontre de Cortès et de l'envoyé de Moctezuma, manuscrit du XVIe siècle, Madrid.

Le cinquième centenaire de la découverte de l'Amérique fournit l'occasion d'instruire enfin le procès de Moctezuma, le dernier empereur aztèque. Atteinte aux droits fondamentaux de la personne humaine, pratique permanente de la guerre totale contre ses voisins, discrimination contre les femmes, destruction de l'environnement par l'abus des semailles sur brûlis, extermination quotidienne, préméditée et planifiée, d'une partie de sa population, crimes contre l'humanité, son compte est bon. Absurde et délirant, direz-vous ? Pas plus que le procès posthume que s'avisent d'intenter quelques tiers-mondistes rétrospectifs à Christophe Colomb.

La conquête du Nouveau Monde fut, certes, sanglante et cruelle. Mais pas plus que ne l'étaient les coutumes indiennes elles-mêmes. Car si les conquistadores n'étaient pas des sœurs de charité, les conquis, de leur côté, n'étaient pas des agneaux. Leur férocité n'excuse pas celle des Européens, qui, d'ailleurs, se trouva dénoncée presque aussitôt par les Européens eux-mêmes. Contrition unique dans l'Histoire, autocritique rare, dont la plus noble formulation reste l'envolée de Montaigne : « *Notre monde vient d'en trouver un autre... Tant de villes rasées, tant de nations exterminées... pour la négociation des perles et du poivre...* [...] »

Mais au même moment commence l'idéalisation béate des mœurs précolombiennes. On oublie qu'il s'agissait de sociétés théocratiques fondées sur les sacrifices humains et les immolations d'enfants. On oublie aussi qu'on peut, sans anachronisme, qualifier ces systèmes de totalitaires, puisque tout, les biens et les personnes, y appartenait à l'État. L'empire des Incas nous offre sans doute le premier exemple historique d'un système entièrement collectiviste. Privés

L'ARGUMENTATION DE JEAN-FRANÇOIS REVEL

• Classez dans le tableau suivant les informations historiques énumérées par l'auteur.

Critique de l'empire aztèque	Critique de la conquête	Arguments neutres

• Étudiez la présentation des arguments (voir p. 92) : accumulations, parallélismes, oppositions, etc.

• Montrez que l'auteur essaie de paraître objectif.

• Jugez la composition générale de l'article (voir p. 176). L'introduction et la conclusion vous paraissent-elles originales ? Les trois paragraphes sont-ils cohérents ?

de toute propriété et de toute liberté, ses sujets n'étaient humains qu'au sens zoologique. On comprend que des peuples à ce point opprimés n'aient pas défendu leurs maîtres avec beaucoup de zèle. Pizarre a pu faire tomber l'empire des Incas avec 180 hommes, comme Cortès, avec 600 seulement, celui des Aztèques. Les empires précolombiens étaient d'ailleurs de courte durée, parce qu'ils se décomposaient faute d'être viables : l'empire des Mayas avait croulé sur lui-même bien avant l'arrivée des Européens. L'inhumanité foncière de ces civilisations ne les empêcha pas de produire un art somptueux, ce qui montre que la morale et la beauté ne vont pas nécessairement de pair.

Quant à la baisse démographique indienne après la conquête, elle provint moins de l'épée des conquérants que des maladies contagieuses, variole et rougeole, transmises par eux à des populations privées de défenses immunitaires. En échange, elles communiquèrent aux Espagnols la syphilis, promise à une jolie carrière européenne. Encore le mensonge démographique a-t-il gonflé les effectifs. L'Amérique précolombienne était presque un désert : ses deux principaux pôles de peuplement, le Pérou et le Mexique, ne comptaient chacun que trois à quatre millions d'habitants, et le reste des deux Amériques à peu près autant (voir Jean-Claude Chesnais, *La population du monde de l'Antiquité à 2050,* Bordas, 1991). Dans l'immense Nord, du rio Grande à l'Alaska, errait un petit million diffus de personnes, et non pas dix millions, chiffre fantastique et fantaisiste que revendiquent les Indiens actuels.

Aucune guerre de conquête n'est justifiable, et c'est pourquoi l'humanité d'aujourd'hui tente de s'organiser pour les éliminer. Mais en être victime ne suffit pas à conférer à l'agressé toutes les vertus. Les Romains n'étaient pas des saints. Mais les Gaulois non plus.

Jean-François Revel, *Le Point,* n° 1023, 25.4.1992.

SYNTHÈSE COMMENTÉE

• Vous êtes journaliste. Faites pour votre journal un compte rendu commenté (en douze lignes) de l'article de J.-F. Revel.

ÉLABORATION D'UNE ARGUMENTATION

Aujourd'hui, dans plusieurs endroits du monde, des cultures dites primitives sont en train de disparaître définitivement, victimes non pas d'un peuple en particulier mais de la civilisation moderne.

• En vous inspirant des textes ci-dessous et de l'organisation de l'article de J.-F. Revel élaborez une argumentation :
– soit pour critiquer la civilisation moderne qui entraîne la disparition de ces cultures,
– soit pour nuancer ce point de vue et en montrer les aspects superficiels.

Les Kayapos se considèrent toujours comme des guerriers. Les anciens du village sont nostalgiques de l'époque où ils préparaient leurs arcs et leurs gourdins dans la maison des hommes pour aller se battre contre les tribus voisines ennemies. L'un d'eux m'a dit : « Aujourd'hui, les jeunes gens préfèrent rester à la maison avec leurs femmes et leurs enfants. Triste époque. » Protégés par l'immensité amazonienne, les Kayapos ont longtemps ignoré l'existence des Blancs et de leurs entreprises. Ils appartenaient à ce qui, pour nous, peut sembler être l'enfance de l'humanité. Passant la plus grande partie de leur temps à se peindre le corps, à fabriquer des parures en plumes de perroquet, à organiser des expéditions de chasse et de pêche, à danser, à cuisiner des festins de tortue. Vie dangereuse, violente mais dont ils restaient les seuls maîtres. Ignorant jusqu'à l'existence d'autres formes d'organisations sociale et matérielle, ils se sont trouvés soudain confrontés à la civilisation blanche. Et pas à ce qu'elle peut présenter de plus glorieux : avec les aventuriers venus tenter fortune dans « l'enfer vert ». Mais ils ont été fascinés par « les merveilleux objets des Blancs ». Qu'il s'agisse de fusils, de boîtes de boissons gazeuses, de magnétophones, de groupes électrogènes, de biscuits industriels ou de cravates. Objets miraculeux parce que résultant d'une logique de fabrication qui leur échappe totalement.

Géo, n° 67, septembre 1984.

Le monde sauvage part en lambeaux. Grignoté par la tronçonneuse de la civilisation. Les dernières tribus isolées s'évanouissent en silence, les derniers territoires vierges s'étiolent ou se transforment en réserves naturelles, en parcs écologiques et en banques de gènes. Explorée de fond en comble, quadrillée par les routes, surveillée par les satellites, la planète est devenue une gigantesque banlieue. Un monde disparaît sous nos yeux, dont il ne restera bientôt que des vestiges et du folklore. Celui des premiers habitants de la Terre, des peuples primitifs, des autochtones, des indigènes : les étrangers ultimes. Partout menacés, déplacés, exploités, ces naufragés de l'Histoire sont voués à l'extinction, phagocytés par une autre culture. Absorbés, digérés par la civilisation rationnelle, qui étend maintenant son emprise sur tous les continents. Dépouillés de leurs traditions comme de leur identité. Dans les villages perdus au fin fond de la brousse, les enfants nus, oreille collée au transistor, fredonnent des airs de rock...

L'Express, 14.5.1992.

LITTÉRATURE

La structure du récit

LE FILS DU BERGER

Jean-Pierre Chabrol est un romancier qui s'est rendu célèbre par ses talents de conteur. La plupart de ses histoires se déroulent dans les Cévennes.

Fin septembre 1956, après la foire, Adrien Teissier, du mas* des Baumes (pas le Teissier des Bories) a dit à son vieux :

– Papa, moi je ne veux pas mener la même vie d'abruti* que toi, entre tes chèvres et ton jardin. Tu n'as même pas la radio, tu n'es jamais allé au cinéma. Moi, je sais ce que c'est que la vie, j'ai fait mon service militaire. Je vais monter à Paris. Je mènerai la vie d'un être civilisé.

Le vieux Teissier des Baumes n'est ni bavard ni émotif. Il esquissa un haussement d'épaules auquel son garçon répondit par cette phrase superbe.

– Après tout, on embauche chez Renault !

Chaque fois que je passais par le val des Baumes, le vieux chevrier* me disait : « Tu devrais aller voir mon Adrien. Dans ses lettres, il est content, mais peut-être que je lis pas bien... »

– Il n'a qu'à passer chez moi, à Paris. Écrivez-le-lui.

Adrien n'est jamais venu. Peut-être parce qu'il n'osait pas. Quand on quitte son village pour « monter » à Paris, on veut « réussir ». Alors, j'ai fait les premiers pas mais sur la pointe des pieds, comme pour un malade.

Adrien est soudeur à la chaîne. Il fait dix-sept points de soudure sur une aile de voiture, il la retourne, il en fait dix-sept autres, la carcasse suivante est déjà là...

Au bout de neuf heures, Adrien sort de l'usine et fonce, coudes au corps, vers le métro Marcel-Sembat. Là, sa tête dodeline*, perdue parmi les autres. La presse le soutient. Il ne peut ni se moucher, ni se gratter. Au Trocadéro, Adrien reprend sa course pour sauter dans une rame direction Nation, mais c'est surtout dans les couloirs interminables de la station Denfert-Rochereau qu'il bat des records. Rater son train signifie poireauter* trente minutes sur les quais de la ligne de Sceaux. À Palaiseau-Villebon, il décroche sa bicyclette, enchaînée là depuis l'aube. Il pédale sur six kilomètres. Il est chez lui. Un pavillon de banlieue qu'il a construit de ses mains.

En 1957, Adrien Teissier a épousé une vendeuse – la vraie petite Parigote*, de quoi révolutionner le val des Baumes.

Le deuxième bébé rendit intolérable la vie en hôtel. Et puisque, de toute façon, la jeune mère avait dû laisser tomber son Prisunic*... Adrien a emprunté pour l'achat du terrain, et il s'est attaqué aux fondations, le dimanche et les jours fériés.

À la première visite que je lui ai rendue, il avait coulé la dalle du rez-de-chaussée. Il était en train de faire les moellons. Pour économiser l'hôtel, toute la famille campait dans les sous-sols. Ils avaient été largement prévus : cave, garage, et un bel emplacement pour la cuve à mazout qu'on aurait...

Paris ne s'est pas fait en un jour.

Deux ans plus tard, le chauffage au mazout n'était pas installé, mais le pavillon était presque achevé. Adrien avait la télévision et une petite voiture d'occasion.

Il était las*.

– L'année prochaine, je compte bien aller enfin passer mes congés au pays, chez mon père.

Je l'ai retrouvé, l'été dernier, devant le mas des Baumes, épanoui. Il gardait les chèvres. Il a dit au père Teissier :

– Tu vois, papa, bientôt, ma maison sera terminée. J'ai ma petite voiture. J'ai tout ce qu'il me faut. Je ne pense plus qu'à une chose : à ma retraite. Dès que mes gosses* sont établis, je reviens au village, je m'installe ici. Un troupeau de chèvres... et, tu m'as compris, les doigts de pied en éventail*... Vivre, enfin !

Oh ! le vieux des Baumes n'a pas triomphé. Trop malin, trop tendre aussi.

– Ben, mon garçon, à ton aise. Les chèvres, elles sont là, elles t'attendent, celles-là ou d'autres. Et la Montagne, elle bouge pas facilement...

Jean-Pierre Chabrol, *Contes d'outre-temps,* Plon, 1969.

un mas : ferme (en Provence et en Languedoc).

un abruti : dont les facultés intellectuelles sont amoindries par la fatigue ou une vie épuisante.

un chevrier : berger qui garde les chèvres.

dodeliner : se balancer.

poireauter : (fam.) attendre.

une Parigote : Parisienne typique.

Prisunic : nom d'une chaîne de magasins populaires.

las : fatigué.

un gosse : (fam.) enfant.

les doigts de pied en éventail : expression populaire qui signifie « en se reposant ».

ÉLÉMENTS POUR L'ANALYSE DU RÉCIT

LES PERSONNAGES

☐ **Leur histoire** : situation ou faits passés qui peuvent influencer leurs actions.

☐ **Leur caractère, leurs attentes, intentions et motivations** : les personnages principaux poursuivent en général un objet de désir : homme ou femme, argent, objet particulier ou idée (idéal politique par exemple).

☐ **Leurs relations avec les autres personnages** : schématiquement, ces relations sont conflictuelles ou solidaires mais elles peuvent évoluer et être nuancées.

☐ **Le personnage principal** (ou **héros**) est celui sur lequel se focalise l'action. Il peut être positif ou négatif.

• Analysez les personnages du conte, en particulier leur caractère et leurs motivations. Qui est le héros ? Quelles relations entretient-il avec les autres personnages ?

• Les personnages ci-dessous pourraient être des personnages de roman. Imaginez pour eux :
– une brève biographie,
– quelques traits de caractère,
– un objet de désir (motivation).

– un directeur-adjoint de société
– un prêtre
– une femme divorcée
– un jeune universitaire
– un musicien.

LES ESPACES

☐ Le récit peut se dérouler dans un **espace unique** ou dans des lieux différents.

☐ Comment l'espace est-il perçu : par le narrateur ? par les personnages ?

☐ **Cet espace peut être symbolique.** On peut trouver des analogies avec les personnages (passé, sentiments, etc.), avec les groupes sociaux, etc.

• Caractérisez les deux espaces principaux du conte. Analysez la valeur symbolique de la scène du métro.

• Dans quel(s) espace(s) placeriez-vous les scènes ci-dessous ?

– un coup de foudre amoureux
– une décision de rompre avec le passé
– le désespoir d'un homme ruiné
– la préparation d'un complot.

LES GROUPES SOCIO CULTURELS

☐ Le récit peut mettre en scène un ou plusieurs groupes sociaux.

☐ Un groupe social véhicule une idéologie (morale, politique, philosophique) et des comportements spécifiques.

• Quels sont les groupes sociaux présents dans le récit ou évoqués par les personnages ? Comment sont-ils perçus par les personnages ?

• Imaginez une intrigue pour chacun de ces trois ensembles de groupes socioculturels :

– milieu ouvrier/milieu artistique,
– riche bourgeoisie terrienne et conservatrice/milieu intellectuel progressiste,
– milieu dirigeant proche du pouvoir/milieu de petits commerçants/milieu de riches industriels.

LE DÉROULEMENT DU RÉCIT

Les éléments ci-dessous sont susceptibles d'être modifiés au cours du déroulement du récit.

☐ **Le schéma général** d'un récit est souvent celui d'**une quête** :
– le héros se trouve dans un **état initial de manque.** Ce manque détermine l'**objet du désir ;**
– il entreprend une quête de cet objet. Sur la route, il rencontre des obstacles, des personnages qui l'aident ou qui s'opposent à lui et il est soumis à des épreuves ;
– la fin du récit présente la **possession** de l'objet du désir (réussite), sa **non-possession** (échec) ou un **changement d'objet** (accommodation).

☐ Le récit fait également apparaître des évolutions de caractère et de comportements.

• Retrouvez le schéma général de la quête dans le récit de Chabrol. Y a-t-il une évolution des personnages ?
Quelle est la morale de ce récit ?

• Retrouvez le schéma de la quête dans des contes, des nouvelles ou des romans que vous connaissez.

• En utilisant les éléments imaginés précédemment (personnages, lieux, etc.), construisez le schéma d'une intrigue.

CRÉATIVITÉ NARRATIVE

• Imaginez une histoire symétrique et inverse de celle de Chabrol : un jeune homme (ou une jeune fille) de la ville dont le père est employé dans une usine de construction automobile décide d'aller travailler à la campagne et y connaît quelques désillusions.
Rédigez cette histoire en groupe en vous partageant ses différentes étapes.

N.B. Tous les éléments présentés ci-dessus ne sont pas obligatoirement pertinents dans tous les récits.

FABLES ET PARABOLES

LE CONTE DU TAILLEUR DE PIERRE

Une mère raconte à son enfant l'histoire d'un petit tailleur de pierre

– Il était une fois un tailleur de pierre qui en avait assez de s'épuiser à creuser la montagne sous les rayons de soleil brûlants. « J'en ai marre de cette vie. Tailler, tailler la pierre c'est éreintant... et ce soleil, toujours ce soleil ! Ah ! comme j'aimerais être à sa place, je serais là-haut tout-puissant, tout chaud en train d'inonder le monde de mes rayons », se dit le tailleur de pierre. Or, par miracle, son appel fut entendu. Et aussitôt le tailleur se transforma en soleil. Il était heureux de voir son désir réalisé. Mais, comme il se régalait à envoyer partout ses rayons, il s'aperçut que ceux-ci étaient arrêtés par les nuages. « À quoi ça me sert d'être soleil si de simples nuages peuvent stopper mes rayons ! s'exclama-t-il, si les nuages sont plus forts que le soleil je préfère être nuage. » Alors il devient nuage. Il survole le monde, court, répand la pluie, mais soudain le vent se lève et disperse ce nuage. « Ah, le vent arrive à disperser les nuages, c'est donc lui le plus fort, je veux être le vent », décide-t-il.

– Alors, il devient le vent ?

– Oui, et il souffle de par le monde. Il fait des tempêtes, des bourrasques, des typhons. Mais tout d'un coup il s'aperçoit qu'il y a un mur qui lui barre le passage. Un mur très haut et très dur. Une montagne. « À quoi ça me sert d'être le vent si une simple montagne peut m'arrêter ? C'est elle qui est la plus forte ! » dit-il.

– Alors il devient la montagne !

– Exact. Et à ce moment il sent quelque chose qui le tape. Quelque chose de plus fort que lui, qui le creuse de l'intérieur. C'est... un petit tailleur de pierre...

Bernard Werber, *Les Fourmis*, Albin Michel, 1991.

LA « PARABOLE DES AVEUGLES » DE BOUDDHA

Une autre parabole cite le cas d'un groupe d'aveugles de naissance qui désiraient savoir ce qu'était un éléphant. L'un d'eux lui toucha la tête et dit que c'était comme une grande cruche ; un autre, la trompe et dit que l'éléphant était comme un serpent ; un autre, les défenses et il dit qu'elles étaient comme des socs de charrue ; un autre, le flanc et dit que c'était comme un grenier ; un autre la patte et dit que c'était comme un pilier. Ceux qui prétendent savoir ce qu'est l'univers commettent une erreur semblable.

Jorge Luis Borges, *Qu'est-ce que le bouddhisme ?*, Gallimard, 1979.

LA STRUCTURE DES DEUX HISTOIRES

• Représentez schématiquement les structures de ces deux contes.
Exemple : Conte du tailleur de pierre.
***Situation 1** (le personnage est tailleur de pierre). Insatisfaction : travail pénible + soleil → Objet du désir : être le soleil...*
Situation 2 (le personnage est le soleil)...

• Quelle est la morale de ces deux histoires ?
Montrez que la structure de ces contes est adaptée à la morale.

• Voici quelques types de structures de conte. À quel type appartiennent les deux histoires de cette page ? Connaissez-vous des contes, des récits, des romans construits sur ces schémas ?
– L'état initial est identique à l'état final (le personnage redevient ce qu'il était).
– Entre l'état initial et l'état final il y a :
une progression (le personnage devient de plus en plus gros, riche, intelligent, etc.),
une mutation (la grenouille se transforme en prince),
une inversion (l'homme qui combattait le dragon devient dragon combattu).

CRÉATIVITÉ NARRATIVE

• Imaginez un conte ou une fable pour illustrer les proverbes suivants.
– *« L'avarice perd tout en voulant tout gagner. »*
– *« Qui vole un œuf, vole un bœuf. »*
– *« Au royaume des aveugles, les borgnes sont rois. »*
– *« Rira bien qui rira le dernier. »*

JEU DE RÔLES

• Jouez la parabole des aveugles en imaginant des scènes complémentaires : insatisfaction des aveugles et décision de partir à la recherche d'un éléphant. Discussion sur la réalité des objets qu'ils touchent, etc. L'histoire peut aussi être transposée : les aveugles veulent connaître l'automobile, l'ordinateur, etc.

L'ADAPTATION CINÉMATOGRAPHIQUE

LES PROBLÈMES D'ADAPTATION

De nombreuses œuvres romanesques sont adaptées pour le cinéma. L'adaptation peut-être fidèle. Dans ce cas le réalisateur essaie de respecter au maximum l'esprit et la lettre de l'œuvre littéraire. C'est une tâche très difficile et le résultat ne satisfait que très rarement les connaisseurs du roman. L'adaptation peut également être plus ou moins libre. Le réalisateur considère alors l'œuvre littéraire non pas comme un objet à reproduire mais comme un matériau de base qu'il va utiliser pour réaliser son film. Dès lors, tout est possible : élimination d'un ou plusieurs personnages, modification de la structure de l'histoire (on coupe, on décide de commencer par la fin), contraction, expansion ou déplacement de certaines scènes, etc. Le réalisateur cherche à faire œuvre de création. La cohérence du film ne doit rien à celle de l'œuvre dont il est tiré.

Dans les pages suivantes nous comparerons un passage de roman de Mme de Lafayette, *La Princesse de Clèves* et son adaptation dans le film de Jean Delannoy et Jean Cocteau.

« LA PRINCESSE DE CLÈVES », ROMAN DE MADAME DE LA FAYETTE (1678)

L'histoire de la Princesse de Clèves a pour cadre l'ambiance voluptueuse et raffinée de la cour du roi Henri II (roi de 1547 à 1559). À l'âge de quinze ans, Mlle de Chartres paraît pour la première fois à la Cour.

C'est une des plus riches héritières du royaume mais sa mère l'a élevée dans la morale la plus stricte et l'a tenue éloignée de l'entourage du roi. La jeune fille conçoit successivement deux projets de mariage avec des gentilshommes qu'elle aurait pu aimer. Mais ces projets échouent à cause des intrigues de la Cour. Elle accepte alors d'épouser le prince de Clèves, un homme qu'elle n'aime pas vraiment mais qu'elle estime beaucoup.

Peu de temps après, deux événements simultanés vont bouleverser la vie de la Princesse : le retour du duc de Nemours qui était chargé d'une ambassade à Bruxelles et un bal donné à la Cour à l'occasion des fiançailles d'une fille du roi.

Dans le récit suivant apparaissent deux autres personnages : M. de Guise, un des plus grands militaires du royaume et Mme la Dauphine. (Il s'agit de Marie Stuart, reine d'Écosse qui avait épousé le fils héritier du roi, traditionnellement appelé le Dauphin.)

Marina Vladi et Jean-François Poron dans *La Princesse de Clèves*, de Jean Delannoy et Jean Cocteau.

« LA PRINCESSE DE CLÈVES » : LE ROMAN (1678)

Il* arriva la veille des fiançailles ; et, dès le même soir qu'il fut arrivé, il alla rendre compte au roi de l'état de son dessein et recevoir ses ordres et ses conseils pour ce qu'il lui restait à faire. Il alla ensuite chez les reines*. Mme de Clèves n'y était pas, de sorte qu'elle ne le vit point et ne sut pas même qu'il fût arrivé. Elle avait ouï * parler de ce prince à tout le monde comme de ce qu'il y avait de mieux fait et de plus agréable à la cour ; et surtout Mme la dauphine le lui avait dépeint d'une sorte et lui en avait parlé tant de fois qu'elle lui avait donné de la curiosité, et même de l'impatience de le voir.

Elle passa tout le jour des fiançailles chez elle à se parer*, pour se trouver le soir au bal et au festin royal qui se faisait au Louvre. Lorsqu'elle arriva, l'on admira sa beauté et sa parure ; le bal commença et, comme elle dansait avec M. de Guise, il se fit un assez grand bruit vers la porte de la salle, comme de quelqu'un qui entrait et à qui on faisait place. Mme de Clèves acheva de danser et, pendant qu'elle cherchait des yeux quelqu'un qu'elle avait dessein de prendre, le roi lui cria de prendre celui qui arrivait. Elle se tourna et vit un homme qu'elle crut d'abord ne pouvoir être que M. de Nemours, qui passait par-dessus quelques sièges pour arriver où l'on dansait. Ce prince était fait d'une sorte qu'il était difficile de n'être pas surprise de le voir quand on ne l'avait jamais vu, surtout ce soir-là, où le soin qu'il avait pris de se parer augmentait encore l'air brillant qui était dans sa personne ; mais il était difficile aussi de voir Mme de Clèves pour la première fois sans avoir un grand étonnement.

M. de Nemours fut tellement surpris de sa beauté que, lorsqu'il fut proche d'elle, et qu'elle lui fit la révérence, il ne put s'empêcher de donner des marques de son admiration. Quand ils commencèrent à danser, il s'éleva dans la salle un murmure de louanges. Le roi et les reines se souvinrent qu'ils ne s'étaient jamais vus, et trouvèrent quelque chose de singulier de les voir danser ensemble sans se connaître. Ils les appelèrent quand ils eurent fini sans leur donner le loisir de parler à personne et leur demandèrent s'ils n'avaient pas bien envie de savoir qui ils étaient, et s'ils ne s'en doutaient point.

– Pour moi, madame, dit M. de Nemours, je n'ai pas d'incertitude ; mais comme Mme de Clèves n'a pas les mêmes raisons pour deviner qui je suis que celles que j'ai pour la reconnaître, je voudrais bien que Votre Majesté eût la bonté de lui apprendre mon nom.

– Je crois, dit Mme la dauphine, qu'elle le sait aussi bien que vous savez le sien.

– Je vous assure, madame, reprit Mme de Clèves, qui paraissait un peu embarrasée, que je ne devine pas si bien que vous pensez.

– Vous devinez fort bien, répondit Mme la dauphine ; et il y a même quelque chose d'obligeant pour M. de Nemours à ne vouloir pas avouer que vous le connaissez sans l'avoir jamais vu.

La reine les interrompit pour faire continuer le bal [...]

Madame de La Fayette, *La Princesse de Clèves,* 1678.

il : le duc de Nemours.

les reines : Catherine de Médicis, femme du roi Henri II, et Marie Stuart.

ouïr : entendre.

se parer : se préparer pour le bal, revêtir de beaux vêtements et des bijoux.

L'ATMOSPHÈRE DU XVIe SIÈCLE

• Relevez dans ce texte tout ce qui vous paraît caractéristique de l'atmosphère du XVIe siècle : lieux, vêtements, personnages, comportements, attitudes, etc.

LE COUP DE FOUDRE AMOUREUX

• Retrouvez dans le texte les circonstances du coup de foudre amoureux :
– l'enchaînement des événements dus au hasard,
– l'attente inconsciente et sans objet des personnages,
– le rôle du Roi et de la Cour,
– le sentiment de surprise des deux personnages.

• Pour Mme de Clèves qui vient de se marier et pour le duc de Nemours qui va bientôt épouser l'héritière de la couronne d'Angleterre, l'amour adultère est interdit par la morale mais largement toléré par les mœurs de la Cour.
Comment agissent les deux personnages face à cette ambiguïté ? Analysez les répliques de la fin du texte. Les mots suivants peuvent-ils les caractériser ?
innocence – pureté – prévenance – galanterie – délicatesse – hypocrisie – taquinerie – méchanceté.

• Que laisse supposer l'attitude de Mme la Dauphine sur les mœurs de la Cour ?

« LA PRINCESSE DE CLÈVES » : LE SCRIPT DU FILM

Réalisateur : Jean Delannoy – Paroles : Jean Cocteau

(La scène se passe pendant le bal donné par le Roi.)
Les danseurs font une volte.*
Le vidame se trouve à la hauteur de la Princesse de Clèves.

LE VIDAME*. Connaissez-vous Nemours ?
LA PRINCESSE. Je serais fort en peine de vous répondre, mon cousin. N'oubliez pas qu'ici je ne connais personne.
LE VIDAME. Je l'oubliais... On imagine mal une femme n'ayant jamais approché M. de Nemours.
LA PRINCESSE. Comment donc est-il fait ?
LE VIDAME. Toutes ces belles dames vous diront que c'est un chef-d'œuvre de la nature.

Le Roi abandonne sa danseuse et frappe dans ses mains. Toutes les dames changent de danseurs sauf une qui reste seule et qui se trouve être la Princesse de Clèves.

LE ROI *(à Mme de Clèves)*. Vous êtes seule, Madame, et vous avez un gage*. Je vous donne à choisir le premier venu. Invitez-le à danser.

Ce disant il fait un geste vers le grand escalier... Le Duc de Nemours qui vient de faire son entrée descend l'escalier, le regard fixé sur la Princesse.

LA PRINCESSE *(à Nemours)*. Gage au Roi, Monseigneur. Je vous invite. Voulez-vous être mon cavalier ?

Le Duc de Nemours prend la main de sa danseuse... Peu à peu ils vont danser comme dans un rêve sans s'apercevoir qu'on les regarde...

LA REINE *(assez haut)*. Oh ! Oh !
LE NAIN *(imitant la Reine)*. Oh ! Oh !

La musique cesse. Le couple s'arrête au pied des trônes.

LE ROI *(à Nemours et à la Princesse)*. Savez-vous qui vous êtes et vous en doutez-vous ?
NEMOURS. Pour moi, Sire, je n'ai pas d'incertitude ; mais comme Madame de Clèves n'a pas les mêmes raisons pour deviner qui je suis que celles que j'ai pour la connaître...
LA DAUPHINE. Je crois qu'elle sait aussi bien votre nom que vous savez le sien.
LA PRINCESSE. Ma gêne est grande, Madame, et j'aimerais être instruite de votre bouche.

(Le Roi appelle Monsieur de Clèves et lui demande de faire les présentations.)

Extrait du script original, Bibliothèque de la Cinémathèque, Paris.

une volte : sorte de valse à la mode au XVIe siècle.

un vidame : représentant d'une abbaye ou d'un évêché.

un gage : dans un jeu, punition choisie par les autres joueurs et qu'on doit accomplir quand on a perdu.

L'ADAPTATION CINÉMATOGRAPHIQUE DE JEAN DELANNOY ET JEAN COCTEAU

• Comparez-la au texte de Mme de La Fayette. Faites la liste de toutes les différences. Trouvez la raison de ces différences :
– transfert d'informations dans une autre scène,
– prise en charge d'une partie du texte par l'image,
– modification de la vision du personnage,
– clarification et explication de certains détails à l'intention du grand public actuel.

LES ADAPTATIONS CINÉMATOGRAPHIQUES

• Connaissez-vous des adaptations de romans à l'écran qui sont fidèles ? libres ?
• Recherchez pourquoi un grand roman peut aboutir à un mauvais film (et vice versa).

RÉALISATION D'UNE ADAPTATION

• Vous devez réaliser l'adaptation pour la télévision du conte *Le fils du berger*.
Déterminez (en groupe) la succession des scènes.
Exemple : Plan 1. Adrien Teissier en train de construire sa maison.

LES ARTS

MYTHOLOGIES

LA REPRÉSENTATION DU TEMPS

Saturne (le Chronos des Grecs) était le dieu du Temps. Il dévora tous ses enfants, sauf un, Zeus, qui fut sauvé par sa mère. Quand Zeus devint adulte il se révolta contre son père et l'obligea à restituer tous ses enfants.

• Quel est le sens de ce mythe ?

• Commentez le tableau de Rubens. Comparez la représentation des personnages avec d'autres façons de peindre les hommes.

• Voici quelques réflexions sur le thème du Temps. Imaginez un tableau pour représenter chacune de ces idées. Le tableau peut être figuratif ou abstrait. Vous pouvez l'imaginer à la manière de Rubens, de Magritte, de Picasso, etc.

« Le temps peut être en quelque sorte dans l'éternité. » (Bossuet)

« O temps ! suspends ton vol ; et vous heures propices
Suspendez votre cours ! »
(Lamartine)

« Le temps est le médecin de l'âme. » (Philon d'Alexandrie)

« Marquise si mon visage
A quelques traits un peu vieux
Souvenez-vous qu'à mon âge
Vous ne vaudrez guère mieux. »
(Corneille vieillissant s'adressant à une jeune femme).

Rubens (1577-1640), *Saturne dévorant un de ses enfants,* 1636-1638, Musée du Prado, Madrid.

Salvador Dali (1904-1988), *Les Métamorphoses de Narcisse,* 1937, The Tate Gallery, Londres.

LE MYTHE
DE NARCISSE

Narcisse était un jeune homme grec d'une grande beauté. Toutes les filles rêvaient de lui appartenir. Mais il restait insensible à leur charme et en particulier à l'amour que lui portait la nymphe Echo. Les dieux le punirent de cette ingratitude. Un jour qu'il se penchait pour boire sur le bord d'une fontaine il tomba amoureux de son propre reflet. Dès lors il ne put s'éloigner de son image qu'il ne cessa de contempler. Il finit par dépérir et par mourir au bord de la fontaine. À cet endroit pousse une fleur qui porte son nom.

• Quelle est la signification psychologique ou psychanalytique de ce mythe ?

• Commentez l'interprétation libre qu'en donne Dali. Retrouvez certains éléments du mythe. Analysez le symbolisme des éléments représentés et le thème de la dualité.

Erro (1932), Sans titre, 1988-1989, musée national d'Art moderne, Paris.

LES MYTHOLOGIES CONTEMPORAINES

• La modernité a aussi ses mythes. Retrouvez ceux de la société américaine dans ce tableau de Erro.

• Si vous deviez faire une composition semblable aujourd'hui dans votre pays (ou en France) quelles sont les images mythiques que vous privilégieriez ?

OUTILS POUR L'EXPRESSION

LE RÉCIT

■ DEUX VISIONS DU PASSÉ : ACCOMPLI/ACCOMPLISSEMENT

L'esprit peut envisager une action de deux manières :

☐ **Comme étant accomplie**

Il est arrivé à 8 heures (passé composé) *Il arriva* à 8 heures (passé simple)	Moment du passé
Il avait traversé toute la ville... (plus-que-parfait) *Quand il eût traversé* toute la ville... (passé antérieur)	Moment antérieur à un moment du passé *N.B.* : le passé antérieur ne s'emploie qu'avec le passé simple

☐ **Comme étant vue dans son accomplissement, dans son déroulement**

Je suis arrivé à 8 heures. La porte *était fermée.* Il *pleuvait.*	Les actions « fermer la porte » et « pleuvoir » sont envisagées comme des « états », sans considération de leur début et de leur fin.

1 Voici des notes prises par un scénariste de film en vue de la rédaction d'un scénario. Utilisez ces notes pour rédiger deux paragraphes de roman (écrits au passé).

a – Muriel et François : promenade dans la forêt. Atmosphère d'automne, grands arbres aux feuilles jaunies, silence, quelques chants d'oiseaux.

– Apparition soudaine d'une femme. Elle tient un pistolet. Elle est à demi cachée par les fourrés du sous-bois. Muriel et François ne la voient pas.

– Muriel et François s'embrassent. La femme observe les deux jeunes gens. Elle vise. Claquement du coup de feu. Muriel tombe.

François se jette sur Muriel. Elle est morte. Il se retourne pour scruter le sous-bois. Personne.

b – Michel Langlois : arrivée à l'aéroport – 8 h. Grève surprise du personnel au sol. 2 heures d'attente.

Repli de Langlois vers le bar. Langlois aperçoit Martin assis à une table. Salutations. Conversation. Martin très volubile et enthousiaste sur ses projets. Martin doit prendre le même avion que Langlois.

Arrivée d'une hôtesse. Fin de la grève. Embarquement immédiat.

2 Que voyez-vous ou qu'entendez-vous lorsque vous lisez chacune des deux phrases ci-dessous ? Imaginez des contextes où ces phrases pourraient apparaître.

– Nous nous promenions dans la campagne. Une cloche *sonna.* – Nous nous promenions dans la campagne. Une cloche *sonnait.*	Le son est-il net/diffus, bref/répété, proche/lointain, fort/faible ?
– Les phares d'une voiture *brillaient* dans le lointain. – Les phares d'une voiture *ont brillé* dans le lointain.	La lueur est-elle brève/prolongée, forte/faible ?
– L'homme était allongé. Il *était mort.* – L'homme était allongé. Il *mourait.*	Voit-on un cadavre ou un homme agonisant ?
– Il *a beaucoup travaillé* à son livre. – Il *travaillait beaucoup* à son livre.	Le livre est-il terminé ou encore inachevé ?

3 À partir des indications suivantes racontez un des épisodes les plus marquants de l'histoire du XIXe siècle : la Commune de Paris. Utilisez les temps du passé.

Avant le 4 septembre 1870 : L'empereur Napoléon III gouverne la France. Les idées révolutionnaires socialistes se répandent dans le pays (chez les ouvriers, les artisans et chez certains bourgeois). La France est en guerre avec l'Allemagne de Bismarck.

4 septembre 1870 : La bataille de Sedan est un désastre pour la France. Napoléon III est fait prisonnier. À Paris, on proclame la République. Le gouvernement provisoire forme une nouvelle armée et, pour défendre Paris, la Garde nationale (composée d'ouvriers et d'artisans). Mais les armées françaises capitulent. Amertume des Parisiens qui pensent qu'elles n'ont pas vraiment combattu et ont été livrées.

Février 1871 : Élection de l'Assemblée nationale (le suffrage universel n'existe pas encore). Elle est composée de monarchistes (majorité) et de républicains. Thiers est nommé chef du gouvernement. L'assemblée, qui se méfie de l'agitation qui règne dans Paris, s'installe à Versailles.

Mars 1871 : La Garde nationale s'allie au peuple de Paris et proclame la Commune qui refuse le pouvoir établi et décide de prendre en charge l'administration de la capitale.

Causes : peuple de Paris affamé par la guerre, indignation de la Garde nationale devant la capitulation rapide, développement de la propagande révolutionnaire socialiste, volonté de Thiers (mais aussi de Bismarck) de réduire à néant la Commune.

Jusqu'à mai 1871 : Paix entre la France et l'Allemagne. Thiers et Bismarck, alliés objectifs face à la Commune. Retour rapide des prisonniers de guerre français. Thiers reconstitue une armée (les Versaillais).

21 mai 1871 : Écrasement de la Commune par les Versaillais.

Guerre civile dans les rues de Paris pendant une semaine.

Le mouvement socialiste ouvrier est pour plusieurs années éliminé de la vie politique.

EMPLOI DES TEMPS DU PASSÉ ET DES ADVERBES DE TEMPS EN FONCTION D'UN MOMENT DE RÉFÉRENCE

Moment de référence	Antériorité	Postériorité
☐ **Moment présent :** présent ☐ aujourd'hui, cette semaine, maintenant	☐ passé composé, passé simple, imparfait ☐ hier, avant-hier, la semaine dernière, il y a dix jours	☐ futur simple ☐ demain, après-demain, la semaine prochaine, dans dix jours
☐ **Moment passé :** passé composé, passé simple, imparfait ☐ ce jour-là, cette semaine-là, à ce moment-là	☐ plus-que-parfait, passé antérieur ☐ la veille, l'avant-veille, la semaine précédente, dix jours avant (auparavant)	☐ conditionnel présent ☐ le lendemain, le surlendemain, la semaine suivante
☐ **Moment futur :** futur ☐ Mêmes adverbes que pour le moment passé	☐ futur antérieur ☐ *idem*	☐ futur ☐ *idem*

Le tableau précédent montre l'emploi des temps et de quelques adverbes selon le mode de référence.

☐ **Moment de référence présent**

Aujourd'hui, 10 avril, il pleut. Hier, il faisait soleil.

Demain, il neigera.

☐ **Moment de référence passé** (même récit mais fait le 20 avril).

Ce jour-là, 10 avril, il pleuvait. La veille il avait fait soleil.

Le lendemain, il neigerait.

☐ **Moment de référence futur** (même récit fait le 7 avril).

Le 10 avril il pleuvra. La veille il aura fait soleil.

Le lendemain il neigera.

4 Réécrivez deux fois le texte suivant en supposant :

– que la première du spectacle a eu lieu hier : *« Hier, c'était le grand soir... » ;*

– que la première du spectacle aura lieu demain : *« Demain, ce sera le grand soir... ».*

C'est aujourd'hui le grand soir, la grande première de Lorenzaccio, la pièce de Musset, donnée dans le cadre superbe des ruines du château de Massillargues. Les comédiens, qui ont revêtu leur costume, mettent une dernière touche à leur maquillage. Hier, pendant la générale, il a plu. La répétition a dû être interrompue trois fois et ne s'est terminée que ce matin à trois heures. Aussi, ce soir, les comédiens sont-ils particulièrement tendus.

VOIX

INFO MÉMOIRE

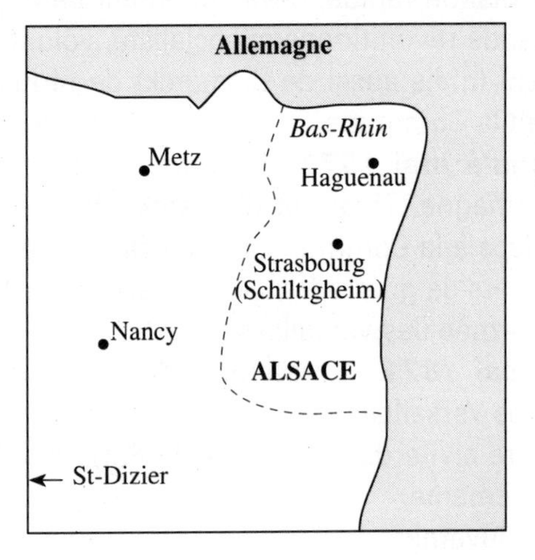

13 AVRIL 1992. LA TERRE TREMBLE DANS LA RÉGION DE STRASBOURG

• Rédigez un bref article de presse sur l'événement, comportant :
– un titre, un sous-titre et un texte de quelques lignes,
– des citations de témoins de l'événement.

• En écoutant le récit du témoin relevez les caractéristiques de l'accent strasbourgeois.

OPINIONS

JACQUES-YVES COUSTEAU JUGE LE MONDE ACTUEL

Officier de marine et océanographe, le Commandant Cousteau (né en 1910) s'est fait connaître du grand public par ses films montrant les merveilles des fonds marins *(Le Monde du silence)*. Il a effectué de nombreuses recherches à bord de « La Calypso », navire océanographique spécialement aménagé pour l'observation des milieux aquatiques. C'est aujourd'hui un des plus ardents partisans de la défense de l'environnement.
Dans son intervention J.-Y. Cousteau cite Hubert Reeves, un astrophysicien.

• Faites la liste des aspects positifs et négatifs du monde actuel énumérés par Cousteau.

• Les remarques de Cousteau vous paraissent-elles :
– mesurées,
– excessives,
– passéistes,
– modernes ?

MARQUES ET CONTREFAÇONS

Voilà six mois, La Cinq demande à Jean-Paul Goude, l'homme des petits bonshommes Kodak, de lui dessiner un nouveau logo. Goude rend son devoir : une superposition de chiffres de 1 à 5. Aïe ! que de ressemblances avec le travail de Jasper Johns, peintre contemporain américain, et plus particulièrement son tableau intitulé « Suite de 0 à 9 », de 1960 ! Coïncidence ? Plagiat ? Ou réinvention ?

Deux mois avant, le même Jean-Paul Goude s'était fait pincer par *Le Canard enchaîné,* qui avait vu quelques similitudes entre sa pub pour Perrier (la jeune femme rugissante en face d'un lion) et une image de « Tintin au Congo ».

La notion de plagiat reste floue. En tout cas, il faut la distinguer de quelques cousins plus ou moins éloignés. Le plagiat, d'abord, n'est pas de la contrefaçon. Qu'on imite des sacs Vuitton ou des montres Cartier, c'est à la confusion la plus parfaite que l'on tente d'arriver : le succès vient de la griffe, de la marque. On ne s'approprie que le profit, surtout pas la paternité. C'est le cas, en peinture, des faussaires : leurs tableaux copient des œuvres, mais signatures comprises, ce qui exclut le plagiat. Le plagiat n'est pas non plus de la sous-traitance intellectuelle. Quand un universitaire « pompe » les thèses de ses étudiants en doctorat pour mieux nourrir ses propres livres, il y a une sorte de contrat tacite. L'étudiant n'est ni un nègre ni un auteur indûment pillé, mais un fournisseur plus ou moins consentant de matière première. [...]

Sophie Coignard, Michel Richard, Jean-Louis Ferrier, *Le Point,* 14.9.1991.

• Dans le texte ci-contre relevez tous les mots qui expriment la notion « d'emprunt » ou de « copie ».

• Écoutez l'enregistrement. Dans l'émission de radio « Le téléphone sonne », des publicitaires et des journalistes évoquent le problème de la contrefaçon des marques. Quels problèmes ont rencontré le malletier (fabricant de malles, valises, sacs) Louis Vuitton et le chemisier Lacoste ?

• Commentez l'analyse de l'acte d'achat qui est faite par le publicitaire.

• Quand vous faites un achat, la marque est-elle pour vous une motivation importante ?

VOIX

À TRAVERS LA FRANCE

UNE SOCIÉTÉ FAMILIALE ANCESTRALE : LES PARSONNIERS

Dans les montagnes des environs de Thiers (centre de la France) existaient jusqu'à une période récente des micro-sociétés qui s'autogéraient autour d'une résidence collective. Un habitant de la région, Henri Dunaud, raconte.

- Relevez les caractéristiques de l'organisation de cette société.
- Quelles sont les causes de la naissance de ces sociétés ?

AIDE À L'ÉCOUTE

s'affranchir : se libérer.

un droit de mainmorte : sous l'Ancien Régime, droit pour le seigneur de disposer des biens laissés par son vassal à sa mort.

un bouvier : personne qui s'occupe des bœufs.

une forge : lieu où l'on travaille les métaux (forger).

UNE COMMUNAUTÉ RUSSE EN ALASKA

Les trois cents habitants de Nikolaevsk ne forment qu'une grande famille consanguine. Les gosses constituent une sorte de propriété collective. À chacun, selon les circonstances ou au gré de son humeur, de leur prodiguer soins, consolation ou amusements. Pères, mères, frères, sœurs échangent les petits qu'ils portent dans leurs bras et nulle part ailleurs, il me semble, je n'ai vu aimer et choyer autant les enfants.

Dans chaque demeure, une icône est accrochée au mur dans la salle de séjour. Toutes les fois qu'un « vieux croyant » pénètre dans la pièce, il se signe. Personne ne manque de réciter le Benedicite avant et après les repas. À Nikolaevsk, à l'exemple de toutes les autres communautés des « vieux croyants », on tient à conserver les traditions d'antan, même si elles paraissent peu compatibles avec les contraintes de la vie moderne. Jamais ces Pieux ne récitent leurs prières en commun avec d'autres chrétiens, pas plus qu'ils ne mangent à la même table ; à moins d'y être obligés, au restaurant, en voyage ou pour des raisons de travail. Dans la plupart des demeures, des tables spéciales sont réservées aux invités qui ne prennent pas leur repas avec leurs hôtes.

Les vêtements sont encore à la mode d'autrefois. Les hommes portent des « roubachki », traditionnelles blouses brodées des paysans russes, maintenues par une ceinture souple tissée : la « poyassa ». Ils ne se rasent jamais, pas plus que les femmes et les jeunes filles ne se font couper les cheveux. Ces dernières sont habillées de robes longues et amples, protégées le plus souvent par un tablier. Chaque fois qu'elles quittent la maison, elles nouent leur fichu autour de leur tête. Ces gens-là vivent vraiment comme leurs aïeux, sans se forcer, avec naturel. Ils obéissent à leur loi religieuse comme ils respirent. Ils se nourrissent d'une manière frugale. Leur croyance leur interdit de consommer du thé ou du café, comme de manger de l'aiglefin (morue noire). L'alcool est, bien sûr, prohibé. L'alcool, mais pas la « braga ». Il s'agit d'une sorte de bière, ou plutôt de cervoise – breuvage plus ancien que la bière, où n'entre pas de houblon – qu'ils brassent eux-mêmes et offrent généreusement.

Au cours de l'année, les « vieux croyants » célèbrent au moins dix-sept fêtes importantes. Les cérémonies, fort longues, se déroulent à l'église. Les dévotions, les homélies durent huit à dix heures. Toute la communauté, à l'exception des vieillards et des malades, doit rester debout pendant ces offices. Mais « la fête des fêtes » demeure la grande Pâque. Sept semaines auparavant débute le carême, dont les habitants du village observent strictement les règles. Ils ne mangeront ni viande, ni poisson, ni produits laitiers, ne se nourrissant que de pommes de terre, de pain et de légumes. Les femmes préparent alors leurs robes qu'elles coupent et cousent avec amour, les agrémentant de ravissantes broderies dont le secret des arabesques se transmet de mère en fille depuis des générations. Durant les six jours de fête qui suivent la Pâque, se succèdent de multiples et pittoresques cérémonies.

J.R. Géo, 12.1979

Dans les pays développés existent encore des sociétés qui ont conservé les modes de vie du passé. On connaît les Amish installés en Pennsylvanie (États-Unis) et qui ont décidé de vivre comme au début du XIXe siècle (sans électricité, ni automobiles). Dans les années vingt, un groupe de Russes, pour continuer à vivre comme leurs ancêtres, dissidents de l'Église orthodoxe, quittent leur pays au moment de la Révolution et se mettent en quête d'une terre promise. Après maintes pérégrinations, ils s'installent en Alaska où ils essaient de recréer un petit territoire de la Russie d'antan.

- Relevez les caractéristiques de leurs modes de vie.
- Connaissez-vous d'autres sociétés de ce type ?

5 Un certain goût de la Provocation

Colonnes de Buren, Palais-Royal.

Acte gratuit
Argumentation
Défis
Esclandre
Héroïsme
Musique contemporaine
Niveaux de langue
Provocation
Styles de discours
Tragédie
Triche

Le secret douloureux des Dieux et des rois :
c'est que les hommes sont libres.

Jean-Paul Sartre, *Les Mouches*, 1943.

Collection pour 3e âge, J.-P. Gaultier.

La Fortune aime les gens peu sensés,
elle aime les audacieux et ceux qui ne craignent pas de dire :
le sort en est jeté.

Érasme, *Éloge de la folie*, 1509.

TROMPERIES ET DUPERIES

LES TRICHEURS DU BAC

C'est désormais un rituel : chaque année, une centaine de candidats, malchanceux ou maladroits, se font prendre la main dans le sac* à antisèches* en pleine épreuve du bac. [...]

Car la triche, la « truande* » comme disent les potaches*, ne cesse de gagner du terrain. L'an dernier, 93 % des lycéens interrogés par le mensuel « Phosphore » avouaient être des tricheurs habituels ou occasionnels. Le bac lui-même, le sacro-saint baccalauréat, n'est pas épargné.

Cas le plus classique qui se présente aux surveillants : les candidats surpris en train de « compulser* des documents prohibés » en pleine épreuve. Antisèches microscopiques, documents cachés sur la chasse d'eau des w.-c., dictionnaires Lilliput, avant-bras tatoués d'équations : ce sont mille et une petites ruses dignes du film « Les sous-doués passent le bac ». Un candidat s'est même fait pincer* l'an dernier avec un talkie-walkie. Élève d'un lycée parisien, Laurent, lui, part à l'examen confiant, sûr d'avoir trouvé le truc infaillible : *« Je me suis fabriqué un faux carnet d'adresses codé,* explique-t-il. *Par exemple, Sonia B. veut dire "quantité de soja produite par le Brésil", avec en face le nombre de tonnes sous forme de numéro de téléphone. Impossible de prouver qu'il s'agit d'une antisèche ! »*

Plus rocambolesques, et plus risquées : les substitutions d'identité. Les jumeaux sont le cauchemar des examinateurs, de même que les prénoms étrangers, qui ne permettent pas d'identifier les filles et les garçons. [...]

Autre défaut de la cuirasse : les « fuites ». Chaque année, ou presque, malgré des précautions infinies, des potaches réussissent à se procurer les sujets du bac en avant-première. Il y a deux ans, on a ainsi dû faire repasser les épreuves d'histoire-géographie en Corse. Récemment, dans un groupement d'académies de l'ouest de la France, les sujets de philosophie se vendaient sous le manteau* à prix d'or. En catastrophe, le recteur, alerté, a dû mettre en place des sujets de remplacement.

La star des antisèches électroniques, l'arme fatale pour avoir le bac dit-on, s'appelle la HP 48 SX de chez Hewlett Packard. [...]

[Elle] a quand même un inconvénient : il faut l'acheter un an avant le bac pour bien la maîtriser. [...] Bref, d'un certain point de vue, la morale est sauve : pour utiliser la plus sublime des antisèches, il faut déjà être soi-même un roi de la puce* et un génie des mathématiques.

François Dufay, *Le Point,* n° 976, 3.6.1991.

être pris la main dans le sac : être découvert en train de voler ou de frauder.

une antisèche : de « sécher » (fam.), rester sec, ne pas savoir répondre. Une antisèche est donc un document préparé par le candidat pour pallier ses insuffisances et qui est utilisé en cachette.

la « truande », de « truander » : (fam.) tromper.

un potache : (fam.) collégien ou lycéen.

compulser : examiner, lire.

se faire pincer : être découvert en train de commettre un acte non conforme.

sous le manteau : en cachette.

une puce : un microprocesseur.

LECTURE-RECHERCHE

• Faites la liste des différentes manières de tricher au baccalauréat. En connaissez-vous d'autres ?

RECHERCHE D'IDÉES
ÉCRITURE (TRAVAIL EN GROUPES)

• Réalisez un « Petit manuel du parfait tricheur ».
– Faites la liste de tous les domaines où il est possible de frauder : école et examens, transports, restaurants, spectacles, commerce, administration, impôts, etc.
– Dans chacun de ces domaines présentez des trucs, des stratagèmes qui permettent de tricher en précisant leurs avantages et leurs inconvénients.

Exemple : examens

Stratagèmes	Avantages	Inconvénients
Documents cachés sur la chasse d'eau des w.-c.	Authenticité du document. Pas de travail préalable.	Difficulté d'accès (recommandé aux étudiants ayant une bonne mémoire immédiate). Risque d'attente. Risque de dégradation.

JEUX DE RÔLES

• Notez sur des petits papiers des situations de tricheurs pris en flagrant délit (candidat à un examen surpris en train de compulser des notes prohibées, falsificateur de documents confondu par l'autorité, resquilleur surpris en train d'entrer au cinéma par l'issue de secours, etc.).

• Par couple, tirez au sort un papier. Jouez la scène. Le coupable est réprimandé. Il s'excuse, se justifie, etc.

DÉFIS ET PROVOCATIONS

DERNIER COMBAT D'UN VIEUX SAGE

Depuis un an et demi, il refuse de bouger. Tous les jours, toute la journée, il reste allongé sur son lit – s'autorisant juste une promenade quotidienne, au lever du soleil, parce que c'est si beau. Pour le reste, il semble heureux de contempler de sa fenêtre, des heures durant, l'un des cinq fleuves sacrés de l'Inde : la Narmada. Certains disent qu'il se suicide. Lui parle d'un combat. À 77 ans, Baba Amte est en guerre contre ce qu'il considère comme une catastrophe : la construction, en aval, d'un des plus grands ensembles de barrages jamais imaginés par l'homme. Un désastre écologique, selon lui. Par sa présence obstinée sur les rives du fleuve, dans une des premières zones inondables, Amte veut obliger le gouvernement de Delhi à abandonner le projet : « Sans quoi, explique-t-il, je veux bien périr noyé. »

[...]

Son combat contre les barrages est symbolique, bien sûr. Ce dont il rêve vraiment prête à sourire en Occident : l'amitié entre les hommes, tout simplement. Dans un livret consacré à la Narmada, il appelle le lecteur à partager sa vision d'« une chaîne incassable de mains et d'une palissade* infaillible de jambes, bref, un bloc de tendresse et de fraternité sincère, que l'appât* du gain et les forces de destruction ne pourront jamais surmonter ».

Déjà, il y a cinq ans, à bord de son autocar, Amte traversa l'Inde du sud au nord, puis d'est en ouest en compagnie de 120 jeunes à vélo. Tandis qu'hindous, sikhs et musulmans s'entre-tuaient, il voulait réaffirmer l'unité de tous, au-delà de leurs croyances. Sur une carte, le chemin parcouru forme une croix. Volontairement. « Je ne suis pas un religieux, dit-il. Le clergé m'agace. [...] Mais je crois en Dieu. Je partage les valeurs de la foi chrétienne – la compassion*, l'affection, la paix. Pour moi, la croix du Christ symbolise la crucifixion* d'une vie, pour le bonheur de son prochain. Le crucifié renonce à son amour de la vie... pour que vive l'amour. Sans peur et sans haine, le Christ a offert son sang. Où il y a la peur, il n'y a pas d'amour. Peur de la lèpre, peur de la solitude, peur de la noyade... » Il sourit. « Pour moi, la croix, c'est la porte qui mène à l'humanité. À 77 ans, j'ai atteint, disons, l'âge d'or de la jeunesse. Je vis ici, au bout d'un chemin de terre souvent inondé pendant la mousson, loin de la ville et des médecins. Je ne me prends pas pour le Christ, mais c'est la compassion qui m'a amené ici. Et c'est au bord de la Narmada que je vivrai mes derniers jours, respirant le doux parfum de mes os. »

Marc Epstein, *L'Express*, 11.7.1991.

une palissade : un mur de planches.

un appât : attrait, désir, ce qui attire.

la compassion : sentiment de partager les difficultés d'autrui.

la crucifixion : de « croix », crucifier (donner la mort en plaçant la victime sur une croix).

LECTURE – RECHERCHE

• Recherchez les informations concernant le comportement de Baba Amte et les causes de ce comportement.

Comportement-Actions Manifestations	Causes immédiates de ce comportement	Raison profonde Idéologie

VOCABULAIRE

• Voici des moyens utilisés pour faire triompher des idées ou des convictions. Complétez la liste.

• Dans quels cas ces moyens vous paraissent-ils justifiés ?

– la démarche juridique (le procès)
– la pétition
– la grève (partielle, du zèle, totale, de la faim, etc.)
– la manifestation (pacifique, violente, etc.)
– la prise d'otages
– le terrorisme
– la lutte armée organisée
– le suicide (individuel ou collectif)...

LA PHILOSOPHIE DE L'ACTION

• Quelle interprétation Baba Amte donne-t-il du christianisme ?

• Quelle attitude les religions ou les idéologies que vous connaissez préconisent-elles face au Mal ?

Religion et idéologies	Attitudes possibles
Bouddhisme – Christianisme – Indouisme – Islam – Judaïsme – etc. Épicurisme – Scepticisme – Stoïcisme Communisme – Individualisme – Libéralisme Socialisme...	l'action le sacrifice la compromission le renoncement etc.

DÉLIT SUR ŒUVRES D'ART

Ils ressemblent à deux étudiants des Beaux-Arts. Cheveux en bataille et regard inspiré, ils sont partis le matin même de Bordeaux. Arrivés en début d'après-midi à Paris, ils se mêlent aux milliers de visiteurs de la FIAC (Foire internationale d'art contemporain), au Grand Palais. À l'entrée, personne ne remarque rien. Ni leur nervosité, ni leurs couteaux aiguisés, ni même leur paquet de tracts. Comme tous les amateurs et les curieux, ils vont d'un stand à l'autre, commentent, s'émerveillent, se scandalisent.

Peu avant 16 heures, ils arrivent au stand de Leo Castelli, le plus célèbre propriétaire de galerie américain, découvreur du pop-art et symbole vivant du marché de l'art. Là, ils s'attardent quelques instants devant la dizaine de toiles exposées. Soudain, ils se ruent chacun sur une toile, qu'ils lacèrent d'un coup de couteau. Un cri traverse le Grand Palais. Les deux hommes sont immédiatement ceinturés et emmenés.

Sur le stand, c'est la stupeur : un Roy Lichtenstein et un James Rosenquist, respectivement évalués à 700 000 et 350 000 dollars, sont traversés d'une diagonale béante. À terre, on retrouve quelques tracts, lancés par les deux jeunes gens avant leur arrestation. *« L'art, comme le feu de Prométhée, doit être dérobé pour que l'on s'en serve contre l'ordre établi. »* Signé : l'Inflammable.

Le Point, n° 946, 5.11.1990.

Trompe-l'œil signé Ben, rue de Belleville, Paris.

JEUX DE RÔLES

• Organisez le procès des auteurs de ce fait divers ou d'autres faits divers dont vous avez eu connaissance.

Acteurs du procès

Le président du tribunal
L'avocat de la défense
L'avocat général (porte-parole de la législation)
L'avocat des plaignants
Le jury (les jurés)
L'accusé
Les témoins

Déroulement

– présentation des faits (par le président)
– interrogatoire de l'accusé par le président et les avocats
– interrogatoire des témoins
– réquisitoire de l'avocat général
– plaidoirie de l'avocat des plaignants
– plaidoirie de l'avocat de la défense
– délibération du jury (avec le président)
– lecture de la sentence

ÉCRITURE

• Vous avez été victime d'un groupe de squatters ou d'un acte de vandalisme. Vous écrivez un article de presse pour dénoncer votre cas particulier et le phénomène général.

Vous vous plaignez, vous protestez, réclamez, revendiquez, exigez...

Vous êtes indigné, outré, révulsé, choqué, scandalisé, écœuré, révolté... par cet acte inadmissible, scandaleux, déplorable, indigne, révoltant, honteux, immoral, etc.

ACTE GRATUIT

LES CAVES DU VATICAN

Influencé par une éducation désordonnée et par la fréquentation d'un aventurier, Lafcadio s'est construit une philosophie de la rébellion totale. Il cultive même l'idée de l'acte sans motivation, de l'« acte gratuit » ce qui peut le conduire à accomplir aussi bien une action héroïque que le pire des crimes.

Dans un compartiment du train Rome-Naples, Lafcadio se trouve seul avec un homme qu'il ne connaît pas, Amédée Fleurissoire. Il prend alors une décision.

Le train longeait alors un talus*, qu'on voyait à travers la vitre, éclairé par cette lumière de chaque compartiment projetée ; cela formait une suite de carrés clairs qui dansaient le long de la voie et se déformaient tour à tour selon chaque accident du terrain. On apercevait au milieu de l'un d'eux, danser l'ombre falote* de Fleurissoire ; les autres carrés étaient vides.

– Qui le verrait ? pensait Lafcadio. Là, tout près de ma main, sous ma main, cette double fermeture, que je peux faire jouer aisément ; cette porte qui, cédant tout à coup, le laisserait crouler en avant ; une petite poussée suffirait ; il tomberait dans la nuit comme une masse ; même on n'entendrait pas un cri... Et demain, en route pour les îles !... Qui le saurait ? [...]

– Un crime immotivé, continuait Lafcadio : quel embarras pour la police ! Au demeurant, sur ce sacré talus, n'importe qui peut, d'un compartiment voisin, remarquer qu'une portière s'ouvre, et voir l'ombre du Chinois* cabrioler*. Du moins les rideaux du couloir sont tirés... Ce n'est pas tant des événements que j'ai curiosité, que de moi-même. Tel se croit capable de tout, qui, devant que d'agir, recule... Qu'il y a loin, entre l'imagination et le fait !... Et pas plus le droit de reprendre son coup qu'aux échecs. Bah ! qui prévoirait tous les risques, le jeu perdrait tout intérêt !... Entre l'imagination d'un fait et... Tiens ! le talus cesse. Nous sommes sur un pont, je crois ; une rivière...

Sur le fond de la vitre, à présent noire, les reflets apparaissaient plus clairement, Fleurissoire se pencha pour rectifier la position de sa cravate.

– Là, sous ma main, cette double fermeture – tandis qu'il est distrait et regarde au loin devant lui – joue, ma foi ! plus aisément encore qu'on eût cru. Si je puis compter jusqu'à douze, sans me presser, avant de voir dans la campagne quelque feu, le tapir* est sauvé. Je commence : Une ; deux ; trois ; quatre ; (lentement ! lentement !) cinq ; six ; sept ; huit ; neuf... Dix, un feu...

Fleurissoire ne poussa pas un cri. Sous la poussée de Lafcadio et en face du gouffre brusquement ouvert devant lui, il fit pour se retenir un grand geste [...]

Lafcadio sentit s'abattre sur sa nuque une griffe affreuse, baissa la tête et donna une seconde poussée plus impatiente que la première ; les ongles lui raclèrent le col ; et Fleurissoire ne trouva plus où se raccrocher que le chapeau de castor qu'il saisit désespérément et qu'il emporta dans sa chute.

– À présent, du sang-froid, se dit Lafcadio. Ne claquons pas la portière : on pourrait entendre à côté.

Il tira la portière à lui, contre le vent, avec effort, puis la referma doucement.

– Il m'a laissé son hideux chapeau plat ; qu'un peu plus, d'un coup de pied, j'allais envoyer le rejoindre ; mais il m'a pris le mien, qui lui suffit. Bonne précaution que j'ai eue d'en enlever les initiales !... Mais, sur la coiffe, reste la marque du chapelier, à qui l'on ne commande pas des feutres de castor tous les jours... Tant pis, c'est joué...

André Gide, *Les Caves du Vatican,* Gallimard, 1922.

un talus : terrain en pente.

falot : insignifiant.

le Chinois, le tapir : noms familiers et dérisoires que Lafcadio donne à son compagnon.

cabrioler : sauter en agitant les jambes.

LE MONOLOGUE INTÉRIEUR

• Distinguez les paragraphes consacrés :
– au monologue intérieur de Lafcadio,
– à la description du décor,
– aux actions.

• Donnez l'un des titres suivants à chacun des paragraphes du monologue :
Dernières précautions
Examen des risques et réflexion
Encouragement à l'action
Anticipation de l'action
Bilan de l'action

LES ACTIONS

• Faites la reconstitution du crime. Énumérez dans l'ordre chronologique toutes les actions de la scène.
« Fleurissoire se penche, rectifie la position de sa cravate. Lafcadio... »

• Imaginez la suite de l'histoire.

LE DÉCOR

• Choisissez les mots qui conviennent pour le caractériser :
– fantastique
– fantaisiste
– fantasque
– fantomatique
– hallucinant
– irréel
– réaliste

• Analysez les éléments du décor et de la situation. Ont-ils une valeur symbolique ?

• Rédigez un commentaire littéraire des deux paragraphes consacrés au décor en utilisant le vocabulaire de l'évocation (p. 40).

COUP D'ÉCLAT

L'INTRODUCTION DU ROMAN

• Dans quelle mesure la première page de *La Petite Marchande de prose* est-elle surprenante pour un début de roman ?

• Relevez les indices qui nous apprennent quelque chose sur :
– les personnages (profession, caractère, etc.),
– la cause du coup d'éclat.

• Quelles sont les questions qui restent posées ? Qu'a-t-on envie de savoir ?

L'ASPECT VISUEL DE LA SCÈNE

• Notez les traits physiques du personnage en colère.

• Mimez ou faites un croquis des actions, des mouvements et des attitudes.

L'EXPRESSION HUMORISTIQUE

• Cette scène aurait pu être décrite sur un ton dramatique. Pennac a choisi le ton de l'ironie et de la caricature. Analysez l'expression humoristique dans :
– la description physique du personnage,
– la description des gestes et des mouvements,
– les commentaires et les réflexions de Malaussène.

EXPRESSION NARRATIVE ET DESCRIPTIVE

• Dans la vie quotidienne, nous sommes souvent témoins (ou acteurs) de scènes amusantes que nous aimons raconter en faisant revivre leur aspect visuel comique.
Racontez une de ces scènes.

LA PETITE MARCHANDE DE PROSE

Ce passage est le début du roman.

C'est d'abord une phrase qui m'a traversé la tête : « *La mort est un processus rectiligne.* » [...]

J'étais en train de me demander où j'avais lu ça quand le géant a fait irruption dans mon bureau. La porte n'avait pas encore claqué derrière lui qu'il était déjà penché sur moi :

– C'est vous, Malaussène ?

Un squelette immense avec une forme approximative autour. Des os comme des massues et le taillis des cheveux plantés au ras du pif*.

– Benjamin Malaussène, c'est vous ?

Courbé comme un arc par-dessus ma table de travail, il me maintenait prisonnier dans mon fauteuil, ses mains énormes étranglant les accoudoirs. La préhistoire en personne. J'étais plaqué à mon dossier, ma tête s'enlisait dans mes épaules et j'étais incapable de dire si j'étais moi. Je me demandais seulement où j'avais lu cette phrase.

C'est alors qu'il a décidé de nous mettre à niveau d'un coup de reins, il nous a arrachés au sol, mon fauteuil et moi, pour nous poser en face de lui, sur le bureau. Même dans cette position, il continuait à dominer la situation d'une bonne tête. À travers le roncier* de ses sourcils, son œil de sanglier fouillait ma conscience comme s'il y avait perdu ses clefs.

– Ça vous amuse de torturer les gens ? [...]

C'était le genre de furieux chez qui le geste précède toujours la parole. Avant que j'aie pu répondre, le pied de la lampe, retrouvant sa fonction originelle de massue* tropicale, s'était abattu sur l'ordinateur dont l'écran s'éparpilla en éclats pâles. Un trou dans la mémoire du monde. Comme ça ne suffisait pas, mon géant a martelé la console* jusqu'à ce que l'air soit saturé de symboles rendus à l'anarchie première des choses.

Nom de Dieu, si je le laissais faire, on allait bel et bien retomber en préhistoire.

Il ne s'occupait plus de moi, à présent. Il avait renversé le bureau de Mâcon, la secrétaire, envoyé d'un coup de pied un tiroir bourré de trombones*, de tampons et de vernis à ongles s'écraser entre les deux fenêtres. Puis, armé du cendrier à pied que sa demi-sphère plombée faisait gracieusement osciller depuis les années cinquante, il attaqua méthodiquement la bibliothèque d'en face. Il s'en prenait aux livres. Le pied de plomb faisait des ravages épouvantables. Ce type avait l'instinct des armes primitives. À chaque coup qu'il portait, il poussait un gémissement de gosse, un de ces cris d'impuissance qui doivent composer la musique ordinaire des crimes passionnels : j'écrase ma femme contre le mur en pleurnichant comme un marmot*.

Les livres s'envolaient et tombaient morts.

Il n'y avait pas trente-six façons d'arrêter le massacre.

Daniel Pennac, *La Petite Marchande de prose*, Gallimard, 1989.

un pif : (fam.) un nez.

un roncier : arbuste de ronces (plantes sauvages à piquants).

une massue : arme primitive taillée dans un morceau de bois.

une console : ici, la partie de l'ordinateur où se trouve le clavier.

un trombone : sorte d'agrafe.

un marmot : (fam.) un enfant.

LA SCÈNE ET L'ÉCRAN

ESCLANDRE

« ESCALIER C », FILM DE JEAN-CHARLES TACCHELLA (1985)

Forster Lafont écrit des articles pour la revue d'art contemporain dirigée par Jacques. Jeune, beau, intelligent et brillant, il est aussi, la plupart du temps, odieux avec les autres et personne ne semble trouver grâce aux yeux de cet écorché vif ombrageux.
Forster a déjà brièvement rencontré Florence, attachée de presse dans une galerie d'art, pour se plaindre de ne pas avoir été invité au vernissage d'une exposition organisée par cette galerie.
Il la retrouve au musée des Arts graphiques lors du vernissage d'une exposition collective. Un critique (l'orateur) est en train de présenter certaines toiles.

Au musée des Arts graphiques

L'ORATEUR. Si l'on devait définir ce qu'est la peinture contemporaine il faudrait dire d'abord, je crois, que c'est une terre de contrastes. Contrastes multiformes, contrastes des créateurs entre eux. Quelle joie de les découvrir, de les apprécier ! Débauches de couleurs et de formes…
FORSTER *(en confidence, à Jacques)*. Il a toujours des formules de catalogues touristiques ; il va bientôt parler de la gouache aux mille visages…
L'ORATEUR. … Quand on songe à la diversité de la peinture, depuis la gouache aux mille visages…

Jacques et Forster pouffent de rire. Jacques se contrôle un peu mais pour Forster, c'est le fou rire. Autour, des gens se retournent… Florence se retourne à son tour pour voir. Elle reconnaît Forster… Ce dernier applaudit avec ostentation semant une certaine perturbation dans l'assistance…

Autre salle du musée. Forster et Jacques se promènent devant les toiles. Soudain Forster s'arrête.
FORSTER. Vous voyez ce que je vois. C'est de qui ?
JACQUES. Elles sont toutes du même… C'est signé Conrad.
FORSTER. Oh, c'est formidable. Vous le connaissez, ce Conrad ?
JACQUES. Jamais entendu parler de lui.
FORSTER. Moi non plus. Renseignez-vous. Mais je vous jure que je vais le faire connaître.

Florence parle avec un inconnu. Forster et Jacques s'approchent.
FLORENCE *(à l'inconnu)*. La musique répétitive produit sur moi une sorte d'hypnose. Tenez, Steve Reich, par exemple, me fascine complètement.
FORSTER *(à Florence)*. Je ne voudrais pas vous contredire, mais à mon avis Steve Reich n'est pas un musicien répétitif, c'est un évolutif…
FLORENCE *(à Forster)*. Monsieur Lafont, vous faites autorité auprès de quelques-uns dans le domaine de la peinture. Pour ce qui est de la musique…
FORSTER *(l'interrompant)*. Permettez ! Permettez ! J'ai horreur des jeunes filles bien élevées qui n'ont pour tout mérite que la condescendance. *(À l'inconnu)* Bonjour, Monsieur.
JACQUES *(pour calmer le jeu)*. Mais c'est sa manière à lui de plaisanter… Mais excusez-le.

Dans les plans qui suivent Jacques essaiera d'entraîner Forster qui reviendra chaque fois vers Florence. Il parle de plus en plus fort. Les gens le regardent.
FORSTER. Ben oui, excusez-le… Je n'aime pas non plus les bourgeoises qui s'extasient devant les ronds de couleur rouge et bleu et crient au génie… Je l'emmerde la grande famille des parasites qui vit aux crochets de l'art ! L'art n'est pas fait pour être rentable ! Je déclare la guerre, moi ! Je déclare la guerre à tous les profiteurs, les exploiteurs ! À tous ceux qui détiennent le pognon et le pouvoir : les corrupteurs, les rapaces ! Et puis alors, je ne supporte pas les filles des relations publiques qui n'ont rien à voir avec le public mais qui ont des relations !

LES STYLES DE DISCOURS

• Étudiez le style de chacune de ces quatre scènes.
Le vocabulaire (simple, riche, métaphorique, etc.).
Le registre de langue (courant, littéraire, savant, relevé, familier, vulgaire).
Les constructions de phrases (simples ou complexes).
• Caractérisez le style de chaque dialogue en utilisant les mots suivants :
– brillant – élégant – emphatique – enthousiaste – excessif – excentrique – mondain – grandiloquant – naturel – pédant – simple – sobre – véhément – vigoureux.
• Que révèle chaque scène de la personnalité de Forster, de Florence et de Jacques ?

ÉCRITURE CRÉATIVE

(À faire après avoir lu l'extrait d'Antigone p. 84).
• Faites un pastiche de la scène entre Antigone et Créon.
Vous donnerez à Antigone la personnalité et le langage de Forster. Vous en ferez une jeune révoltée contemporaine pratiquant l'art du tag et du vol à l'étalage avec une bande de voyous…
Vous donnerez à Créon le style de l'orateur et la personnalité d'un bourgeois arrivé et imbu de lui-même.
Exemple : « L'oncle Créon : *Mais voyons; pourrais-tu au moins m'expliquer la signification de ces graffitis que tu as tracés sur le mur du voisin ?*
Antigone : *Ça, tu ne peux pas le comprendre mon vieux…* »

Forster a été impressionné par les toiles du peintre Conrad, un artiste inconnu qui vit à l'écart des manifestations mondaines de l'art. Il décide de faire connaître Conrad. Pour cela, il n'hésite pas à aller voir Florence et réussit à la convaincre d'exposer les œuvres de son protégé à la galerie Messinger.

• Imaginez la conversation entre les deux personnages.

L'exposition a lieu. Forster y vient avec un ami, Bruno, et la fille de sa voisine. Une complète métamorphose s'est opérée en lui. Entre le début et la fin, Forster s'est humanisé.

• Imaginez les événements qui ont fait de cet être agressif, au comportement souvent révoltant, un homme compréhensif et capable de tendresse.

JEUX DE RÔLES

• Au Salon de l'habitat (ou de l'automobile) un présentateur vante les mérites de la nouvelle villa « Monséjour » (ou de la nouvelle voiture BZ 300). Une perturbatrice intervient. Elle a déjà acquis une de ces villas (ou une de ces voitures) et en est très mécontente.

LE HÉROS TRAGIQUE

ANTIGONE OU LE POUVOIR DE DIRE « NON »

Étéocle (fils d'Œdipe) monte sur le trône de Thèbes. Son frère Polynice lui dispute le pouvoir et les deux frères s'entre-tuent. Leur oncle Créon devient alors roi de Thèbes et interdit, en accord avec la loi grecque, que l'on donne une sépulture au traître Polynice. Mais Antigone, sœur de Polynice, s'obstine au péril de sa vie à vouloir accomplir les rites funéraires sacrés sur le cadavre de son frère. Créon essaie de l'en empêcher.

CRÉON

Pourquoi fais-tu ce geste, alors ? Pour les autres, pour ceux qui y croient ? Pour les dresser contre moi ?

ANTIGONE

Non.

CRÉON

Ni pour les autres, ni pour ton frère ? Pour qui alors ?

ANTIGONE

Pour personne. Pour moi.

[Créon finit par menacer Antigone.]

ANTIGONE

Vous êtes odieux !

CRÉON

Oui, mon petit. C'est le métier qui le veut. Ce qu'on peut discuter, c'est s'il faut le faire ou ne pas le faire. Mais, si on le fait, il faut le faire comme cela.

ANTIGONE

Pourquoi le faites-vous ?

CRÉON

Un matin, je me suis réveillé roi de Thèbes. Et Dieu sait si j'aimais autre chose dans la vie que d'être puissant…

ANTIGONE

Il fallait dire non, alors !

CRÉON

Je le pouvais. Seulement, je me suis senti tout d'un coup comme un ouvrier qui refusait un ouvrage. Cela ne m'a pas paru honnête. J'ai dit oui.

ANTIGONE

Eh bien, tant pis pour vous. Moi, je n'ai pas dit « oui » ! Qu'est-ce que vous voulez que cela me fasse, à moi, votre politique, votre nécessité, vos pauvres histoires ? Moi, je veux dire « non » encore à tout ce que je n'aime pas et je suis seul juge. Et vous, avec votre couronne, avec vos gardes, avec votre attirail, vous pouvez seulement me faire mourir, parce que vous avez dit « oui ».

CRÉON

Écoute-moi.

ANTIGONE

Si je veux, moi, je peux ne pas vous écouter. Vous avez dit « oui ». Je n'ai plus rien à apprendre de vous. Pas vous. Vous êtes là à boire mes paroles. Et, si vous n'appelez pas vos gardes, c'est pour m'écouter jusqu'au bout.

CRÉON

Tu m'amuses !

ANTIGONE

Non. Je vous fais peur. C'est pour cela que vous essayez de me sauver. Ce serait tout de même plus commode de garder une petite Antigone vivante et muette dans ce palais. Vous êtes trop sensible pour faire un bon tyran, voilà tout. Mais vous allez tout de même me faire mourir tout à l'heure, vous le savez, et c'est pour cela que vous avez peur. C'est laid un homme qui a peur.

CRÉON, *sourdement.*

Eh bien, oui, j'ai peur d'être obligé de te faire tuer si tu t'obstines. Et je ne le voudrais pas.

ANTIGONE

Moi, je ne suis pas obligée de faire ce que je ne voudrais pas ! Vous n'auriez pas voulu non plus, peut-être, refuser une tombe à mon frère ? Dites-le donc, que vous ne l'auriez pas voulu ?

CRÉON

Je te l'ai dit.

ANTIGONE

Et vous l'avez fait tout de même. Et maintenant vous allez me faire tuer sans le vouloir. Et c'est cela, être roi !

CRÉON *la secoue soudain, hors de lui.*

Mais, bon Dieu ! Essaie de comprendre une minute, toi aussi, petite idiote ! J'ai bien essayé de te comprendre, moi. Il faut pourtant qu'il y en ait qui disent oui. Il faut pourtant qu'il y en ait qui mènent la barque. Cela prend l'eau de toutes parts, c'est plein de crimes, de bêtise, de misère… Et le gouvernail est là qui ballotte. L'équipage ne veut plus rien faire, il ne pense qu'à piller la cale et les officiers sont déjà en train de se construire un petit radeau confortable, rien que pour eux, avec toute la provision d'eau douce pour tirer au moins leurs os de là. Et le mât craque, et le vent siffle, et les voiles vont se déchirer, et toutes ces brutes vont crever toutes ensemble, parce qu'elles ne pensent qu'à leur peau, à leur précieuse peau et à leurs petites affaires. Crois-tu alors, qu'on a le temps de faire le raffiné, de savoir s'il faut dire « oui » ou « non », de se demander s'il ne faudra pas payer trop cher un jour et si on pourra encore être un homme après ? On prend le bout de bois, on redresse devant la montagne d'eau, on gueule un ordre et on tire dans le tas, sur le premier qui s'avance. Dans le tas ! Cela n'a pas de nom. C'est comme la vague qui vient de s'abattre sur le pont devant vous ; le vent qui vous gifle, et la chose qui tombe dans le groupe n'a pas de nom. C'était peut-être celui qui t'avait donné du feu en souriant la veille. Il n'a plus de nom. Et toi non plus, tu n'as plus de nom, cramponné à la barre. Il n'y a plus que le bateau qui ait un nom et la tempête. Est-ce que tu le comprends, cela ?

ANTIGONE *secoue la tête.*

Je ne veux pas comprendre. C'est bon pour vous. Moi je suis là pour autre chose que pour comprendre. Je suis là pour vous dire non et pour mourir.

CRÉON

C'est facile de dire non !

ANTIGONE

Pas toujours.

Jean Anouilh, *Antigone,* La Table Ronde, 1947.

SCHÉMA DE LA SITUATION TRAGIQUE

☐ **Un héros (une héroïne) a une exigence intérieure** (besoin, désir, etc.) qui lui apparaît comme juste et qui le pousse à accomplir un **acte** (de justice, d'amour, de vengeance, etc.).

☐ Cet acte est frappé d'un **interdit** prononcé par **un pouvoir** (loi, Dieu, hommes, fatalité, etc.).

☐ **Le conflit** entre la nécessité et l'impossibilité de réalisation de l'acte conduit le héros à **la révolte.**

☐ La révolte aboutit généralement à **la mort** du héros qu'il s'agisse d'une mort réelle ou d'une mort symbolique. Le héros abandonne son exigence intérieure, accepte les compromissions et ne peut plus, dès lors, être considéré comme un héros.

LA SITUATION TRAGIQUE

• Retrouvez les éléments en gras de l'encadré ci-dessus :
– dans l'*Antigone* d'Anouilh,
– dans des œuvres littéraires ou des récits mythologiques que vous connaissez,
– dans certains faits divers tragiques.

ANTIGONE ET CRÉON

• Vérifiez si certains des mots de la liste ci-dessous permettent de définir la psychologie de ces deux personnages (caractère, tempérament, sentiments) et leur philosophie (conception de l'action et de la vie en société).
– *égoïste/altruiste – réaliste/idéaliste – mesuré/entier – obstiné/compréhensif – ferme – cruel – honnête – rêveur – clairvoyant – cynique – opportuniste – pragmatique – révolutionnaire – réactionnaire – orgueilleux – responsable – refus du monde – désir d'absolu – désir de pureté – sens des responsabilités – acceptation des compromissions.*

• Lequel des deux personnages vous paraît le plus sympathique ?

L'IMAGE DU BATEAU
(dernière tirade de Créon)

• Relevez et classez tout le vocabulaire relatif :
– aux parties du bateau,
– à la navigation,
– aux événements liés à la navigation.

• Traduisez chacune des expressions utilisant des termes de navigation en langage politique.
Il faut qu'il y en ait qui mènent la barque → *qui gouvernent le pays.*
Cela prend l'eau de toutes parts → …

• Écriture métaphorique. Imitez le développement imagé de Créon.

Parlez :
– du travail scolaire d'un lycéen,
– des aventures d'un **dragueur** ou d'une dragueuse.

en utilisant :
– le vocabulaire de la conduite automobile (caler, déraper, ne pas tenir la route, prendre un virage, accélérer, etc.) ;
– le vocabulaire de la pêche et de la chasse (mordre à l'hameçon, être à l'affût, jeter ses filets, etc.).

Dolores Torres (Antigone) et Guy Tréjean (Créon) dans *Antigone* au T.B.B., Boulogne, 1986.

SITUATION COCASSE

« BUFFET FROID », UN FILM DE BERTRAND BLIER (1979)

« Buffet froid » est un film qui surprend et suscite le rire parce qu'il bouleverse les règles de la logique et de la vraisemblance.

Alphonse, un chômeur, erre dans le métro. Il rencontre un comptable avec qui il sympathise et veut lui offrir son couteau à cran d'arrêt. Le comptable refuse l'arme et la pose sur le siège à côté de lui. Le couteau disparaît... Quelques minutes après Alphonse retrouve le comptable avec le couteau dans le ventre. Avant de mourir, la victime conseille à Alphonse de reprendre son couteau sur lequel ses initiales sont gravées et de fuir. Alphonse rentre chez lui, dans un grand immeuble en cours de construction. Sa femme lui apprend qu'un nouveau locataire vient de s'installer : un inspecteur de police. Il décide d'aller le voir. Voici le script de cette scène.

Escaliers tour et paliers – intérieur nuit

L'ascenseur n'est pas encore en fonctionnement. Alphonse escalade l'escalier en colimaçon. Il arrive sur le palier du nouveau voisin. Un peu de lumière filtre sous la porte. Alphonse s'approche, colle son oreille, se penche pour écouter. Silence. Il n'entend rien. Il frappe prudemment.*

Plan général du palier. Alphonse, au fond, attend qu'on vienne lui ouvrir. Bruit de pas qui s'approchent. Alphonse recule d'un pas.

Le nouveau locataire entrebâille la porte, l'air méfiant. C'est un type d'une soixantaine d'années, trapu, l'air las, bien chauve. Il termine de mâcher quelque chose. C'est l'inspecteur.

ALPHONSE. Je suis le locataire du cinquième... Je voulais simplement vous souhaiter la bienvenue dans l'immeuble...

Sans un mot, d'un léger signe de la tête, l'inspecteur invite Alphonse à entrer. Il referme la porte.

Appartement inspecteur – intérieur nuit

L'appartement, identique à celui d'Alphonse, est bourré de caisses et de cartons empilés les uns sur les autres. Aucun meuble n'est visible. L'inspecteur est encore en plein aménagement. Une lampe de camping donne un peu de lumière.

Toujours sans un mot, il sort un verre d'un carton et sert à boire à Alphonse.

ALPHONSE. Vous êtes mon premier voisin... Je suis rudement content que vous soyez là... On va se sentir moins seuls...

L'inspecteur se rassied. Ils boivent. L'inspecteur reprend alors son dîner là où il en était. Le repas consiste en une conserve de cassoulet, posée sur un réchaud, qu'il mange à même la boîte.

Alphonse vient s'asseoir en face de l'inspecteur, sur une autre caisse.

ALPHONSE. Vous êtes célibataire ?
L'INSPECTEUR. Veuf.
ALPHONSE. Condoléances... *(Un temps.)* Moi, je suis chômeur, et vous ?
L'INSPECTEUR. Inspecteur de police.
ALPHONSE. Ça tombe bien !
L'INSPECTEUR. Quoi ?
ALPHONSE. Que vous soyez inspecteur de police...
L'INSPECTEUR. Pourquoi ?
ALPHONSE. Parce que je viens d'assister à un meurtre dans le métro.
L'INSPECTEUR. *(il n'est pas surpris, il s'en fout* complètement).* Ah oui ?
ALPHONSE. Oui... Le pauvre bougre*, il a ramassé un coup de couteau dans le ventre...
L'INSPECTEUR. Ah bon !
ALPHONSE. Ben oui... Et puis, ce qui m'emmerde*, c'est que le couteau c'était le mien...
L'INSPECTEUR. Et alors ?
ALPHONSE *(il repose son verre).* Mettez-vous à ma place ! Je me pose des questions...
L'INSPECTEUR *(toujours neutre).* Quelles questions ?
ALPHONSE. Je me demande si c'est pas moi qui l'ai tué...
L'INSPECTEUR. Vous avez pas une tête à tuer les gens...
ALPHONSE *(s'emportant peu à peu).* Je peux vous montrer le couteau si vous voulez... Il est chez moi, dans la machine à vaisselle...
L'INSPECTEUR *(il se lève et s'approche d'Alphonse).* Écoutez, mon vieux... Des crimes et des assassins, je m'en farcis* toute la journée. Actuellement, je suis pas en service. Je mange. J'ai déménagé, je suis fatigué et vous m'emmerdez. *(Il prend Alphonse par le bras, pour le reconduire jusqu'à la sortie.)* Alors, vous allez redescendre bien gentiment chez vous et essayer de m'oublier.

L'Avant-Scène Cinéma, n° 244.

Bernard Blier et Gérard Depardieu dans *Buffet froid.*

Michel Serrault et Gérard Depardieu, dans *Buffet froid.*

un colimaçon : mot vieilli pour escargot. Escalier en colimaçon : en spirale.

s'en foutre : (vulg.) s'en moquer, n'attacher aucune importance à…

un pauvre bougre : un pauvre type.

emmerder : (vulg.) ennuyer (ça m'emmerde) – juron, dans la forme : « Je vous emmerde ».

se farcir : (fam.) supporter quelqu'un ou quelque chose qui cause du désagrément.

LE COMIQUE

• Répertoriez et caractérisez les effets comiques de cette scène.

JEUX DE RÔLES

• Imitez la scène. Une personne refuse d'exercer ses fonctions en dehors des heures de service :

– un médecin refuse de porter assistance à un blessé,

– un soldat refuse d'aller se battre pendant le week-end, etc.

INFO MÉMOIRE

UNE JOURNALISTE PROVOCATRICE : ANNE GAILLARD

Dans les années 70, l'émission de radio « Inter-femmes » animée par Anne Gaillard s'est distinguée par son ton peu conventionnel et parfois agressif. Ici Anne Gaillard attaque M. Lefèvre, P.-D.G. d'une entreprise fabriquant des cosmétiques et l'accuse de faire de la publicité mensongère. Participent également à l'émission Mlle Brulot, docteur en pharmacie et M. Escande, dermatologue.

• Notez dans un tableau les arguments principaux du P.-D.G. et ceux d'Anne Gaillard.

Arguments du P.-D.G.	Arguments d'Anne Gaillard
La publicité est passée par plusieurs stades : la réclame, la publicité, l'information et aujourd'hui la communication.	C'est de la fausse information, de l'information mensongère.

• Relevez les moyens qu'utilise Anne Gaillard pour déstabiliser son adversaire.

• Analysez les techniques d'influence et de persuasion dans cette réclame des années 1900 ci-dessous et dans la publicité récente ci-contre.

AIDE À L'ÉCOUTE

BVP : Bureau pour la vérification de la publicité.

la majorité silencieuse : en politique, les gens (plutôt conservateurs) qui n'expriment pas ouvertement leur opinion.

la couche cornée de la peau : la partie superficielle de la peau qui s'épaissit en vieillissant.

un essai en double aveugle : méthode utilisée pour tester l'efficacité d'un médicament (la moitié des personnes testées est traitée avec un produit ne contenant pas le médicament).

UN CRITIQUE PROVOCATEUR : GEORGES CHARENSOL

« Le Masque et la Plume » est une émission où les critiques commentent l'actualité littéraire, cinématographique et théâtrale. On y assiste souvent à de vigoureuses empoignades verbales. Georges Charensol donne ici son opinion sur « Pierrot le fou », film de Jean-Luc Godard. Il intervient après ses collègues critiques qui ont exprimé des louanges unanimes.

• Quelles qualités et quels défauts Georges Charensol trouve-t-il au film ?

• Relevez les expressions humoristiques ou caustiques ainsi qu'une manifestation de la mauvaise foi du critique.

AIDE À L'ÉCOUTE

se faire à (quelque chose) : s'habituer à.

craquer : (fam.) avoir une défaillance physique ou nerveuse.

se planter : (fam.) se tromper.

Bibliothèque Forney, vers 1900, anonyme.

Collection particulière Roux, Séguela, Cayzac et Goudard, 1985.

À TRAVERS LA FRANCE

UN AGRICULTEUR MILITANT DU LARZAC RACONTE

Le Causse du Larzac est une région calcaire et peu fertile située au sud-ouest du Massif central. On y fait essentiellement l'élevage des brebis. Ces terres ont été le théâtre d'un affrontement politique et juridique entre les agriculteurs appuyés par des militants venus d'autres régions et l'État qui souhaitait agrandir le camp militaire qu'il possédait à cet endroit.

AIDE À L'ÉCOUTE

une tomme : variété de fromage fermenté.

un office foncier : organisme qui s'occupe des terrains.

l'autogestion : gestion d'une entreprise ou d'un bien agricole par le personnel ou par les employés agricoles.

une SICA : société d'intérêt collectif agricole (coopérative).

FNSEA : Fédération nationale des syndicats d'exploitants agricoles. (Un autre syndicat d'agriculteurs est mentionné par José Beauvais : la Confédération paysanne.)

• Réalisez une fiche de présentation de José Beauvais : biographie, activité professionnelle, activités de militant (conception de cette activité et résultats obtenus).

Le camp du Larzac. – En 1970, les habitants du Larzac apprennent que la surface occupée par le camp de manœuvres militaires de la Cavalerie (créé en 1903) doit passer de 3 000 ha à 17 000 ha, ce qui signifie l'expropriation d'une centaine d'exploitations agricoles concernant 500 paysans et quelque 15 000 brebis. Les paysans se rebellent, prêtent le serment de ne pas vendre leurs terres à l'armée, montent à pied et en tracteur à Paris avec quelques brebis pour manifester leur mécontentement, construisent la bergerie de la Blaquière sur le territoire revendiqué par l'armée, occupent les fermes déjà achetées, brûlent les dossiers d'enquête... De grands rassemblements sont organisés pour les soutenir. Pendant 10 ans le Larzac est à la une de l'actualité. Finalement, en 1980, la cour de cassation annule une grande partie des expropriations ; en 1985 une convention est signée entre l'État et la Société civile des terres du Larzac qui permet à celle-ci d'exploiter, en location, les 6 400 ha de terrains dont l'État est encore propriétaire.

DE LA MUSIQUE AVANT TOUTE CHOSE

LA MUSIQUE CONTEMPORAINE

Quand on prononce aujourd'hui les mots de « musique contemporaine » beaucoup de gens pensent rock, rap, chansons ou musiques de films. Si l'on veut alors désigner le genre musical qui se situe dans la continuité d'un Mozart, d'un Debussy ou d'un Ravel et qui est pratiqué par des compositeurs comme Stockhausen, Boulez et Bério, on est quelquefois obligé, pour se faire comprendre, d'employer l'expression « musique classique contemporaine ». Ces qualificatifs contradictoires témoignent bien de l'ignorance du public et de l'indifférence de ceux qui ont essayé de s'intéresser aux recherches musicales du XXe siècle.

Que la musique contemporaine heurte le public non spécialisé est un paradoxe : jamais encore les conditions matérielles n'ont été aussi favorables à la diffusion des œuvres ; jamais la musique, prise dans sa globalité, n'a eu une vocation aussi populaire ; face à la demande pressante des auditeurs, jamais l'Europe occidentale, en particulier, n'a présenté autant de musiciens de valeur – et ce, dans un climat d'émulation toujours renouvelé.

Dire qu'autrefois les conditions de la vie musicale étaient meilleures – ou différentes – constitue un alibi de mauvaise foi. On suggère souvent que, dans les siècles passés, les compositeurs étaient près de leur public, reconnus de leur vivant, honorés. Or, si l'on était admis, c'était d'un cercle extrêmement restreint, comme cela se pratique encore actuellement.

Dire aussi que les tendances de l'art musical contemporain se multiplient et égarent l'auditeur aurait été tout à fait d'actualité entre 1550 et 1600, ou entre 1750 et 1800 ! L'instabilité, la frénésie que l'on reproche à la musique du XXe s. est en fait une réflexion obsessionnelle qui remonte beaucoup plus haut dans l'histoire de la musique. La différence est que, autrefois, bien peu se souciaient de vilipender ce qui, par la force des choses, échappait à la compréhension. Maintenant, au contraire, chacun revendique un droit à la jouissance, dans toutes conditions, et reproche au musicien ce qu'il considère comme l'usage d'un langage fermé, l'accusant d'inaptitude à la communication. C'est pourquoi l'abondante littérature exégétique publiée de nos jours par les compositeurs révèle une certaine amertume et manifeste un besoin d'autojustification.

Marie-Claire Beltrando-Patier, *Histoire de la musique,* Bordas, 1982.

LECTURE – COMPRÉHENSION

- Montrez que l'article de Marie-Claire Beltrando-Patier est bâti sur un raisonnement par opposition (voir p. 93). Retrouvez l'argumentation combattue par l'auteur et sa contre-argumentation.
- Résumez chaque paragraphe en une phrase.
- Comment explique-t-elle le rejet de la musique contemporaine par le public ? Complétez cette explication par celle de Luc Ferry et par vos propres remarques.

STYLES DE MUSIQUES

- Vous êtes chargé(e) de trouver la musique d'accompagnement des films suivants :
– un film documentaire présentant les différentes salles d'un musée de peinture (en commençant par les Primitifs italiens et en finissant par l'art contemporain),
– un film de télévision retraçant les principaux moments de l'histoire récente de votre pays,
– un film de fiction dont vous préciserez le sujet.
Définissez les différents moments musicaux que vous choisiriez. Utilisez le vocabulaire ci-après.

LE VOCABULAIRE DE LA MUSIQUE

Le rythme – la cadence – le mouvement lent – saccadé – entraînant – rapide – un mouvement, un tempo d'adagio, de presto, etc.
La tonalité en mineur/en majeur – brillante – légère – triste/gaie (vocabulaire des sentiments)
L'harmonie/la disharmonie – un accord – une dissonance – une mélodie – un thème musical
La sonorité grave/aiguë – douce/dure – claire/sombre – terne/brillante
Un timbre cristallin – flûté – strident – éclatant
Une sonorité teintée de tristesse/de gaieté, etc.
Résonner – tinter – vibrer – carillonner - rendre un son triste, etc.

DÉBAT-FICTION

- Nous sommes en l'an 2100. Une équipe de musicologues doit rédiger une histoire de la musique. Elle s'est réunie pour arrêter les principaux points qui seront traités dans le chapitre : « Musique de la seconde moitié du XXe siècle. »

L'art d'avant-garde est devenu « inhabitable ». Non pas laid ni même inintéressant d'un point de vue philosophique, mais bien inhabitable en ce qu'il ne constitue plus un univers symbolique au sein duquel nous puissions nous repérer, ou même trouver quelque plaisir à nous perdre. J'aime qu'on m'explique les dernières partitions de Boulez ou de Stockhausen ; j'en comprends parfois l'intelligence, mais, musicalement, je n'ai aucune envie d'y séjourner, et je continue d'écouter Brahms, Debussy ou encore Bartok.

Luc Ferry, *L'Express,* 22.7.1988.

Sirius, Stockhausen, Karlheinz, en 1977.

Iannis Xenakis au festival d'Aix-en-Provence, en 1985.

LA SUCCESSION DES ARGUMENTS

■ L'ÉNUMÉRATION

Quand on énumère une série d'arguments ou d'idées on peut se contenter de les juxtaposer. On peut aussi :

☐ **les relier sur un même plan**
- et – aussi – également – outre – en outre – par ailleurs
  → permettent une simple liaison.
- d'abord – puis – ensuite – alors – enfin
  → peuvent marquer un ordre de priorité mais aussi présenter des arguments de valeur égale.
- quant à – en ce qui concerne – pour ce qui est
  → introduisent un argument nouveau que l'on va développer.

☐ **établir un parallélisme**
- d'une part… d'autre part – d'un côté… de l'autre
  → n'introduisent pas forcément une opposition.
- soit… soit – ou… ou
  → présentent deux options.
- parallèlement – en même temps – simultanément – sur le même plan – dans le même ordre d'idées – non seulement… mais (encore) – et… et – ni… ni (énoncés négatifs)

☐ **établir une gradation**
- de plus en plus – qui plus est – par dessus le marché (fam.) – en premier lieu/en dernier lieu – au premier plan… au second plan
- premièrement, deuxièmement, etc. – principalement/accessoirement – plus + adjectif. *(Plus préoccupante sera la situation dans le tiers monde.)*

1 **Réécrivez les phrases suivantes en supprimant les juxtapositions.**
Reliez sur le même plan (voir tableau ci-dessus).
« J'ai bien l'intention de renvoyer Ferrand et Martial. Ferrand arrive souvent en retard. Il est souvent absent pour des motifs fantaisistes. Il a commis un certain nombre de négligences. Il a failli causer un accident grave. Martial, lui, est totalement incompétent. On ne peut compter sur lui. »

Établissez les parallélismes.
– Nous allons au cinéma ce soir ? Nous restons à la maison ?
– La situation économique est critique. Le chômage augmente. La balance des paiements est déficitaire. Les ouvriers ne sont pas contents. Les patrons non plus.

Établissez une gradation.
« Plutôt un mauvais souvenir de la pièce de théâtre que j'ai vue hier soir ! Le spectacle n'avait pas été suffisamment préparé. Certains comédiens ne savaient pas leur texte. Le décor était bâclé. L'acoustique de la salle était épouvantable. Le théâtre était mal chauffé et on avait froid. »

2 **Voici une série d'arguments qui visent à prouver l'utilité des ordinateurs. Construisez un paragraphe en utilisant les procédés de présentation ci-dessus.**
L'ordinateur permet le traitement des textes, la constitution de fichiers, la consultation de banques de données, etc. *(Relier sur un même plan.)*
On peut donc réaliser une économie de temps, une économie d'espace (plus de fichiers volumineux et bientôt plus de bibliothèque). L'ordinateur limite le risque d'erreurs. *(Établir une gradation.)*
Les archéologues l'utilisent pour entrer les caractéristiques de leurs découvertes, les médecins l'emploient comme moyen d'aide au diagnostic, etc. *(Établir des parallélismes.)*
C'est un outil de création et d'invention. Les ingénieurs, les architectes construisent des maquettes. Les chimistes créent des substances nouvelles avant d'en faire concrètement la synthèse, etc. *(Établir gradation et parallélisme.)*

■ LE RAISONNEMENT PAR OPPOSITION OU CONCESSION

☐ **Introduction d'une idée opposée à la précédente**
- mais – cependant – toutefois – néanmoins – pourtant
- au contraire – contrairement à – par contre – inversement
- en revanche – à l'opposé – face à

☐ **Conjonction de deux idées opposées**
- bien que / quoique } + subjonctif
Bien que l'eau soit froide, il se baigne.
- malgré / en dépit de } + nom
Malgré la fraîcheur de l'eau, il se baigne.
- sans que + subjonctif
tandis que / alors que } + indicatif
Il est parti sans qu'on s'en aperçoive.
- quand même / tout de même
L'eau est froide. Il se baigne quand même.
- tout/si/quelque/pour... que
Tout sportif qu'il soit, la marche l'a fatigué.
- avoir beau - ne pas empêcher
L'eau a beau être froide. Il se baigne.
L'eau froide ne l'empêche pas de se baigner.

3 Complétez ces phrases en imaginant un énoncé qui les rende cohérentes.

– Ce vendeur a beau..... il n'arrivera pas à nous convaincre.

– Bien qu'elle..... elle reste au bureau jusqu'à 8 heures du soir.

– Tout..... qu'il soit, il n'a pas pu faire le devoir de maths de son fils.

– Il s'est cassé la cheville il y a trois mois. Il..... quand même..... .

– En dépit de..... la vieille dame fait une longue promenade chaque jour.

– Elle l'a épousé alors que.....

– Pierre conduit très bien tandis que Philippe.....

– Arthur n'a que 7 ans. Cela ne l'empêche pas de.....

4 Dans les textes ci-contre étudiez la logique du raisonnement ainsi que les procédés d'énumération et de mise en opposition.

La confiance dans la science, même lorsqu'elle est prise de court comme actuellement pour le Sida, fait perdre de vue que chaque nouvelle conquête se paie ; l'Europe a trouvé les moyens de se nourrir grâce aux engrais chimiques, mais elle risque, à court terme, de ne plus pouvoir boire l'eau du robinet tant il y aura de nitrate dans la nappe phréatique. Les sociétés industrielles débordent d'énergie grâce notamment à l'exploitation du pétrole et de l'atome, mais on en connaît mal les limites. Sans parler des marées noires qui maculent régulièrement le littoral, il faut admettre que les réserves pétrolières ne sont pas illimitées. Quant à l'atome, il est redoutable en cas d'accident (Tchernobyl), mais aussi dans la mesure où l'on ne sait pas trop quoi faire du combustible irradié, c'est-à-dire des déchets nucléaires.

Roger Cans, *Le Monde,* 28.12.1988.

Fidèle lecteur du *Fig-Mag,* j'ai été très attristé par la caricature que vous avez faite des divers mouvements écologistes. Certes, certaines opinions sont excessives, certes, l'idéologie prônée par certains mouvements peut paraître utopiste.

Il n'en reste pas moins vrai que si nous ne sommes pas vigilants, nous pourrions revenir de très loin quand on pense au désastre climatique et écologique que nous préparons.

Est-ce utopiste de remettre en question le nucléaire et sa sécurité quand on se rappelle de Tchernobyl ? Est-ce utopiste de dénoncer les grands pollueurs mondiaux de l'atmosphère, de la mer et de la terre quand, ici ou là, on découvre dans le sol ou les profondeurs maritimes des charniers industriels ? Est-ce enfin utopiste de vouloir consacrer des dépenses beaucoup plus importantes et pacifiques à la recherche d'énergie naturelle et non polluante quand on pense par exemple que l'agriculture, ô combien mal en point aujourd'hui ! pourrait très bien se reconvertir dans la production de végétaux qui permettront la fabrication de carburants même si cela ne plaît pas aux pétroliers ?

Courrier des lecteurs, *Le Figaro-Magazine,* 4.4.1992, M. Grasset.

En dépit de son austérité, New York émeut les Européens. Certes, nous avons appris à aimer nos vieilles cités, mais ce qui nous touche en elles, c'est un mur romain qui fait partie de la façade d'une auberge, ou d'une maison qu'habita Cervantès, ou la place des Vosges, ou l'hôtel de ville de Rouen. Nous aimons des villes-musées – et toutes nos villes sont un peu comme des musées où nous vagabondons parmi les demeures des ancêtres. New York n'est pas une ville-musée ; pourtant, aux yeux des Français de ma génération, elle a déjà la mélancolie du passé.

J.-P. Sartre, *Situations III,* Gallimard, 1949.

6 De l'esprit de géométrie

« Nous sommes les pièces du jeu que joue le Ciel.
On s'amuse avec nous sur l'échiquier de l'Être. »

Omar Khayyâm, XIe siècle.

Fenêtre de la prison du Masque de Fer, île Sainte-Marguerite.

Apprentissage de la lecture
Art de la composition
Classement
Crise de conscience
Discours d'analyse
Élections
Interrogatoire
Logique
Monologue intérieur
Plaidoirie
Prison
Sciences
Théâtre

Fernand Léger, *Le Remorqueur,* 1920, Musée de peinture de Grenoble.

« Il y a deux sortes d'esprit ; l'un géométrique
et l'autre que l'on peut appeler de finesse. »

Blaise Pascal, *Discours sur les passions de l'amour,* 1652.

LA LOGIQUE À L'ÉPREUVE

CLASSEMENT

(Borges)* cite « une certaine encyclopédie chinoise » où il est écrit que « les animaux se divisent en : *a)* appartenant à l'Empereur, *b)* embaumés, *c)* apprivoisés, *d)* cochons de lait, *e)* sirènes, *f)* fabuleux, *g)* chiens en liberté, *h)* inclus dans la présente classification, *i)* qui s'agitent comme des fous, *j)* innombrables, *k)* dessinés avec un pinceau très fin en poils de chameau, *l)* et cætera, *m)* qui viennent de casser la cruche, *n)* qui de loin semblent des mouches. » Dans l'émerveillement de cette taxinomie*, ce qu'on rejoint d'un bond, ce qui, à la faveur de l'apologue*, nous est indiqué comme le charme exotique d'une autre pensée, c'est la limite de la nôtre : l'impossibilité nue de penser cela.

Michel Foucault, *Les Mots et les Choses,* Gallimard, 1966.

ANALYSE DU MODE DE CLASSEMENT

• Pourquoi l'encyclopédie décrite par Borges nous paraît-elle illogique ?

• Chaque catégorie (*a, b, c,* etc.) est liée à une façon particulière de penser le monde et de le classer. Pour chaque catégorie retrouvez le critère de classement et imaginez un classement cohérent.

Exemple : appartenant à l'Empereur → critère social d'appartenance.
On pourrait donc imaginer le classement suivant :
a) appartenant à l'Empereur,
b) aux membres de la noblesse,
c) aux militaires,
d) aux paysans, etc.

CRÉATIVITÉ

• Imaginez un classement original :
– des plantes,
– des êtres humains.

Présentez-le en utilisant le vocabulaire de la p. 109 (appartenance et inclusion, ensembles et parties).

Jorge Luis Borges (1899-1986) : écrivain argentin.

une taxinomie : un classement.

un apologue : une fable visant à illustrer une morale ou une idée.

UNE CLASSE DE LECTURE DANS LA ROME ANTIQUE

Avant de révéler la forme des vingt-quatre lettres latines, le maître en faisait apprendre la liste par cœur de A à X et de X à A. Puis chaque lettre était présentée au tableau noir, et les élèves s'efforçaient de retrouver et de suivre, à travers la cire unie de leur tablette*, le caractère caché qui avait été gravé dans le bois. La maîtrise de la lettre caractérisait les *abecedarii* d'élite.

On passait alors dans la catégorie des *syllabarii,* qui s'exerçaient à composer des syllabes de fantaisie avant d'aborder l'étude des syllabes réelles.

Enfin, les *nominarii* avaient l'honneur d'épeler et de tracer des mots, exercice qui débouchait sur la plus haute ambition littéraire de l'école : déclamer en chœur de courtes phrases lapidaires* et les transcrire sur du papyrus de rebut avec une plume de roseau taillée au canif et trempée dans une encre qui se faisait sur place par dissolution du produit dans l'eau de l'encrier. Les passants du portique* pouvaient de la sorte entendre hurler : « L'oisiveté est la mère de tous les vices », quand il ne s'agissait pas de dictons ou de plaisanteries d'un goût discutable : « Si une femme donne un conseil à une autre, la vipère achète du venin à la vipère… »

Hubert Monteilhet, *Néropolis,* Julliard, 1984.

une tablette de cire : support d'écriture dans l'Antiquité. Il s'agissait d'une plaque de bois recouverte de cire dans laquelle on gravait le texte. Ici l'alphabet est gravé sur la plaque de bois et se voit en transparence à travers la cire.

lapidaire : concis et bref.

un portique : galerie ouverte soutenue par deux rangées de colonnes qui longeait l'école.

APPRENTISSAGE DE LA LECTURE ET CONCEPTION DE L'ÉCRIT

• Retrouvez les étapes de l'apprentissage de la lecture. Montrez que cet apprentissage est fondé sur la logique du système d'écriture latin.

• La méthode romaine vous paraît-elle efficace pour l'apprentissage de la lecture :
– de votre langue écrite ?
– de la langue française ?

• Le système d'écriture (l'orthographe) du français vous paraît-il logique ? Comment pourrait-on expliquer la présence des lettres soulignées dans les mots suivants ?

un ch<u>â</u>teau
un c<u>y</u>gne
une ami<u>e</u>
un ca<u>h</u>ier

Marque du genre ? Trace de l'étymologie ?
Marque pour distinguer le mot d'un homonyme ?
Marque pour éviter une erreur de prononciation ?

IDÉES

THÉORIES DE LA SCIENCE : L'ORDRE OU LE CHAOS

LA NATURE GAGNE PAR CHAOS

Les scientifiques découvrent qu'on ne peut mettre la Nature en équations. Une nouvelle science naît : celle du désordre.

Quelle est la différence entre le système solaire et l'épidémie de sida ; entre l'atmosphère de la Terre, planète bleue, et une population de criquets en Afrique ; entre les influx nerveux parcourant notre cerveau de singe nu et le cycle des taches à la surface du Soleil ; entre les cours de la Bourse de Wall Street et la trajectoire des étoiles dans les galaxies lointaines ?

Réponse de la science, version fin du XXe siècle : il n'y a pas de différence. L'évolution de tous ces systèmes est et restera, au-delà d'un certain laps de temps, imprévisible, si l'on se fie aux grandes lois découvertes à ce jour par la science. Exemple : la loi de la gravitation universelle de Newton. Elle a permis à l'homme de conquérir la Lune et d'aller survoler Saturne et les autres planètes géantes. Mais elle se montre incapable de prédire à longue échéance l'avenir de l'orbite de la Terre. Un mouvement qui, tant il est « mécanique », semblait pouvoir être prédit.

Si nous sommes tenus en échec, disent les physiciens d'aujourd'hui, c'est parce que ces systèmes sont « chaotiques ». « Tout se passe comme si » leur avenir dépendait du hasard, cette incohérente baguette magique que manie le démon du désordre. « Tout se passe comme si » Dieu jouait bel et bien aux dés, ce que refusait d'admettre Albert Einstein. « Tout se passe comme si », désormais, finalement deux fois deux ne faisait pas systématiquement quatre, mais, nuance, était peu différent de quatre. « Tout se passe comme si » l'ordre supposé de la nature se révélait infiniment plus tortueux que ne le postule depuis toujours la science. Désormais, même si l'évolution de la matière est déterminée, elle risque, sauf à frayer d'autres voies d'approche vers ces problèmes, de rester, pour la science, imprévisible. [...]

L'un des tout premiers à découvrir l'importance de ces conditions initiales, de ces causes premières à jamais cachées, fut le météorologue américain Edward Lorenz [...]. Pour expliquer sa découverte, l'Américain utilisait volontiers cette belle image : le battement d'ailes d'un papillon dans la baie de Sydney, en Australie, peut suffire pour déclencher, une semaine plus tard, un cyclone sur la Jamaïque. [...]

Hervé Ponchelet, *Le Point,* n° 973, 13.5.1991.

LES NOUVELLES THÉORIES DE LA SCIENCE

• Relevez dans le texte tout ce qui peut caractériser les nouvelles théories de la science.

LA RELATION DE CAUSE À EFFET

• Quelle est la signification de l'image du papillon (dernier paragraphe) ?

• Vérifiez cette théorie en recherchant toutes les causes possibles des phénomènes suivants :

Sciences de la nature :
– la plante verte qui est dans le salon meurt ;
– cette année la rivière est à sec.

Sciences humaines :
– Arthur obtient de mauvais résultats à l'école ;
– le gouvernement a été renversé.

Né en 1923, René Thom est un mathématicien qui s'efforce depuis les années soixante de construire une théorie et une méthodologie de l'interprétation des données expérimentales. Ses conceptions s'opposent à celles d'Ilya Prigogine, savant belge d'origine russe, prix Nobel de chimie en 1977 et partisan de la théorie du chaos. Le journaliste Guy Sorman rapporte un entretien avec René Thom.

« Je suis, précise-t-il, un déterministe archaïque. J'estime que les phénomènes peuvent être décrits et compris ; je considère que le monde est intelligible et que si nous ne comprenons pas une théorie, c'est qu'elle est insuffisante. » La cible privilégiée de René Thom, ce sont tous les savants qui, à la manière de Prigogine, nous expliquent que le monde n'est que bruits et hasards : la « prétendue science du chaos ».

Prigogine, selon Thom, a amalgamé dans une « science du chaos » des phénomènes essentiellement différents, dont certains relèvent du déterminisme et d'autres de la description probabiliste. Thom reprend l'exemple de la pièce de monnaie cher à Prigogine : Prigogine nous a expliqué qu'il est, par définition, impossible de prévoir si une pièce lancée en l'air retombera sur pile ou sur face, et que la seule détermination est d'ordre statistique. Cette image d'incertitude et de probabilité résumerait assez bien, selon Prigogine, l'état actuel de la science contemporaine. Mais, me dit Thom, Prigogine nous abuse : si les physiciens ne peuvent pas prévoir le mouvement de la pièce, ce n'est pas parce que c'est impossible, mais parce que c'est expérimentalement difficile et coûteux. Cette prévision reste théoriquement possible pour un observateur qui contrôlerait les conditions initiales du jet de manière assez précise.

Entre Thom et Prigogine, le désaccord est ainsi total et donne la mesure des incertitudes actuelles de la science.

Thom rappelle que, dans l'histoire des sciences, c'est l'invention *préalable* des concepts qui a permis de formuler les lois physiques. Depuis le XVIIe siècle, la science moderne n'a été rendue possible que dans la mesure où le progrès théorique a précédé l'expérimentation. Les grandes avancées scientifiques n'ont pas été dues à la découverte de nouveaux faits, mais sont apparues comme une nouvelle manière de penser et de formuler des faits connus. Aujourd'hui, c'est l'inverse qui se produit : les marchands d'informatique poussent le monde de la recherche vers toujours plus d'expériences et de collectes de faits, vers l'observation sans la réflexion. La science moderne s'essouffle parce que les savants appellent vérité ce qui n'est que succès techniques !

R. Thom passe en revue divers domaines scientifiques et montre que les récentes découvertes scientifiques reposent sur des théories datant du début du siècle. Selon lui, la science ne pourra vraiment progresser que si elle se forge de nouvelles théories. Il expose ensuite sa « Théorie des catastrophes ».

Exemple concret de l'application de la Théorie des catastrophes : les frontières entre États. Les signes que nous voyons sur une carte, explique René Thom, sont des souvenirs d'une catastrophe initiale, ils témoignent du passage d'une situation instable à une situation relativement stable. Si nous étudions l'histoire des frontières, nous découvrons qu'elles apparaissent selon un modèle universel. À l'origine, chaque individu a cherché son suzerain dans la capitale la plus proche. Si chaque capitale est représentée par un point, on constate que les frontières sont des segments de médiatrice entre ces points et décomposent l'espace en polygones. Pour presque tout choix de capitale, les frontières partagent le territoire par des points triples. L'entente des États ne se fait durablement que si elle aboutit à cette solution stable. Toute autre situation – par exemple des points quadruples – est instable. Le modèle géométrique vérifie l'Histoire, conclut Thom, et il y a donc un déterminisme de la frontière qui finit par s'imposer. Là où certains verraient le chaos de l'Histoire, Thom réimpose le déterminisme.

Guy Sorman, *Les Vrais Penseurs de notre temps*, Fayard, 1989.

LES IDÉES DE R. THOM

- René Thom développe trois idées essentielles. Formulez chacune de ces idées en une phrase.
- Appliquez la Théorie des catastrophes à l'histoire des frontières des pays que vous connaissez.
- Selon René Thom, il faut que la théorie précède l'observation des faits. Observez-vous cette règle dans votre vie quotidienne ?

LITTÉRATURE

Cas de conscience

LA CHARTREUSE DE PARME

Fabrice del Dongo, un jeune noble, vit à la cour de Parme dans l'entourage de sa tante la duchesse de Sanseverina. Un jour, il tue au cours d'un duel un comédien qui l'avait provoqué. Le drame est exploité par les ennemis de sa tante et Fabrice est mis en prison. Mais de la fenêtre de sa cellule, Fabrice peut voir Clélia, la fille du gouverneur des lieux. Celle-ci, qui connaît la noblesse du jeune homme et l'injustice dont il est victime, n'est pas insensible à ses regards. L'amour grandit entre eux et ils finissent par communiquer par d'ingénieux stratagèmes. Fabrice refuse même de s'évader pour rester près de Clélia. Clélia décide alors de ne plus voir celui qu'elle aime. Voilà cinq jours qu'elle n'a pas donné signe de vie.

Pendant ces cinq journées, si cruelles pour Fabrice, Clélia était plus malheureuse que lui ; elle avait eu cette idée, si poignante pour une âme généreuse : mon devoir est de m'enfuir dans un couvent, loin de la citadelle ; quand Fabrice saura que je ne suis plus ici, et je le lui ferai dire par Grillo* et par tous les geôliers, alors il se déterminera à une tentative d'évasion. Mais aller au couvent, c'était renoncer à jamais revoir Fabrice ; et renoncer à le voir quand il donnait une preuve si évidente que les sentiments qui avaient pu autrefois le lier à la duchesse n'existaient plus maintenant ! Quelle preuve d'amour plus touchante un jeune homme pourrait-il donner ? Après sept longs mois de prison, qui avaient gravement altéré sa santé, il refusait de reprendre sa liberté. Un être léger, tel que les discours de courtisans avaient dépeint Fabrice aux yeux de Clélia, eût sacrifié vingt maîtresses pour sortir un jour plus tôt de la citadelle ; et que n'eût-il pas fait pour sortir d'une prison où chaque jour le poison pouvait mettre fin à sa vie !

Stendhal, *La Chartreuse de Parme,* 1839.

LE CONFLIT INTÉRIEUR

- Quelles informations sur l'histoire de Fabrice nous apporte ce monologue intérieur ?
- Résumez le conflit intérieur qui agite Clélia en trois phrases : « Je veux… Mais si… Or,… »
- Relevez toutes les preuves d'amour de Clélia.
- Imaginez les pensées de Fabrice dans sa cellule.

Grillo : un des geôliers (gardiens) qui sert d'intermédiaire entre Fabrice et Clélia.

Jacopo Anigoni, *Le sacrifice d'Iphigénie,* 1675-1752, musée des Beaux-Arts, Brest.

LITTÉRATURE

LES MISÉRABLES

Condamné au bagne pour avoir volé un pain, Jean Valjean n'en sort qu'au bout de vingt ans. C'est un être aigri, diminué, qui, dès sa sortie, commet deux autres larcins. Il est disculpé grâce à la générosité charitable de l'évêque qu'il a volé mais la police décide de le surveiller.
Il se produit alors en lui une complète métamorphose. Il devient bon, humain, travailleur, change de nom et se retrouve bientôt à la tête d'une entreprise industrielle. Tout porte à croire que l'ancien forçat a été oublié quand un jour Jean Valjean apprend qu'un vagabond a été arrêté et que la police croit tenir Jean Valjean lui-même. Jean Valjean doit-il révéler sa véritable identité pour innocenter le vagabond ?

Il reculait maintenant avec une égale épouvante devant les deux résolutions qu'il avait prises tour à tour. Les deux idées qui le conseillaient lui paraissaient aussi funestes l'une que l'autre.

Il y eut un moment où il considéra l'avenir. Se dénoncer, grand Dieu ! Se livrer ! Il envisagea avec un immense désespoir tout ce qu'il faudrait quitter, tout ce qu'il faudrait reprendre. Il faudrait donc dire adieu à cette existence si bonne, si radieuse, à ce respect de tous, à l'honneur, à la liberté ! Il n'irait plus se promener dans les champs, il n'entendrait plus chanter les oiseaux au mois de mai, il ne ferait plus l'aumône aux petits enfants ! Il ne sentirait plus la douceur des regards de reconnaissance et d'amour fixés sur lui ! Il quitterait cette maison qu'il avait bâtie, cette chambre, cette petite chambre ! Tout lui paraissait charmant à cette heure. Il ne lirait plus dans ces livres, il n'écrirait plus sur cette petite table de bois blanc ! Sa vieille portière, la seule servante qu'il eût, ne lui monterait plus son café le matin. Grand Dieu ! au lieu de tout cela, la chiourme*, le carcan*, la veste rouge, la chaîne au pied, la fatigue, le cachot, le lit de camp, toutes ces horreurs connues ! À son âge, après avoir été ce qu'il était ! Si encore il était jeune ! Mais, vieux, être tutoyé par le premier venu, être fouillé par le garde-chiourme […]

Et, quoi qu'il fît, il retombait toujours sur ce poignant dilemme qui était au fond de sa rêverie : – rester dans le paradis, et y devenir démon ! rentrer dans l'enfer, et y devenir ange !

Victor Hugo, *Les Misérables,* 1862.

la chiourme : ensemble des forçats du bagne (établissement pénitentiaire où l'on purgeait de longues peines et où l'on était soumis aux travaux forcés).

un carcan : collier de fer fixé au cou des prisonniers.

L'ARGUMENTATION DE JEAN VALJEAN

• Analysez la composition du texte.

• La pensée de Jean Valjean s'organise à partir de son projet d'aveu. Imaginez ses pensées à partir du projet contraire. (Jean Valjean décide de ne pas se dénoncer.) Rédigez-les dans un court paragraphe.
« Ne pas me dénoncer !... »

ÉCRITURE OU JEUX DE RÔLES

• Voici des cas de conscience, sources de débats intérieurs. Développez ces conflits :
– soit en rédigeant un monologue intérieur comme dans les textes ci-dessus,
– soit en préparant et en jouant un dialogue dans lequel un personnage débat de ses problèmes avec un confident.

Les Justes *(pièce d'Albert Camus). Un groupe de révolutionnaires a projeté d'assassiner le grand-duc considéré comme un tyran. Un terroriste s'apprête donc à jeter une bombe sous sa calèche. Mais le grand-duc est, ce jour-là, accompagné par sa femme et ses enfants. Hésitations du terroriste...*

(Mythologie grecque.) Agamemnon et sa fille Iphigénie. *La grande flotte grecque commandée par Agamemnon est prête à appareiller pour aller faire la guerre à Troie. Mais dans le port d'Aulis les vents soufflent avec une telle force qu'il est impensable de prendre la mer. Consultés par l'intermédiaire du devin Calchas, les Dieux déclarent que les vents deviendront cléments si Agamemnon consent à leur sacrifier sa fille Iphigénie...*

PLAIDOIRIE

LA FOLLE DE CHAILLOT

Une comtesse folle et ruinée qui vit dans une cave aux flancs de la colline de Chaillot décide de s'attaquer à tous les « gros », affairistes, promoteurs, banquiers qui s'enrichissent au mépris des « petits ». Elle convoque les autres folles de Paris ainsi qu'un chiffonnier qui tente tous les jours de trouver son bonheur dans les poubelles et l'assemblée s'érige en tribunal chargé de juger les riches. Mais tout procès exige la présence des accusés. Or, les riches ne sont pas là. Le chiffonnier accepte de jouer leur rôle.

AURÉLIE.

Adorez-vous l'argent ? Oui, ou non !

LE CHIFFONNIER.

L'argent, Comtesse ? Mais c'est lui, hélas, qui m'adore ! C'est lui qui est venu me chercher au sein d'une honorable famille du Pré-Saint-Gervais* en me faisant trouver dans une poubelle un lingot d'or de dix kilos. Je ne l'y cherchais pas, je vous assure. De vieilles semelles auraient mieux fait mon affaire. C'est lui, quand j'ai acheté avec ce lingot la ceinture de Kremlin-Bicêtre*, qui a fait monter mes terrains de cinq francs à quatre mille. C'est lui, quand je les ai revendus, qui m'a fait acheter les sucreries du Nord, le Bon Marché* et le Creusot*. L'argent, c'est le vol, la combine*, je les déteste, je ne mange pas de ce pain-là, mais c'est lui qui m'aime. Il faut croire que j'ai les qualités qui l'attirent. Il n'aime pas la distinction, je suis vulgaire. Il n'aime pas l'intelligence, je suis idiot. Il n'aime pas les passionnés, je suis égoïste. Aussi il ne m'a plus lâché jusqu'à mes quarante milliards. Il ne me lâchera plus jamais. Je suis le riche idéal. Je n'en suis pas plus fier, mais j'en suis là.

AURÉLIE.

Parfait, chiffonnier. Vous avez compris...

LE CHIFFONNIER.

Les pauvres sont responsables de leur pauvreté. Qu'ils en subissent les conséquences. Mais pas les riches de leur richesse !

AURÉLIE.

Vous y êtes, continuez... Un peu plus, et vous êtes parfaitement ignoble... Et si vous avez honte de cet argent, Président, pourquoi le gardez-vous ?

LE CHIFFONNIER.

Moi ! Je le garde ?

LE JONGLEUR.

Et comment ! Tu n'es pas fichu* de donner deux sous au sourd-muet !

LE CHIFFONNIER.

Moi, je le garde ! Quelle erreur ! Et quelle injustice ! Quelle honte de m'entendre ainsi accuser devant cet auditoire d'élégance et d'élite ! Mais, Comtesse, au contraire ! Je passe ma journée à essayer de m'en débarrasser ! J'ai une paire de souliers jaunes, j'en achète une noire ! J'ai un vélo, j'achète une auto. J'ai une femme...

JOSÉPHINE.

Au fait !

LE CHIFFONNIER.

Je me lève avant le petit jour pour aller déposer des dons en espèces au fond de chaque poubelle. J'ai des témoins. On n'a qu'à me suivre. Je fais venir des fleurs de Java, où on les cueille à dos d'éléphant. Et qu'on ne les abîme pas, ou je mets à pied* les cornacs*. C'est de ne pas avoir d'argent qui est difficile, pour nous autres riches ! Il ne nous lâche plus. Je joue un outsider*, il gagne de vingt longueurs. Je prends un billet, je le choisis avec les mauvais chiffres, c'est lui qui sort. Et il en est pour mes pierres précieuses comme pour mon or. Chaque fois que je jette un diamant dans la Seine, je le retrouve dans le gardon* que me servent mes maîtres d'hôtel. Dix diamants, dix gardons. Ce n'est pas en donnant deux sous au sourd-muet que je me débarrasserai de mes quarante milliards ! Alors, où est mon crime !

Jean Giraudoux, *La Folle de Chaillot*, Grasset, 1946.

le Pré-Saint-Gervais : banlieue populaire au nord-est de Paris.

le Kremlin-Bicêtre : banlieue située en bordure de Paris, au sud. Il y existait encore des espaces non construits au début du siècle.

le Bon Marché : grand magasin, à Paris, sur la rive gauche.

le Creusot : centre industriel situé entre Lyon et Dijon.

une combine : (fam.) moyen astucieux et déloyal.

être fichu de : (fam.) être capable de.

mettre à pied : renvoyer, congédier.

un cornac : l'homme qui est chargé de soigner et de conduire les éléphants.

un outsider : dans les courses de chevaux, cheval qui part avec une mauvaise cote.

un gardon : petit poisson de rivière.

Edwige Feuillère (la folle) et George Wilson (le chiffonnier). Mise en scène de G. Wilson au Théâtre National Populaire, en 1965.

LA RHÉTORIQUE
(art de présenter les idées et les arguments)

• Recensez les différentes manières de présenter les arguments dans les deux tirades du chiffonnier (voir p. 92). Indiquez l'effet produit par chaque procédé.

Exemple : « L'argent, Comtesse ? Mais c'est lui, hélas, qui m'adore ! » L'interrogation sur le mot « argent » traduit un étonnement, presque une indignation. Cet effet renforce le renversement d'idée qui suit. La construction « c'est lui qui » renforce également cet effet d'opposition.

L'HUMOUR
DU CHIFFONNIER

• Étudiez les arguments du chiffonnier du point de vue de leur effet comique :
– situations inattendues, illogiques, excessives,
– mises en oppositions,
– prise à contre-pied des critiques d'Aurélie,
– personnification de l'argent,
– mélange entre la condition de chiffonnier et le rôle qu'il joue,
– etc.

• Quelle est l'idée principale que le chiffonnier veut développer et qui constitue sa ligne de défense ?

RECHERCHE D'IDÉES
ET EXPRESSION

•Recherchez les arguments d'une plaidoirie pour défendre :
– les paresseux
– les colériques
– les dragueurs
– les étourdis
– etc.

INTERROGATOIRE

« GARDE À VUE », UN FILM DE CLAUDE MILLER DIALOGUES DE MICHEL AUDIARD

La scène suivante se déroule tout au début du film. Maître Martinaud, notaire, vient d'être convoqué au commissariat de police par le commissaire Gallien qui souhaite l'interroger. Deux petites filles ont été violées et tuées à quelques jours d'intervalle. C'est Martinaud qui a découvert le cadavre de la dernière victime. L'inspecteur Belmont prend note de sa déposition.

GALLIEN. Le soir du 3, vous vous promeniez avec le chien de vos voisins, les époux Brunet. C'est bien ça ?
MARTINAUD. Oui, oui. C'est ça, c'est ça. Comme tous les soirs, oui. J'aime les chiens...
GALLIEN. Ben, alors, si vous aimez les chiens, pourquoi est-ce que vous n'en avez pas un à vous ?
MARTINAUD. Parce que ma femme ne les aime pas, elle préfère les chats.
GALLIEN. Vous avez un chat ?
MARTINAUD. Non. Ça fait des saletés. Ma femme aimerait un chat qui ne ferait pas de saletés.
BELMONT. Un chat, ça fait moins de saletés qu'un chien.
MARTINAUD. Ce qui fait le plus de saletés c'est les serins*. Ma femme n'en voulait pas non plus, mais alors là, j'ai tenu bon. Oui, il m'arrive de tenir bon, des fois. Ben, oui, oui, oui... Les serins, le chien du voisin...
GALLIEN. Comment il s'appelle, déjà ?
MARTINAUD. Brunet.
GALLIEN. Non... Le chien.
MARTINAUD. Tango.
GALLIEN *(cherchant dans le dossier de Martinaud).* Ah, voilà, oui. Tango, setter irlandais... Ça a un sacré flair, ces petits chiens-là, hein ?
BELMONT. C'est des chiens de chasse, ça.
GALLIEN. Mais je comprends, oui. C'est même des sacrés chiens de chasse.
MARTINAUD. C'est des chiens de chasse si on les emmène à la chasse. Tango, ce serait plutôt un chien d'agrément.
BELMONT. Tango... Ça s'écrit comme un tango ?
MARTINAUD. Mais oui. Comment voulez-vous que ça s'écrive ? Comme paso-doble ?
GALLIEN. Dans toutes vos dépositions, vous dites, euh... « Quand j'ai découvert le corps... » Mais... vous mentionnez jamais le chien ?
MARTINAUD. Et alors?
GALLIEN. Ben... C'est le chien qui aurait dû trouver le corps. Normalement, euh... Ah non, attendez... Autant pour moi... Et dire que j'ai potassé* le dossier toute la soirée !
MARTINAUD. Dans les embouteillages...
GALLIEN. Non, non, vous avez raison... Monsieur Brunet affirme que vous n'étiez pas avec Tango ce soir-là. Il dit bien que vous avez l'habitude de vous promener avec, oui, mais... Pas ce soir-là.
MARTINAUD. Il sait plus ce qu'il dit, le père Brunet. Il picole*.
GALLIEN. Bon, écoutez, alors, moi je veux bien, mais alors... Madame Faure, Henriette, commerçante, au numéro 12, ne sait plus non plus ce qu'elle dit, Espéru, Marcel, même chose... En somme, dans le quartier, il n'y a que vous qui savez ce que vous dites, hein ? Mais alors, qui, qu'est-ce que je dois croire, moi ?
MARTINAUD. Eux.
GALLIEN. Vous savez, Maître... Moi, je n'ai rien contre vous, hein ? Aucune animosité. Je dirais même : aucun sentiment. Parce que, si en plus je devais cultiver des sentiments personnels envers tous ceux qui défilent dans ce bureau, hein...
MARTINAUD. Disons tout de même un certain acharnement...
GALLIEN. Monsieur Martinaud, deux petites filles ont été violées et assassinées à huit jours d'intervalle... Et moi, je veux savoir par qui. Alors, vous ou un autre... Je vous jure que ça m'est complètement égal.
MARTINAUD. Ne dites pas ça. C'est pas vrai.
GALLIEN. Ah si.
MARTINAUD. Oh ben, c'est pas vrai ! Un raton* ou un nègre a violenté une petite fille, c'est une affaire quelconque. Par contre, si c'est moi, Maître Martinaud, notaire, alors là, c'est... C'est inespéré dans une carrière de flic. Hmm ? Les journaux, les interviews... La télé, si tout va bien... Hmm, c'est pas vrai, ça ? Hmm, hmm, avouez !
GALLIEN. Écoutez, vous n'allez quand même pas renverser les rôles, non ? Hein ! Bon, d'accord. Admettons que je sois dévoré d'ambition... Mais alors, les époux Brunet... Madame Faure, et Espéru, là, pourquoi vous accableraient-ils ?
MARTINAUD. Parce que je suis riche, que j'ai une belle maison et une jolie femme. Or il se trouve que... que je ne mérite rien de tout ça. J'ai une intelligence et un physique très moyens ; les médiocres se résignent à la réussite des êtres d'exception. Ils applaudissent les surdoués et les champions, mais la réussite d'un des leurs, ça les exaspère. Ça les frappe comme une injustice. Je suis sûr que vous avez reçu des lettres anonymes.
GALLIEN. Oh, pas plus que d'habitude, non. Non, enfin, pas beaucoup plus. Ben, les Français aiment bien écrire à la police, qu'est-ce que vous voulez que

Lino Ventura (Gallien) et Michel Serrault (Martinaud) dans *Garde à vue.*

j'y fasse, hein ? Oui, j'ai reçu des lettres, des tas, où il est question de fraude fiscale, de surface corrigée*, enfin, plein de petites choses comme ça, quoi... Plus deux viols, naturellement. Et même certaines de ces lettres vont jusqu'à suggérer que votre femme en aurait été l'instigatrice... Et pour d'autres, simple spectatrice. Par contre, voyez-vous, dans aucune de ces lettres il n'est fait état de votre médiocrité. De bizarrerie, oui, mais pas de médiocrité.

L'Avant-Scène Cinéma, n° 288.

un serin : petit oiseau jaune vif.

potasser un dossier : (fam.) l'étudier.

picoler : (fam.) boire.

un raton, un nègre : (vulg.) termes très péjoratifs pour désigner un Arabe et un Noir.

la surface corrigée : loi qui impose un loyer maximum en fonction de la surface de l'habitation.

LA COMMUNICATION ENTRE GALLIEN ET MARTINAUD

- Le contenu du dialogue ne se limite pas aux faits relatifs aux assassinats. Relevez tout ce qu'on apprend sur les deux personnages (caractère, vie privée, goûts, etc.).
- Montrez que chaque personnage essaie de connaître l'autre, livre une partie de lui-même.
- Chaque personnage est tour à tour dominant et dominé. Retrouvez les moments où s'opèrent ces renversements de forces.
- Faites la liste des moyens grâce auxquels les personnages essaient de « prendre le dessus » (de dominer l'autre) : confidences, traits d'esprit, moqueries, etc.
- Imaginez la mise en scène d'une partie de ce dialogue (mimiques, gestes, attitudes, déplacements, cadrages de la caméra).

JEUX DE RÔLES

- Imaginez les circonstances d'un délit et choisissez un suspect.
- Improvisez l'interrogatoire de ce suspect.

INFO MÉMOIRE

22 MARS 1992, RÉSULTATS DES ÉLECTIONS RÉGIONALES

LES ÉLECTIONS EN FRANCE

☐ **Les élections présidentielles :** élection du président de la République au suffrage universel (tous les 7 ans).

☐ **Les élections législatives :** élection des députés de l'Assemblée nationale (tous les 5 ans).

☐ **Les élections cantonales :** élection des conseillers généraux qui gèrent le département (tous les 3 ans, renouvellement de la moitié du conseil).

☐ **Les élections régionales :** élection des conseillers régionaux – une région regroupe en moyenne 5 départements – (tous les 6 ans).

☐ **Les élections sénatoriales :** élection des sénateurs. Le Sénat et l'Assemblée nationale forment le Parlement. Les sénateurs sont élus par les grands électeurs (députés, conseillers généraux et délégués des conseils municipaux) pour 9 ans. Les élections ont lieu tous les 3 ans et renouvellent le tiers du Sénat.

☐ **Les élections européennes :** élection des députés français au Parlement européen au suffrage universel (tous les 5 ans).

LES GROUPES POLITIQUES AUX ÉLECTIONS RÉGIONALES DE MARS 1992

☐ Le Parti communiste (P.C.).

☐ Le Parti socialiste (P.S.).

☐ Les divers gauche (organisations diverses qui se situent plutôt à l'extrême-gauche. La plus représentée est Lutte ouvrière).

☐ Génération Écologie (mouvement écologiste créé en 1990, a participé aux gouvernements socialistes).

☐ Les Verts (parti écologiste fondé en 1984).

☐ Union pour la démocratie française (U.D.F.) regroupe plusieurs partis de centre-droit (Parti républicain, Centre des démocrates sociaux, Parti radical).

☐ Rassemblement pour la République (R.P.R.) parti de tradition gaulliste.

☐ Le Front national (parti d'extrême-droite nationaliste et anti-gaulliste).

☐ Les divers droite (organisations diverses de droite : monarchistes, etc.).

• En écoutant l'enregistrement relevez les informations suivantes :
– taux de participation et d'absention,
– résultats de chaque parti,
– évolution de chaque parti par rapport aux élections précédentes,
– commentaires des journalistes.

• Rédigez un titre de presse et un sous-titre développé pour les journaux suivants :
– un journal communiste,
– un journal socialiste,
– un journal favorable aux écologistes,
– un journal de droite défavorable au Front national,
– un journal du Front national.

OPINIONS

LES SHERLOCK HOLMES DE L'AN 2000

Les techniques d'investigation de la police deviennent de plus en plus sophistiquées. Le chef du laboratoire de la police scientifique nous présente deux de ces techniques : les empreintes génétiques et l'identification des voix.

• **Technique des empreintes génétiques.**
À l'aide de l'enregistrement et des notes ci-dessous répondez aux questions suivantes :
– En quoi consiste la technique des empreintes génétiques ?
– Est-ce une technique fiable ?
– Quels avantages offre cette technique par rapport à l'utilisation des empreintes digitales ?

• **Identification des voix.**
Où en est la recherche dans ce domaine ?

AIDE À L'ÉCOUTE

Chaque **cellule** de l'organisme contient un **noyau.** Dans ce noyau se trouvent les **chromosomes** qui sont constitués de doubles chaînes en hélice **d'ADN** (assemblages d'**acides aminés**). L'ensemble de ces chromosomes constitue le **génome.**

calciné : brûlé au dernier degré.

moelle osseuse, pulpe dentaire: substances molles à l'intérieur des os et des dents.

un tissu : en anatomie, ensemble de cellules ayant une même fonction.

débobiner : dérouler.

VOIX

À TRAVERS LA FRANCE

LE THÉÂTRE EN FRANCE DEPUIS 1945

C'est avec le gouvernement du Front populaire (1936-1938) et notamment l'action de Jeanne Laurent que naît l'idée d'un théâtre outil d'éducation et d'épanouissement personnel. Puisque le théâtre peut servir l'intérêt collectif il doit être subventionné, décentralisé et popularisé. Telle sera donc la politique des gouvernements qui se succéderont jusqu'aux années 70. La création du Théâtre national populaire animé par Jean Vilar, des centres dramatiques nationaux et régionaux, des Maisons de la Culture par André Malraux témoignent de cet effort de démocratisation de l'action culturelle. Mais à partir de 1968 il devient clair que d'une part, l'objectif de popularisation du théâtre n'a pas été vraiment atteint et que d'autre part, cette politique n'a pas su encourager la création théâtrale (nouveaux auteurs et nouvelles pièces). Le ministère de la Culture décide alors de privilégier la création de nouvelles œuvres.

LECTURE DES DOCUMENTS

• Recherchez dans ces documents :
– le rôle qu'a joué l'État dans l'histoire du théâtre contemporain,
– les changements qui sont intervenus dans le monde du théâtre,
– les difficultés que rencontrent aujourd'hui les gestionnaires de théâtre et les metteurs en scène

LES PROBLÈMES DU THÉÂTRE D'AUJOURD'HUI

Ce qu'il faut voir, c'est que le soutien à la création a coïncidé avec un décollage des coûts du spectacle. Livré à la nécessité de s'approprier de nouvelles technologies, qui demandaient beaucoup d'argent, le théâtre a dû compter, en outre, avec le retour des vedettes à la scène, phénomène de société que l'on retrouve à peu près dans tous les secteurs et qui allait à l'inverse même des principes fondateurs de la décentralisation. C'est ce qui explique que l'augmentation des subventions ait pu servir de parapluie à certains excès dans le théâtre subventionné. Alors que l'on imaginait couramment que sa mission même devait l'en prémunir, le théâtre a suivi une évolution identique à celle des marchés de l'art, du cinéma ou de la chanson.

Mais que devient alors la notion de service public ? C'est là où le bât blesse*. Il est certain que l'attachement exclusif à cette forme d'esthétique théâtrale, s'il n'est pas tempéré par un souci « pédagogique » à l'égard du public et par le désir de l'élargir, met en danger les raisons qu'a l'État d'intervenir en faveur de la création. Beaucoup d'auteurs contemporains ne trouvent pas le contact avec le public. Il est vrai que l'objectif de démocratisation assigné au théâtre subventionné par Jeanne Laurent, puis par André Malraux fait sourire aujourd'hui beaucoup d'esprits forts : il n'en demeure pas moins l'une des pierres de touche* essentielles de la politique culturelle.

Durant cette décennie, la société et le monde ont changé. L'Histoire s'est violemment réveillée. Un nouveau prolétariat est apparu. L'action culturelle – ce mot devenu tabou – a bien de quoi trouver de nouveaux élans. À observer ce qui se passe aujourd'hui dans le paysage théâtral, on voit la montée de formes nouvelles, en dehors des institutions (théâtre du geste et du mouvement, théâtre visuel, théâtre de rue, etc.), et la pratique disséminée, mais de plus en plus décidée et originale, d'un théâtre inventé pour le plaisir et la libération de ceux qui le font. Que ce soit dans le milieu scolaire et universitaire, dans les quartiers de banlieue, chez les handicapés, dans les prisons, il ne s'agit pas du tout d'animation socioculturelle, mais bien d'un art qui cherche son langage, ses langages, dont le travail d'Armand Gatti donne l'exemple le plus connu.

Il faut que le ministère de la Culture s'ouvre désormais beaucoup plus largement à la jeunesse, à la pratique amateur, à l'éducation populaire. Sans renoncer à demeurer la maison des arts et des artistes.

Robert Abirached (Directeur du théâtre et des spectacles au ministère de la Culture de 1981 à 1988), *L'Express*, 14.5.1992.

un bât : harnais que l'on met sur un animal qui transporte des marchandises (âne, mulet, etc.). L'expression « c'est là que le bât blesse » signifie : est le défaut de la chose, le point sensible.

une pierre de touche : ce qui fait reconnaître la valeur de quelque chose.

ÉCOUTE DE L'ENREGISTREMENT

• Trois responsables de théâtres implantés à Rouen font part de leurs craintes et de leurs espoirs. Retrouvez-vous les mêmes problèmes que ceux qui ont été exposés dans les articles ci-dessus ?

L'ART DE LA COMPOSITION

Jean Baptista Gaulli di Baciccia, *le Triomphe du Nom de Jésus,* plafond, 1674-1679, église du Gesù, Rome.

Robert Delaunay (1885-1941), *L'Équipe de Cardiff,* 1913, musée d'Art moderne de la Ville de Paris.

Nicolas Poussin (1594-1665), *Règne de Flore,* 1631, Staatliche Kunstsammlungen Gemäldegalerie, Dresde.

ANALYSE DE LA COMPOSITION D'UNE ŒUVRE

• Repérez (le cas échéant) les éléments suivants.

La présence d'une perspective :
– les effets de trompe l'œil,
– l'organisation en plans (premier plan ou devant de la scène, deuxième plan, arrière plan ou fond),
– l'absence de perspective,
– la multiplication des perspectives.

La répartition des masses et des volumes :
– les effets d'opposition, de gradation,
– le jeu des lignes (horizontales, verticales, obliques, courbes et contre-courbes),
– les effets d'équilibre ou de déséquilibre.

Les jeux d'ombres et de lumières :
– les parties éclairées,
– les ambiances de demi-jour ou de pénombre,
– les effets de contraste, de clair-obscur, de contre-jour.

Le mouvement général du tableau :
L'aspiration vers le haut, vers le côté, etc.

• Analysez en détail le tableau de Delaunay (éléments représentés, composition et couleurs) en le replaçant dans le contexte historique du début du XXe siècle. Quel est le sens de cette œuvre ? Peut-on trouver un message aussi fort dans le tableau de Poussin ?

BAROQUE
ET CLASSICISME

Deux tendances se partagent l'art et la littérature des XVIIe et XVIIIe siècles.

L'esthétique baroque : marquée par l'instabilité des formes qui donne l'illusion du mouvement, le goût de la profusion ornementale, de l'ostentation et des métamorphoses.
Cette esthétique a moins marqué la France que les autres pays d'Europe mais on peut néanmoins la déceler dans certaines œuvres.

L'esthétique classique : école d'équilibre, d'ordre, de stabilité et de simplicité.

• Recherchez ces tendances dans l'œuvre de Poussin et dans celle de Gaulli di Baciccia.

LE DISCOURS DE DESCRIPTION ET D'ANALYSE

■ ORGANISATION DU DISCOURS D'ANALYSE

☐ **L'analyse** (ou la description) d'un objet, d'un phénomène, d'un texte procède selon la décomposition de l'ensemble en sous-ensembles (parties ou éléments). Chaque élément est alors caractérisé. Cette caractérisation peut porter sur la forme, la fonction, l'histoire, la localisation, etc., de l'objet ou du phénomène.

☐ **La caractérisation** se fait en général au moyen des formes suivantes :
- l'adjectif et les formes qui lui sont proches comme le nom attribut, le complément du nom et la proposition relative,
- les formes qui permettent d'exprimer la définition, l'analogie, la relation (voir p. 40), le moyen, la localisation, etc.

1 Étudiez l'organisation du paragraphe descriptif suivant. Relevez :
– les sous-ensembles décrits,
– les types de caractérisation (forme, fonction, localisation, etc.),
– les formes grammaticales utilisées,
– le vocabulaire propre au discours d'analyse (celui qui pourrait être utilisé pour analyser d'autres objets).

L'ORIGINE PHYSIOLOGIQUE DES RÊVES

Le cerveau comporte deux systèmes qui entrent en jeu pour susciter l'apparition du rêve. Il existe d'abord un petit groupe de neurones situés dans la partie du cerveau nommée « locus cœruleus » qui agit comme un frein moteur de l'organisme pendant le sommeil. S'il est déréglé, l'individu manifeste concrètement ses rêves (il parle, bouge, se lève, etc.). Mais à proximité de ce premier centre se trouve également un autre groupe de neurones, une sorte d'horloge interne ou de générateur qui s'active périodiquement. C'est le chef d'orchestre. Il dirige directement ou indirectement le grand ensemble de neurones dans tout le cerveau pour lui faire jouer la partition onirique.

2 Quels sont les sous-ensembles que vous décririez et les types de caractérisation que vous utiliseriez pour analyser les objets et les phénomènes suivants ?

Exemple : un nouvel ordinateur → forme – grandeur – grandeur de l'écran – capacité de la mémoire, etc.

– un personnage historique,
– un film,
– un conflit social (grève, etc.),
– un roman,
– un paysage,

Types de caractérisation :
– physique (forme, couleur, poids, dimension, consistance, etc.),
– psychologique (caractère, comportement, etc.),
– fonction et fonctionnement,
– situation dans l'espace,
– histoire (origine, évolution, etc.),
– mise en relation avec d'autres objets ou phénomènes (ressemblance, analogies).

3 Complétez en utilisant le vocabulaire de la rubrique ci-contre « expression de l'existence »

– Depuis les événements tragiques qui... à Vaux-en-Velin, une atmosphère tendue... sur cette banlieue de Lyon.

– Le Front national, courant politique d'extrême-droite... depuis 1972 mais il n'a vraiment... qu'en 1984 en obtenant plus de 10 % aux élections européennes. Depuis lors, son leader, Jean-Marie Le Pen n'a cessé de... dans les médias.

– La rumeur d'une éventuelle démission du président... avec l'annonce de l'intervention chirurgicale qu'il a dû subir. La réapparition rapide du président sur la scène publique et les bulletins de santé optimistes n'ont pas réussi à... cette rumeur.

■ VOCABULAIRE POUR L'ANALYSE

☐ **Expression de l'existence**
■ **Objet :** il y a – se trouver – régner – se rencontrer – se voir – se montrer
■ **Événement :** avoir lieu – se passer – se dérouler – se produire – se manifester
L'inexistence – l'absence – le manque
■ **Apparition :** Apparaître (une apparition) – naître (une naissance) – émerger (une émergence) – se faire jour – survenir – surgir – prendre corps
■ **Disparition :** Disparaître (une disparition) – s'effacer (un effacement) – prendre fin – se dissiper – s'évanouir – s'épuiser – mourir – se cacher – se dissimuler – être masqué

☐ **Expression de l'évolution**
■ évoluer – changer – se transformer – se métamorphoser – se modifier –
subir une évolution, un changement, une transformation, une métamorphose, une modification
■ se développer (un développement) – s'étendre se former (une formation) – (une extension) – s'enrichir (un enrichissement) – s'intensifier (une intensification) – s'amplifier (une amplification)
■ devenir – donner *(l'acteur a donné un ton alerte à son interprétation)* – rendre *(le décor de la pièce rend l'atmosphère sinistre)*

☐ **Appartenance et inclusion**
■ appartenir à – faire partie de – dépendre de – être inclus, englobé dans
■ inclure – comporter – regrouper – comprendre – être composé de – contenir – englober – intégrer – impliquer

☐ **Ensembles et parties**
■ un ensemble – un groupe – un groupement – une construction – un tout – une organisation – un système – une structure – une composition
■ une partie – une composante – une unité – un élément – un point – une catégorie – une espèce – une sorte – un genre – une classe – un type – une forme

4 Utilisez le vocabulaire de la rubrique « expression de l'évolution » pour décrire :
- les changements intervenus dans votre ville depuis une trentaine d'années,
- l'évolution des relations entre enfants et adultes dans votre pays depuis les années cinquante,
- l'évolution d'une profession que vous connaissez bien.

5 Voici des notes prises par deux journalistes de spécialités différentes. Rédigez les deux paragraphes correspondants à ces deux documents.

Un journaliste politique analyse le mouvement écologiste français.

Thèses du mouvement écologiste :
2 idéologies distinctes.
1/ Conservatisme à tendance passéiste
(origine : les idées de Rousseau)
le bonheur est dans le passé et le progrès est suspect.
2/ progressisme : prise en compte des réalités – existence d'un modèle économique et d'un projet de société –
Risque de vision utopiste chez certains
Importance croissante de la tendance progressiste

Un journaliste économiste présente l'entreprise SUREL.

· Entreprise SUREL (groupe GADAP)
Vêtements (prêt-à-porter) – bijoux fantaisie – objets en cuir
Siège social : Paris
Secteur création des produits : Paris
Secteur production : usines à Montpellier et au Maroc
. Secteur commercial : Paris et 3 filiales à Rome, New York et TOKYO.

7 L'ère du soupçon

Je me sens très optimiste quant à l'avenir du pessimisme.

Jean Rostand, *Carnets d'un biologiste,* Stock.

Faits divers
Hasard
Hypothèses
Nouveau roman
Optimisme
Personnages de l'Histoire
Personnages littéraires
Points de vue
Présentations des faits
Société
Théâtre de l'absurde

Il arriva que le feu prit dans les coulisses d'un théâtre.
Le bouffon vint en avertir le public. On pensa qu'il faisait de l'esprit et on applaudit ; il insista ; on rit de plus belle.
C'est ainsi, je pense, que périra le monde :
dans la joie générale des gens spirituels qui croiront à une farce.

Søren Kierkegaard, *Ou bien… Ou bien,* 1843.

IDÉES

LES HASARDS DE L'HISTOIRE

Dans l'étrange pays de Serendip*, tel qu'Horace Walpole* en a conté la légende dans *les Trois Princes de Serendip,* tout arrive à l'envers. Vous trouvez par hasard ce que vous ne cherchez pas. Vous ne trouvez jamais ce que vous cherchez. Vous commettez une erreur : elle tourne à votre avantage. Vous voulez du mal à quelqu'un : vous assurez sa prospérité. Fort de l'expérience, vous manœuvrez en sens opposé : vous aboutissez à plus inattendu encore.

Walpole appela ce curieux phénomène *serendipity.* Nommons-le « effet serendip ». Il a toujours joué un grand rôle dans l'histoire. Christophe Colomb cherchait la Chine ; il découvrit l'Amérique. En politique, nous sommes souvent des Christophe Colomb, bien que nous découvrions rarement l'Amérique. [...]

Avec ou sans violence, la France m'est souvent apparue comme un royaume de Serendip, où les surprises abondent. Les dirigeants y ressemblent à ces joueurs qui, sur un billard bosselé, provoquent des carambolages imprévus. Plus leurs calculs ont été habiles, plus ils manquent leur coup. Le joueur qui se fie au hasard sera moins déçu...

Les héros politiques des autres nations ont connu des succès éclatants : Pitt, Disraeli, Churchill ; Washington, Roosevelt ; Bismarck et Cavour ; Lénine et Mao. Ces grands hommes ont été grands parce qu'ils ont réussi. En France, ce serait plutôt le contraire.

De quels héros historiques se berce, de nos jours, notre imaginaire ? Vercingétorix enchaîné au char de César. Saint Louis, mort dans une croisade manquée. Jeanne d'Arc, qui s'était juré de jeter les Anglais hors de France, et fut emprisonnée par eux ; de mettre son roi sur le trône, et fut abandonnée par lui ; de répondre à l'appel de Dieu, et fut condamnée par un tribunal d'Église. Louis XIV, qui voulait assurer à la France la « magnificence », et s'éteignit dans un royaume réduit à la misère. Napoléon, qui voulait contraindre la Grande-Bretagne à la famine, et fut déporté par les Anglais sur un îlot perdu. Et ne parlons pas de nos héros républicains, presque tous marqués par l'échec... Peut-être d'ailleurs les aimons-nous plus *pour* leurs échecs que pour leur succès ; nous pour qui le sportif le plus populaire* est un cycliste qui n'a jamais gagné une course.

L'effet Serendip est le *pain quotidien de notre histoire.* Il affecte les régimes que la France s'est donnés jusqu'à nos jours ; *ils ont tous abouti à l'inverse de ce qu'ils recherchaient.*

La monarchie de droit divin ? Le caractère sacré du roi fut aboli à jamais dans un meurtre rituel. La Révolution ? L'anarchie qu'elle provoqua déboucha sur la dictature. Napoléon ? Il entendait être le continuateur de la Révolution : sa démesure rétablit la royauté. Louis-Philippe ? Il souhaitait réconcilier la royauté et les trois couleurs ; il coalisa contre lui le blanc des légitimistes, le bleu des républicains et le rouge des socialistes. La révolution socialiste de 1848 ? Elle amena au pouvoir le parti de l'ordre et, pour finir, un Empire autoritaire. [...]

Alain Peyrefitte, *Le Mal français,* Plon, 1977.

Serendip : nom qui était donné à l'île de Ceylan. Dans le conte philosophique de Walpole, il s'agit d'un pays imaginaire.

Horace Walpole (1717-1797) : écrivain anglais, auteur des premiers « romans noirs ».

le sportif le plus populaire... : il s'agit de Raymond Poulidor, le coureur cycliste le plus populaire des années 70. Il ne gagna effectivement jamais aucune grande compétition mais arrivait toujours deuxième.

VOCABULAIRE

- Relevez les mots qui sont liés
  - à la notion de hasard,
  - à la notion de contraire.
- Complétez les deux listes avec les mots suivants : *– contradictoire – fortuit – inopiné – divergent – aléatoire – à rebours – accidentel – faire quelque chose au petit bonheur – faire volte-face – risquer – renverser la vapeur.*

DÉBAT

- Le monde est-il gouverné par le hasard ?

Cherchez des exemples dans l'Histoire, dans l'actualité (politique, économique, faits divers), dans votre vie privée ou professionnelle et dans celle des gens que vous connaissez.

LES HÉROS DE L'HISTOIRE

- Lisez, dans un manuel d'histoire ou dans une encyclopédie, la biographie des héros de l'Histoire de France cités par l'auteur. Relevez les succès et les échecs de ces personnages. Commentez les affirmations de l'auteur.
- Cherchez dans l'Histoire de votre pays pourquoi certains personnages sont devenus légendaires ; pourquoi d'autres, qui peut-être l'auraient mérité, sont restés dans l'oubli.
- Rédigez le règlement d'entrée au club des héros de l'Histoire. *Conditions à remplir pour être un héros de l'Histoire...*

IDÉES

LE MONDE TEL QU'IL EST

DES FAITS DIVERS BOURRÉS D'IDÉES

Chaque jour qui passe, l'agence France-Presse recueille sur ses télex son quota d'histoires vraies, qui dépassent souvent l'entendement, forcent l'admiration, laissent rêveur.

Un prétendu restaurateur de vieux meubles, les poches remplies d'asticots*, se présente au domicile d'une septuagénaire pour lui racheter de vieux papiers. Deux splendides fauteuils Voltaire n'échappent pas à son regard. Tapotant sur les accoudoirs et faisant tomber des vers sur le sol, il fait aussitôt remarquer à la brave dame que ces derniers sont attaqués par la vrillette*. Il réussit ainsi à lui prouver que son mobilier est pourri et à la persuader de s'en débarrasser. Après le départ de l'imposteur, elle constate que les vers ne sont que de vulgaires asticots...

Lyon, février 1985.

un asticot : larve de mouche, utilisée comme appât par les pêcheurs.

une vrillette : larve qui ronge le bois.

une mèche « triste » : mèche de cheveux qui tombe.

un brûlot : écrit destiné à susciter des polémiques (ici, dans un emploi ironique).

Dans un article publié dans la presse du cœur ibérique qui eut un grand retentissement en Argentine, le chanteur Julio Iglésias aurait vanté les mérites capillaires de l'huile contenue dans les boîtes de sardines comme étant le meilleur traitement des mèches « tristes »*. Depuis la publication de ce brûlot*, des milliers de chauves se sont précipités dans les grandes surfaces pour s'approvisionner en boîtes de sardines, laissant derrière eux des rayons parfaitement dégarnis. On ignore pour l'instant si la repousse des cheveux a été proportionnelle à la progression des ventes.

Buenos Aires, novembre 1987.

Un détective privé chargé de suivre une femme soupçonnée d'adultère par son mari en est devenu l'amant. Il fut accusé d'escroquerie pour avoir dressé un « constat » d'adultère et avoir reçu 20 000 F d'honoraires par le mari trompé qui ne l'était pas encore. Le tribunal, dubitatif, délibère encore.

Besançon, février 1982.

Un jeune Belge de 24 ans a été condamné à trois mois de prison avec sursis et à 18 000 F d'amende pour avoir inscrit le nom de son chien en lieu et place du sien sur son abonnement de téléphone.

Bruxelles, août 1987.

Avec 31 yens (80 centimes) en poche, Mitsuo Ono s'est offert mercredi une course de 800 km en taxi pour retourner en prison, car, a-t-il déclaré au poste de police, *« la vie à l'extérieur est bien trop compliquée »*. Le chauffeur de taxi en a été pour ses frais : 196 000 yens, soit près de 5 000 F.

Tokyo, juin 1982

10 500 DM (35 700 F), c'est la somme déboursée par l'acquéreur du jean troué aux deux genoux – le plus cher du monde – appartenant à l'artiste ouest-allemand Joseph Beuys décédé en 1986.

Cologne, décembre 1988.

Enquête de Michel Vergez à partir d'archives de l'AFP, *L'Événement du Jeudi*, 5.7.1990.

ÉCRITURE

- Quels aspects négatifs de notre société révèle chacune de ces dépêches d'agence ?
- Faites en groupe la liste des défauts et des carences de notre société.
- Rédigez (en vous partageant le travail) une série de brefs articles sur des exemples illustrant chacun de ces défauts. Imitez le style bref et concis des dépêches ci-dessus.

DES RAISONS D'ÊTRE OPTIMISTE

Directeur de recherche au CNRS (Centre national de la recherche scientifique), Edgar Morin (né en 1921) s'est imposé par ses nombreux écrits, à la fois comme sociologue, témoin politique et penseur des problèmes fondamentaux des sciences de l'homme. Il donne ici son opinion sur les déchirements et les bouleversements qui agitent le monde du début des années 90.

[...] Il faut d'abord rappeler que nous avons vécu un XXe siècle qui a été régressif par excellence. Il a vu deux énormes totalitarismes fleurir, il a vu deux guerres mondiales avec des dizaines de millions de morts, il a vu l'arme thermonucléaire et son emploi. Il a vu le retour de la torture, opérée par des grands pays civilisés [...]. Ce siècle a donc apporté, en même temps que divers progrès, des régressions fondamentales... Et dans le fond, nous sortons de la régression totalitaire. Pour un certain nombre d'années, le spectre du totalitarisme est exorcisé. Bien sûr, il restera très longtemps des résidus des totalitarismes nazi et stalinien. Mais ils ne pourront pas retriompher [...]

Êtes-vous pessimiste pour la fin du siècle ?

Je suis optimo-pessimiste, les deux notions doivent être reliées : lorsqu'il y a un mélange de possibilités progressives et régressives intimement liées, les choses ne sont pas décidées. Nous venons de quitter le XXe siècle, et nous vivons une grande période d'incertitude. L'illusion du futur assuré et du progrès garanti par l'Histoire est morte. Tant mieux... Nous entrons dans un monde nouveau, plus incertain, où tout est à la fois déchiré et noué, où tout est interdépendant. Il faut apprendre à vivre avec. Christophe Colomb ne savait pas où il allait, mais il a découvert le Nouveau Monde.

Comment, à défaut de prévoir, mieux comprendre ce qui se passe ?

« *L'oiseau de Minerve* s'envole au crépuscule* », disait Hegel. La compréhension et la sagesse nous arrivent toujours en retard. En toute époque, la conscience a toujours été en retard sur les événements. Nous ne serons jamais maîtres du futur, mais nous pouvons au moins être conscients de notre ignorance et avoir des stratégies en fonction de l'incertitude. Nous devons surtout faire une réforme radicale de pensée. Notre éducation nous a appris à toujours séparer et à compartimenter les choses, jamais à les rassembler. Aujourd'hui, nous devons re-li-er... Nous savons qu'un système vivant n'est pas isolé de son écosystème. Ce qui existe dans tous les systèmes, ce sont des interactions dans lesquelles il faut situer chaque phénomène particulier.

Mais ce n'est pas très facile de penser la complexité.

C'est ça le problème : la complexité du réel risque de paralyser l'esprit. Mais, à mon avis, elle ne paralyse l'esprit que si l'on ne comprend pas qu'à un moment donné il faut faire en toute conscience des paris sur les risques que l'on va courir. Le grand homme politique est celui qui dit les risques à ses concitoyens. Quand Churchill a fait son fameux discours en 1940 en disant : « *Je vous promets du sang, de la sueur et des larmes* », il a été compris. Aujourd'hui, il n'y a pas de bla-bla à faire. Nous sommes dans une civilisation qui accumule les problèmes et les difficultés. Mais c'est dans ce monde-là qu'il nous faut agir. Il y a ce principe d'Hölderlin qui dit qu'avec le danger croît aussi ce qui sauve. L'histoire nous a donné quelques exemples rassurants dans ce sens. Il faut parier pour l'improbable et accepter l'idée que nous sommes encore dans l'âge de fer planétaire, et que nous ne sommes qu'à la préhistoire de l'esprit humain.

Propos recueillis par Olivier Drouin.

L'Événement du Jeudi, 14.5.1992.

LECTURE-RECHERCHE

• Au fil de la lecture du texte relevez :

les caractéristiques de l'analyse qu'Edgar Morin fait :

– de l'histoire du XXe siècle,

– du monde actuel,

– de la philosophie à adopter pour aborder l'avenir ;

tous les mots et expressions recouvrant les idées :

– d'interdépendance et de réunion des contraires,

– de complexité.

SYNTHÈSE

• Présentez la pensée d'Edgar Morin en organisant votre texte autour des deux idées forces **d'interdépendance** et de **complexité.**

DÉBAT

• Jusqu'à une époque récente, les Français pensaient le monde et la politique avec des couples de mots clés : droite/gauche, capitalisme/socialisme, démocratie/totalitarisme, etc. Pour Edgar Morin, ces mots sont des « spectres qui masquent les choses réelles ».

Quels sont les mots clés du paysage politique et idéologique de votre pays ? Peuvent-ils être traduits en français ?

• Êtes-vous d'accord avec ce qu'en dit Edgar Morin ?

l'oiseau de Minerve : Minerve était la déesse de la sagesse. Son emblème était la chouette, oiseau qui peut voir dans la nuit (symbole de clairvoyance).

LES INCERTITUDES DU PERSONNAGE

À partir des années 50 un groupe de romanciers, rassemblés pendant quelques temps sous l'appellation Nouveau roman, *se livre à une recherche de nouvelles formes romanesques. « Nous sommes entrés dans l'ère du soupçon », affirme Nathalie Sarraute : l'auteur et son lecteur se méfient des personnages et des histoires que l'un propose et que l'autre lit. Les formes traditionnelles du roman classique ne sont plus aptes à représenter la réalité telle qu'elle est perçue par l'homme moderne. Bien au-delà du Nouveau roman ces explorations formelles influenceront certains romanciers de la génération suivante.*

DÉBUT DE « DANS LE LABYRINTHE »

Je suis seul ici, maintenant, bien à l'abri. Dehors il pleut, dehors on marche sous la pluie en courbant la tête, s'abritant les yeux d'une main tout en regardant quand même devant soi, à quelques mètres devant soi, quelques mètres d'asphalte mouillé ; dehors il fait froid, le vent souffle entre les branches noires dénudées ; le vent souffle dans les feuilles, entraînant les rameaux entiers dans un balancement, dans un balancement, balancement, qui projette son ombre sur le crépi blanc des murs. Dehors il y a du soleil, il n'y a pas un arbre, ni un arbuste, pour donner de l'ombre, et l'on marche en plein soleil, s'abritant les yeux d'une main tout en regardant devant soi, à quelques mètres seulement devant soi, quelques mètres d'asphalte poussiéreux où le vent dessine des parallèles, des fourches, des spirales.

Ici le soleil n'entre pas, ni le vent, ni la pluie, ni la poussière. La fine poussière qui ternit le brillant des surfaces horizontales, le bois verni de la table, le plancher ciré, le marbre de la cheminée, celui de la commode, le marbre fêlé de la commode, la seule poussière provient de la chambre elle-même : des raies du plancher peut-être, ou bien du lit, ou des rideaux, ou des cendres dans la cheminée.

Alain Robbe-Grillet, *Dans le labyrinthe,* Éd. de Minuit, 1959 et 1962.

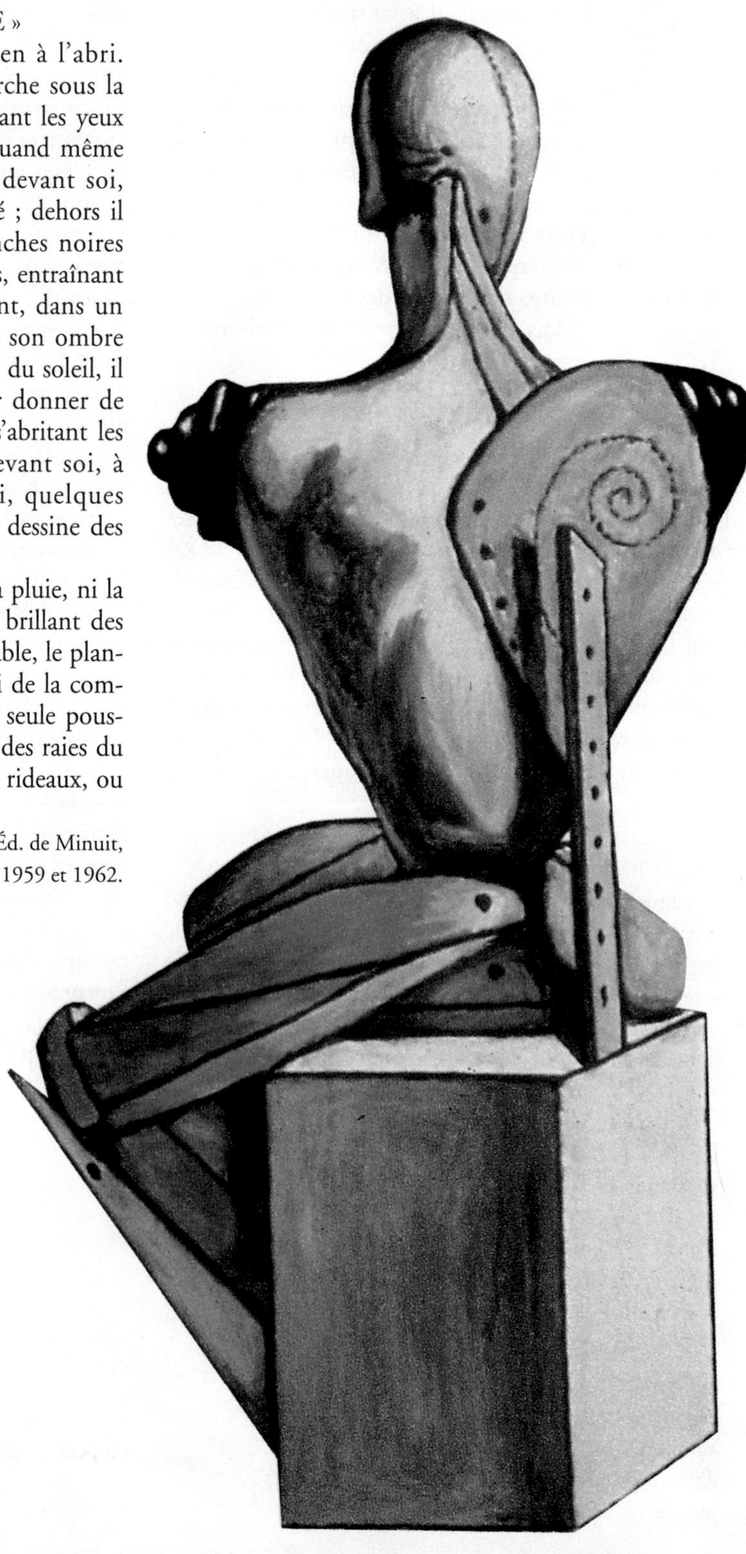

LA DESTRUCTION DES CERTITUDES DU ROMAN CLASSIQUE

• Relevez tout ce qui vous paraît incohérent.

• Analysez les trois décors qui sont proposés. Mettez-les en relation les uns par rapport aux autres.
Montrez que chacun d'eux pourrait être le point de départ d'un roman différent. Imaginez le sujet de ces romans.

• Faites des hypothèses sur l'identité du « je » qui parle et sur sa connaissance du monde.

• Comment caractériseriez-vous le monde qui est décrit ?

DÉBUT D'UN CHAPITRE DU « PLANÉTARIUM »
(qui pourrait aussi bien se situer au début du roman)

« Oh ! il faut qu'il vous raconte ça, c'est trop drôle... Elles sont impayables, les histoires de sa tante... La dernière vaut son poids d'or... Si, racontez-leur, c'est la meilleure, celle des poignées de porte, quand elle a fait pleurer son décorateur... Vous racontez si bien... Vous m'avez tant fait rire, l'autre jour... Si... racontez... »

Cette façon brutale qu'elle a de vous saisir par la peau du cou et de vous jeter là, au milieu de la piste, en spectacle aux gens... Ce manque de délicatesse chez elle, cette insensibilité... Mais c'est sa faute, à lui aussi, il le sait. C'est toujours ce besoin qu'il a de se faire approuver, cajoler... Que ne leur donnerait-il pas pour qu'ils s'amusent un peu, pour qu'ils soient contents, pour qu'ils lui soient reconnaissants... [...]. C'est lui, cette fois encore, qui est venu, de lui-même, offrir... il ne peut y résister... « Oh ! écoutez, il faut que je vous raconte, c'est à mourir de rire... ma tante, quel numéro, ah ! quelle famille, vous pouvez le dire... On est vraiment tous un peu cinglés... » C'est un peu tard maintenant pour se rebiffer, pour faire les dégoûtés, comme on fait son lit on se couche... ils sont là tous en cercle, ils attendent, on compte sur son numéro. Il voit déjà dans leurs yeux cette petite lueur excitée. [...]

Nathalie Sarraute, *Le Planétarium,* Gallimard, 1959.

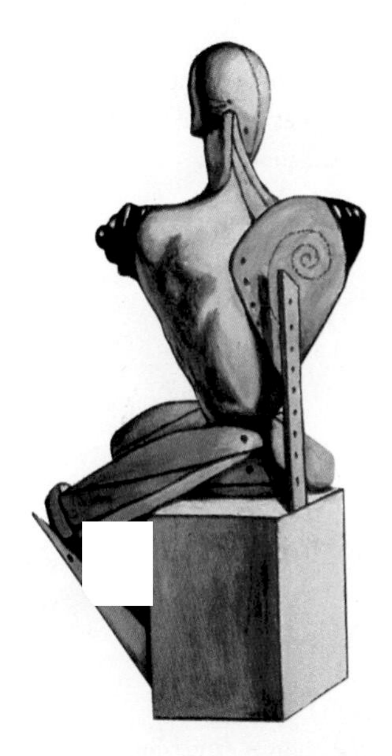

Giorgio de Chirico,
Le dialogue mystérieux, 1915,
collection particulière.

LA SOUS-CONVERSATION

- Faites des hypothèses : où se situe la scène ? Qui est présent ?
- Reconstituez les quelques propos tenus réellement par les personnages.
- Comparez la conversation reconstituée avec le texte de Nathalie Sarraute.
Analysez ce qui est dit en plus du dialogue réel. Définissez ce que l'auteur tente de décrire.
- Essayez d'imiter le projet de Nathalie Sarraute. Souvenez-vous de la première fois où quelqu'un que vous aimiez bien vous a invité au restaurant (ou à danser) ou bien de la première fois où vous avez invité quelqu'un. Notez tout « ce qui vous est passé par la tête » à ce moment-là.

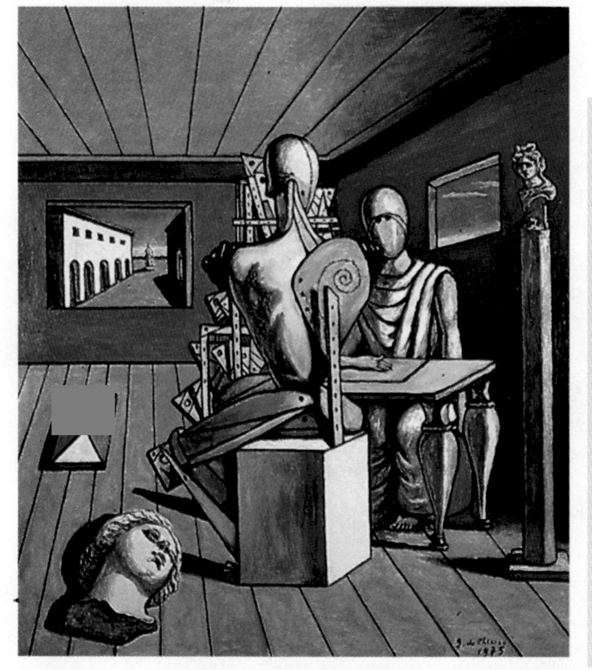

ROMAN CLASSIQUE ET NOUVEAU ROMAN

- Confrontez les observations que vous venez de faire et votre connaissance du roman classique. Notez dans un tableau les caractéristiques :
  - du personnage,
  - du discours des personnages,
  - de l'espace et du décor,
  - du temps.

	Dans le roman classique	Dans le Nouveau roman
Le personnage	on nous le décrit. on nous donne sa biographie.	

LA REPRÉSENTATION MODERNE DE L'HOMME

- À une conception nouvelle du personnage littéraire correspond dans les arts une représentation nouvelle de l'homme. Analysez le tableau de Chirico.

LITTÉRATURE

LE PERSONNAGE PRÉDESTINÉ

L'ASSOMMOIR

Le roman d'Émile Zola, l'Assommoir, *a pour cadre les milieux ouvriers du* XIX*e siècle. Gervaise, une jeune ouvrière honnête, courageuse et travailleuse, n'a pas eu de chance. Son amant, dont elle a eu deux enfants, se révèle être un paresseux qui la délaisse pour d'autres aventures. Pour essayer de « s'en sortir » elle décide d'aller travailler à Paris où elle trouve une place de blanchisseuse. Peu après, elle rencontre Coupeau, un ouvrier sympathique.*
Dans la scène suivante Gervaise et Coupeau sont attablés à « l'Assommoir », un lieu où les ouvriers viennent consommer des boissons alcoolisées.

La fumée des pipes, l'odeur forte de tous ces hommes, montaient dans l'air chargé d'alcool ; et elle étouffait, prise d'une petite toux.

« Oh ! c'est vilain de boire ! » dit-elle à demi-voix.

Et elle raconta qu'autrefois, avec sa mère, elle buvait de l'anisette, à Plassans. Mais elle avait failli en mourir un jour, et ça l'avait dégoûtée ; elle ne pouvait plus voir les liqueurs.

« Tenez, ajouta-t-elle, en montrant son verre, j'ai mangé ma prune ; seulement, je laisserai la sauce, parce que ça me ferait du mal. »

Coupeau, lui aussi, ne comprenait pas qu'on pût avaler de pleins verres d'eau-de-vie. Une prune par-ci, par-là, ça n'était pas mauvais. Quant au vitriol, à l'absinthe et aux autres cochonneries, bonsoir ! il n'en fallait pas. Les camarades avaient beau le blaguer, il restait à la porte, lorsque ces cheulards-là entraient à la mine à poivre. Le papa Coupeau, qui était zingueur* comme lui, s'était écrabouillé* la tête sur le pavé de la rue Coquenard, en tombant, un jour de ribote, de la gouttière du n° 25 ; et ce souvenir, dans la famille, les rendait tous sages. Lui, lorsqu'il passait rue Coquenard et qu'il voyait la place, il aurait plutôt bu l'eau du ruisseau que d'avaler un canon gratis chez le marchand de vin. Il conclut par cette phrase :

« Dans notre métier, il faut des jambes solides. »

Gervaise avait repris son panier. Elle ne se levait pourtant pas, le tenait sur ses genoux, les regards perdus, rêvant, comme si les paroles du jeune ouvrier éveillaient en elle des pensées lointaines d'existence. Et elle dit encore, lentement, sans transition apparente :

« Mon Dieu ! je ne suis pas ambitieuse, je ne demande pas grand-chose... Mon idéal, ce serait de travailler tranquille, de manger toujours du pain, d'avoir un trou un peu propre pour dormir, vous savez un lit, une table et deux chaises, pas davantage... Ah ! je voudrais aussi élever mes enfants, en faire de bons sujets, si c'était possible... Il y a encore un idéal, ce serait de ne pas être battue, si je me remettais jamais en ménage ; non, ça me plairait pas d'être battue... Et c'est tout, vous voyez, c'est tout... » [...]

Et elle se leva. Coupeau, qui approuvait vivement ses souhaits, était déjà debout, s'inquiétant de l'heure. Mais ils ne sortirent pas tout de suite : elle eut la curiosité d'aller regarder, au fond, derrière la barrière de chêne, le grand alambic de cuivre rouge, qui fonctionnait sous le vitrage clair de la petite cour ; et le zingueur, qui l'avait suivie, lui expliqua comment ça marchait, indiquant du doigt les différentes pièces de l'appareil, montrant l'énorme cornue* d'où tombait un filet limpide d'alcool. L'alambic, avec ses récipients de forme étrange, ses enroulements sans fin de tuyaux, gardait une mine sombre ; pas une fumée ne s'échappait ; à peine entendait-on un souffle intérieur, un ronflement souterrain ; c'était comme une besogne* de nuit faite en plein jour, par un travailleur morne, puissant et muet.

Émile Zola, *L'Assommoir,* 1877.

un zingueur : ouvrier qui travaille le zinc. Ce travail consiste à couvrir les toitures et à poser les gouttières.

écrabouillé : (fam.) écrasé.

une cornue : récipient à col étroit et courbé qui sert à la distillation.

une besogne : un travail.

VOCABULAIRE : LE THÈME DE L'ALCOOL

Les mots et expressions appartenant au thème de l'alcool apparaissent dans ce texte avec une très grande fréquence. Certains de ces mots appartiennent à l'argot du XIXe siècle et sont incompréhensibles pour la plupart des Français d'aujourd'hui. Nous avons volontairement omis d'en donner une explication.

- Retrouvez et classez tous les mots qui désignent :
  - les boissons alcoolisées,
  - les lieux où l'on consomme une boisson,
  - l'acte de boire,
  - les personnes qui boivent.

Notez à l'aide d'un dictionnaire les mots qui ne sont plus utilisés aujourd'hui.

- Quel est l'effet littéraire produit par cette accumulation ?

Illustration par F. Regamey pour *L'Assommoir,* édition de 1878. Bibliothèque nationale.

LES PERSONNAGES ET LE DÉCOR

• Analysez le déroulement du récit en utilisant la grille suivante :

Résumé et caractérisation des paroles de Gervaise et de Coupeau	Caractérisation de l'environnement des deux personnages	Inventaire des actions des deux personnages
Rejet de la boisson par Gervaise	Atmosphère étouffante, enfumée, alcoolisée	Elle mange une prune à l'eau-de-vie sans boire de l'eau-de-vie

• Comparez les observations de la colonne 1 avec celles de la colonne 2, puis avec celles de la colonne 3. Qu'a voulu faire Zola ?

• Dans la suite du roman Coupeau puis Gervaise deviendront alcooliques. Ce destin n'est-il pas déjà inscrit dans cette scène ? Relevez les signes qui montrent que les personnages sont en quelque sorte prédestinés à devenir alcooliques.

LA DESCRIPTION DE L'ALAMBIC

• Faites la liste chronologique des noms et des adjectifs de cette description. Commentez l'évolution des mots de la liste en utilisant le vocabulaire suivant :

– *une machinerie, un être vivant, un monstre ;*

– *objectif, précis, détaillé, fantastique, onirique, inquiétant, animé, étrange, personnifié, complexe.*

• Dégagez la valeur symbolique de cette description.

CRÉATIVITÉ

• Décrivez un objet du monde contemporain en lui donnant une valeur symbolique (ordinateur, automobile, navette spatiale, poste de télévision, etc.).

LE FANTASME DE LA PROLIFÉRATION

RHINOCÉROS

Dans une ville tranquille de province survient une étrange épidémie : les habitants sont les uns après les autres transformés en rhinocéros. Loin d'essayer de résister à cette rhinocérite galopante, ils semblent s'en accommoder. Ce n'est pourtant pas le cas de Bérenger qui considère avec suspicion ces étranges métamorphoses. Il s'inquiète notamment quand les premiers signes de l'épidémie apparaissent sur le visage de son ami Jean.

BÉRENGER

Laissez-moi appeler le médecin, tout de même, je vous en prie.

JEAN

Je vous l'interdis absolument. Je n'aime pas les gens têtus. *(Jean entre dans la chambre. Bérenger recule un peu effrayé, car Jean est encore plus vert, et il parle avec beaucoup de peine. Sa voix est méconnaissable.)* Et alors, s'il est devenu rhinocéros de plein gré ou contre sa volonté, ça vaut peut-être mieux pour lui.

BÉRENGER

Que dites-vous là, cher ami ? Comment pouvez-vous penser...

JEAN

Vous voyez le mal partout. Puisque ça lui fait plaisir de devenir rhinocéros, puisque ça lui fait plaisir ! Il n'y a rien d'extraordinaire à cela.

BÉRENGER

Évidemment, il n'y a rien d'extraordinaire à cela. Pourtant, je doute que ça lui fasse tellement plaisir.

JEAN

Et pourquoi donc ?

BÉRENGER

Il m'est difficile de dire pourquoi. Ça se comprend.

JEAN

Je vous dis que ce n'est pas si mal que ça ! Après tout, les rhinocéros sont des créatures comme nous, qui ont droit à la vie au même titre que nous !

BÉRENGER

À condition qu'elles ne détruisent pas la nôtre. Vous rendez-vous compte de la différence de mentalité ?

JEAN, *allant et venant dans la pièce, entrant dans la salle de bains, et sortant.*

Pensez-vous que la nôtre soit préférable ?

BÉRENGER

Tout de même, nous avons notre morale à nous, que je juge incompatible avec celle de ces animaux.

JEAN

La morale ! Parlons-en de la morale, j'en ai assez de la morale, elle est belle la morale ! Il faut dépasser la morale.

BÉRENGER

Que mettriez-vous à la place ?

JEAN, *même jeu.*

La nature !

BÉRENGER

La nature ?

JEAN, *même jeu.*

La nature a ses lois. La morale est antinaturelle.

BÉRENGER

Si je comprends, vous voulez remplacer la loi morale par la loi de la jungle !

JEAN

J'y vivrai, j'y vivrai.

BÉRENGER

Cela se dit. Mais dans le fond, personne...

JEAN, *l'interrompant, et allant et venant.*

Il faut reconstituer les fondements de notre vie. Il faut retourner à l'intégrité primordiale.

BÉRENGER

Je ne suis pas du tout d'accord avec vous.

JEAN, *soufflant bruyamment.*

Je veux respirer.

BÉRENGER

Réfléchissez, voyons, vous vous rendez bien compte que nous avons une philosophie que ces animaux n'ont pas, un système de valeurs irremplaçable. Des siècles de civilisation humaine l'ont bâti !...

JEAN, *toujours dans la salle de bains.*

Démolissons tout cela, on s'en portera mieux.

BÉRENGER

Je ne vous prends pas au sérieux. Vous plaisantez, vous faites de la poésie.

JEAN

Brrr…

Il barrit presque.

BÉRENGER

Je ne savais pas que vous étiez poète.

JEAN, *il sort de la salle de bains.*

Brrr…

Il barrit de nouveau.

BÉRENGER

Je vous connais trop bien pour croire que c'est là votre pensée profonde. Car, vous le savez aussi bien que moi, l'homme…

JEAN, *l'interrompant.*

L'homme… Ne prononcez plus ce mot !

Eugène Ionesco, *Rhinocéros,* Gallimard, 1959.

LA MÉTAMORPHOSE DE JEAN

• **La transformation physique.** Relevez les détails de son évolution. Quel est l'effet produit ? Quelle est la fonction technique et la valeur symbolique des allers-retours dans la salle de bains ?

• **La transformation mentale.** Présentez sous forme d'un tableau la conception de l'existence prônée par Jean et celle de Bérenger.

Jean	Bérenger
Liberté de choisir sa nature …	Refus inexpliqué de cette liberté

• Dégagez les significations possibles de cette transformation et la valeur symbolique que prend ici le rhinocéros.

LE THÈME DE LA PROLIFÉRATION DES OBJETS

Tout le théâtre de Ionesco est marqué par ce thème. Dans *Amédée ou comment s'en débarrasser* c'est un cadavre qui grandit de scène en scène ; dans *Les Chaises* ce sont les chaises elles-mêmes qui prolifèrent ; dans *La Cantatrice chauve* c'est le langage qui se met à vivre d'une manière désordonnée.

• Retrouvez ce thème de la prolifération dans des œuvres littéraires ou artistiques que vous connaissez. Quelles sont ses significations idéologiques ?

CONTEXTE HISTORIQUE DE LA PIÈCE

L'homme des années 50 vit dans le souvenir de la guerre et de l'idéologie nazie qui a influencé une partie de la population de beaucoup de pays d'Europe (dont la France). Il vit aussi dans un état de guerre froide où la menace de la bombe atomique est toujours présente. Il découvre la cruelle réalité des régimes communistes totalitaires. La France enfin ne cesse d'être en guerre avec des pays de son empire colonial.

William Sabatier (Jean), Jean-Louis Barrault (Bérenger), dans *Rhinocéros,* au théâtre de l'Odéon, janvier 1960.

INFO MÉMOIRE

Chacun des 900 000 chômeurs de longue durée se verra proposer un emploi, une formation ou une activité d'intérêt général d'ici à la fin du mois d'octobre, a promis le Premier ministre. Plus prudente, Édith Cresson avait programmé, dès janvier dernier, un bilan individualisé pour 500 000 d'entre eux. Cette fois, l'ampleur est tout autre. Du début de février à la fin de mars, les agents de l'ANPE* ont reçu près de 115 000 personnes. Pour atteindre l'objectif, ils devront tenir ce rythme mensuellement. C'est à l'aune* des moyens supplémentaires donnés à l'Agence que se jugera la volonté de l'Hôtel Matignon*. Et à celle des offres. « Que proposera-t-on ? Quant aux activités d'intérêt général* liées à l'environnement ou à la sécurité urbaine, répondent-elles à de nouveaux besoins sociaux ? » s'inquiètent les syndicats de l'Agence pour l'emploi. L'appareil de formation arrive à saturation. Les dispositifs existants tournent à plein. Martine Aubry* a jusque-là maintenu vaille que vaille son refus des stages bidons* et non qualifiants. L'exigence du ministre du Travail sera-t-elle compatible avec l'obsession des chiffres ?

Armelle Thoraval, *L'Express,* 16.4.1992.

ANPE : Agence nationale pour l'emploi. Office chargé de gérer les chômeurs (indemnisation, proposition d'emploi, formation).

l'aune : la mesure.

l'Hôtel Matignon : administration et bureau du Premier ministre.

une activité d'intérêt général : activité peu rémunérée proposée par les pouvoirs publics et n'exigeant aucune formation particulière (tâche de garde d'enfants, de surveillance de l'environnement, d'appui à des services surchargés, etc.).

Martine Aubry : ministre du Travail en 1992.

bidon : qui fait illusion mais n'a aucune efficacité.

LE DÉFI ANTI-CHÔMAGE DU PREMIER MINISTRE PIERRE BÉRÉGOVOY

Début 1992, la France se trouve avec près de 3 millions de chômeurs. Quelques jours après sa nomination au poste de Premier ministre où il succède à Édith Cresson (voir p. 136), Pierre Bérégovoy annonce un vaste plan antichômage. Parmi les diverses orientations de ce plan figure une mesure spectaculaire : trouver en six mois 900 000 emplois pour les chômeurs de longue durée (ceux qui sont sans travail depuis un an).

- L'article de *l'Express* ci-dessus est plutôt sceptique face à cette mesure. Trouvez les détails du projet du Premier ministre et les doutes du journaliste commentateur.
- Écoutez l'enregistrement. Un responsable de l'ANPE est interrogé sur la viabilité de cette mesure.

Rédigez un paragraphe faisant la synthèse de l'entretien et commençant ainsi : « Interrogé sur la viabilité des mesures gouvernementales, le responsable de l'ANPE a fait preuve d'un certain optimisme... »

À TRAVERS LA FRANCE

VIVRE DANS LES BANLIEUES : OPINIONS DES HABITANTS ET DE L'ARCHITECTE ROLAND CASTRO

- Lisez l'article du *Point.* Relevez les principales informations apportées par cet article. Comment s'expliquent le désarroi et le découragement des responsables ?
- Écoutez les opinions des habitants du quartier des Fontenelles à Nanterre (banlieue de Paris) et de ceux de la ville nouvelle de Melun-Senart (à 50 kilomètres de Paris). Classez ces opinions et dégagez les principales tendances.
- Écoutez l'opinion de Roland Castro. Quelles solutions préconise-t-il pour résoudre les problèmes de banlieues ?

Un malheureux « fait divers », comme on dit, la mort d'un jeune passager d'une moto heurtée par une voiture de police. Mais quand un fait divers survient dans l'une de ces banlieues-ghettos reléguées en périphérie des centres-villes, il n'est jamais banal. L'autre week-end, au Mas du Taureau*, à Vaulx-en-Velin, près de Lyon, l'accident a dégénéré. En direct ou presque, la télévision a retransmis des scènes d'émeute dignes d'un pays du tiers monde : centre commercial pillé, voitures incendiées, batailles rangées entre manifestants et forces de l'ordre. Pourtant, à Vaulx-en-Velin, les émeutiers n'étaient pas des affamés, mais des jeunes du quartier ; les forces de l'ordre n'étaient pas des militaires défendant une dictature, mais des policiers chargés de ramener le calme.

Ces jeunes, le plus souvent beurs ou immigrés, encore plus souvent en situation d'échec scolaire ou au chômage, presque toujours « exclus », n'avaient pas de mots et de gestes assez durs pour accuser la police. Que quelques dealers gênés dans leur commerce et autres casseurs en mal d'émotions aient jeté de l'huile sur le feu, c'est probable. Mais peu importe, finalement. Les vrais accusés, ce ne sont pas les policiers, mais *« ces villes qui provoquent le désespoir »*, comme le constatait François Mitterrand mercredi matin en conseil des ministres. *« Pour beaucoup, ces jeunes n'ont plus de racines culturelles, n'ont pas de repères idéologiques et plus d'espoir en l'avenir »*, ajoute un éminent membre du gouvernement, élu local lui-même confronté directement au problème des banlieues.

« L'apartheid urbain s'installe », clame depuis longtemps à qui veut l'entendre André Diligent, maire CDS de Roubaix – cité à problèmes s'il en est – et vice-président du Conseil national des villes. Yves Dauge, le délégué interministériel à la Ville, précise l'étendue des dégâts : *« La France urbaine qui va mal, c'est 10 millions de personnes. C'est plus de 400 quartiers, qui sont parfois des trous noirs dans la trame urbaine. »*

Dans la lutte contre la « ghettoïsation » des villes, Vaulx-en-Velin faisait presque figure de modèle. Modèle d'abord de la ZUP*-dortoir à remodeler : construite dans les années 60 pour accueillir les classes moyennes nées du baby-boom de l'après-guerre, elle regroupe aujourd'hui surtout les exclus de la région. Le Mas du Taureau accumule les pourcentages lourds de conséquences : la moitié de la population âgée de moins de 25 ans, 40 % d'origine maghrébine, près de 20 % des habitants au chômage, 50 % de non-imposables, 45 % d'abstentions aux dernières municipales.

Cette ZUP était pourtant devenue un modèle de réhabilitation. Depuis cinq ans, le quartier a bénéficié de presque tout l'arsenal anti-ghetto. Roland Castro et Michel Cantal-Dupart, les architectes et animateurs de l'association Banlieues 89, se sont attelés à y créer un centre-ville digne de ce nom. 1 840 des 7 000 logements HLM viennent d'être réhabilités, et les autres doivent suivre. En septembre, la municipalité communiste a signé avec l'État et la Région une « charte de développement social » afin de poursuivre le travail entrepris. [...] On comprend, dès lors, le désarroi et le découragement des politiques.

Le Point, n° 943, 15.10.1990.

le Mas du Taureau : quartier de Vaulx-en-Velin.

une ZUP : zone à urbaniser en priorité.

LA SCÈNE ET L'ÉCRAN

Écoutez l'extrait de *Rhinocéros* de Ionesco (p. 118).

OPINIONS

L'ABBÉ PIERRE RÉPOND À LA QUESTION « LE MONDE SERA-T-IL PLUS JUSTE UN JOUR ? »

Né en 1912, l'Abbé Pierre s'est fait connaître du grand public à l'occasion du combat qu'il mena pendant l'hiver extrêmement rigoureux de 1956 pour résoudre le problème des personnes sans abri. Depuis, sa vie a été entièrement consacrée à soulager le malheur des démunis. Il a notamment fondé l'association Les compagnons d'Emmaüs, communauté qui accueille les pauvres et les solitaires, les loge, les nourrit et leur donne du travail. L'Abbé Pierre intervient régulièrement dans les médias pour rappeller à la France qu'une frange de sa population vit encore dans la détresse.

• Relevez les opinions de l'Abbé Pierre :
– sur les progrès intervenus dans les conditions de vie depuis la guerre de 1939-1945,
– sur l'histoire de l'emploi,
– sur la présence d'une population importante d'immigrés en France.

L'Abbé Pierre.

LE TABLEAU, SOURCE DE L'ŒUVRE

TABLEAU ET CRÉATION LITTÉRAIRE

La nouvelle de Julien Gracq, « le Roi Cophétua », se passe pendant la guerre de 1914-1918. Le narrateur, blessé au combat et réformé, quitte Paris pour se rendre à Braye-la-Forêt, à l'invitation de Jacques Nueil, un ami pilote dans l'armée qui doit bénéficier d'une permission. Mais Jacques n'est pas au rendez-vous. Une servante, belle, silencieuse, énigmatique, accueille le narrateur et lui propose d'attendre. L'attente se prolonge pendant des heures. Puis, la servante, toujours aussi mystérieuse, lui apporte un repas… Il aperçoit alors un tableau sur le mur du salon…

Je dus approcher le flambeau tout près pour le déchiffrer. De la pénombre qui baignait le coin droit, au bas du tableau, je vis alors se dégager peu à peu un personnage en manteau de pourpre, le visage basané, le front ceint d'un diadème barbare, qui fléchissait le genou et inclinait le front dans la posture d'un roi mage. Devant lui, à gauche, se tenait debout – très droite, mais la tête basse – une très jeune fille, presque une enfant, les bras nus, les pieds nus, les cheveux dénoués. Le front penché très bas, le visage perdu dans l'ombre, la verticalité hiératique de la silhouette pouvaient faire penser à quelque Vierge d'une Visitation, mais la robe n'était qu'un haillon blanc déchiré et poussiéreux, qui pourtant évoquait vivement et en même temps dérisoirement une robe de noces. Il semblait difficile de se *taire* au point où se taisaient ces deux silhouettes paralysées. […] Je restai un moment devant le tableau, l'esprit remué, conscient qu'une accommodation nécessaire se faisait mal. Le visage de roi More me poussait à chercher du côté d'Othello, mais rien dans l'histoire de Desdémone n'évoquait le malaise de cette annonciation sordide. Non. Pas Othello. Mais pourtant Shakespeare… *Le Roi Cophetua* !* Le roi Cophetua amoureux d'une mendiante…

Julien Gracq, *La Presqu'île,* J. Corti, 1970.

Roi Cophetua : personnage d'une ballade anglaise ; roi africain qui aurait épousé la fille d'un mendiant.

Edward Burne-Jones, *Le Roi Cophetua et la Servante mendiante,* 1884, Tate Gallery, Londres.

Tableau et création de tableau

SOUVENIR ET CRÉATION LITTÉRAIRE

Julien Gracq révèle qu'en écrivant sa nouvelle il s'est souvenu du tableau de Burne-Jones reproduit p. 122 mais que ce souvenir était déjà ancien.

• Notez les différences entre le tableau et sa description.

• Quelles significations particulières Gracq a-t-il voulu donner à « son » tableau ?

MISE EN ABÎME

• La description du tableau à l'intérieur de la nouvelle a une fonction symbolique. Elle donne la clé de l'histoire. Imaginez la fin de l'histoire.

• Connaissez-vous des œuvres littéraires dans lesquelles une œuvre d'art (tableau, statue, etc.) devient un objet symbolique ou un véritable personnage ?

Racontez.

Exemple : dans Metzengerstein *d'Edgar Poe, un cheval s'échappe des flammes qui consument la tapisserie sur laquelle il est représenté.*

H. Sorgh (1610-1670), *Le Joueur de luth,* Leiweise Vom. Rijks museum, Amsterdam.

COMPARAISON

• Définissez le style de ces tableaux : éléments (voir p. 38),
– couleurs (voir p. 54),
– composition (voir p. 106).

• Décrivez la transformation vers l'abstraction opérée par Miró. Comment expliquez-vous cette démarche ?

CRÉATIVITÉ

• **Création graphique.** Choisissez un tableau figuratif et imaginez sa représentation abstraite.

• **Expression écrite.** Imaginez le contenu figuratif d'un tableau abstrait.

Joan Miró, *Intérieur hollandais,* 1928, Museum of Modern Art, New York.

LA PRÉSENTATION OBJECTIVE DES FAITS

On peut présenter un fait ou une idée comme étant vrai, faux, hypothétique, probable, improbable, etc.

☐ **Constructions grammaticales qui permettent d'exprimer ces nuances.**
Exemple : Paul réussira.
– *Paul réussira. C'est certain.* (adjectif)
– *Il est certain que Paul réussira.* (forme impersonnelle)
– *Paul réussira à coup sûr.* (adverbe)
– *Paul réussira. C'est une certitude.* (nom)

☐ **Fait présenté comme vrai ou faux.**
On peut utiliser les quatre constructions ci-dessus avec les adjectifs suivants ainsi que les noms et les adverbes que l'on peut former avec eux :
■ vrai – authentique – véridique
avéré – confirmé – réel – exact
faux – inexact – erroné – illusoire
imaginaire – mensonger – insoutenable

☐ **Fait présenté comme certain ou douteux.**
Avec les quatre constructions ci-dessus :
■ certain – sûr – assuré – évident
incontestable – manifeste
indéniable – indiscutable
hors de doute
douteux – incertain – contestable
discutable – controversé
■ De toute évidence... De fait...
■ Il va de soi (que)... Il va sans dire (que)...
Il faut se rendre à l'évidence
■ Rien ne prouve que... Rien ne permet de penser que...
■ Ce n'est pas forcément...

☐ **Fait présenté comme possible ou impossible.**
■ Il est possible, concevable que / Il se peut que / Il y a des chances pour que } + subjonctif

■ Il est impossible, inconcevable que / Il y a peu de chance pour que } + subjonctif

■ Il risque de réussir. Il ne risque pas de réussir
■ Suffixe « ible », « able » « uble » : prévisible – inimaginable – soluble – infaisable.

☐ **Fait présenté comme probable ou improbable.**
■ Il est probable que / Il semble bien que } + indicatif

■ Il est improbable que / Il ne semble pas que } + subjonctif

■ On peut s'attendre à ce que + subjonctif
■ On peut se douter, prévoir, supposer, envisager, présumer que + indicatif

☐ **Fait présenté comme une hypothèse.**
■ Verbe au conditionnel
– *Il serait* très malade. Il aurait eu une intoxication alimentaire.
■ Construction hypothèse + conséquence
– *Supposons qu'*il réussisse. Son avenir est assuré.
– *Dans l'hypothèse où* il réussirait son avenir serait assuré.
– *Au cas où* il réussirait son avenir serait assuré.
– *S'il réussit* son avenir sera assuré.
– *S'il réussissait* son avenir serait assuré.

1 **Au cours d'une conversation, six personnes (A, B, C, D, E, F) réagissent aux phrases suivantes. A est optimiste et croit totalement à ce qu'on lui dit. B est un peu moins optimiste et un peu plus sceptique, etc. jusqu'à F, franchement pessimiste et incrédule.**
En utilisant le vocabulaire et les expressions ci-dessus, établissez une gradation des réactions (lire auparavant l'article « Les incidents de Vaulx-en-Velin », p. 120).
Exemple :
– *« Environ 8 millions de personnes vivraient en France dans les banlieues à problèmes. »*
→ *A : « C'est exact. Je peux confirmer le chiffre. Il est donné par l'institut des statistiques. »*
→ *B : « Dans ce domaine, il est quand même difficile de donner un chiffre exact. »*
→ *C : « C'est discutable... »*

– « Vous avez vu le reportage sur les événements de Vaulx-en-Velin hier à la télé ? C'était drôlement intéressant. »
– « Le projet de l'architecte Roland Castro permettrait de résoudre ces problèmes de violence dans les banlieues. »

2 Présentez les énoncés en italique comme des hypothèses. Variez les constructions.

- *Elle arrivera après mon départ.* Je lui ai laissé la clé sous le paillasson.
- Il faut tout prévoir. *L'entreprise va peut-être faire faillite.* Moi, je cherche du travail ailleurs.
- *Il y a eu 35 morts dans l'accident.*
- *Le P.-D.G. démissionne.*
- Vous me dites que la municipalité m'accordera bientôt un permis de construire sur ce terrain. D'accord. *Mais elle ne me l'accorde pas.* Qu'est-ce que je fais ?
- *Patrick va me téléphoner.* Je lui annoncerai la nouvelle.

3 Analysez la manière de présenter les informations dans le document suivant (indication des sources et du degré d'exactitude des faits).

ROI ARTHUR* : SANS DÉPOUILLE FIXE

Le mystère de la sépulture du roi Arthur, grand maître de la Table ronde, n'est pas prêt d'être élucidé. Les thèses fleurissent et se contredisent à peine écloses. La dernière en date est avancée par le très « british » *Burke's Peerage,* véritable bible de l'aristocratie de Grande-Bretagne. La sépulture tant cherchée serait située au nord de l'Angleterre et tout près de l'Écosse, à Arthuret.

Le corps du roi serait enseveli sous l'actuelle église de Saint-Michel-de-tous-les-Anges. Cette thèse est revendiquée par Norma Goodrich, professeur à la Columbia University, experte en histoire « arthurienne ». Mais loin de mettre un terme aux contestations, elle les ravive.

En effet, les sépultures présumées d'Arthur sont au nombre de cent au Royaume-Uni, et de quatre-vingt-huit en Écosse. Le Somerset, en Angleterre, revendique notamment la paternité de la dépouille, la situant à Glastonbury. Mystère ! Mais le roi Arthur a-t-il seulement existé ? Rien n'est moins sûr...

S.B., *L'Événement du Jeudi,* 30.8.1990.

Arthur : roi des Britons (peuple vivant au sud de l'Écosse). Ses aventures légendaires ont été chantées par les auteurs du Moyen Âge (roman des Chevaliers de la Table ronde).

4 Nuancez les informations données dans le texte suivant en fonction des indications en italique.

L'agriculture du futur

Hypothèse → Si l'on en croit l'ingénieur Lemercier, la robotique s'adaptera peu à peu aux travaux agricoles. Les machines remplaceront bientôt la main-d'œuvre humaine.

Certitude → Il faudra certes restructurer les terrains de façon à permettre un travail entièrement mécanisé.

Possibilité → Mais l'innovation la plus intéressante ne viendra pas de la machine.

Probabilité → Elle viendra de l'amélioration des techniques biologiques.

Possibilité → La modification génétique des plantes simplifiera en effet le travail agricole.

Hypothèse → On obtiendra par exemple des fruits parfaitement calibrés, atteignant leur maturité au moment souhaité et de plus, résistants au choc des manipulations.

Hypothèse → Si la recherche dans le domaine du génie génétique continue à

Possibilité → progresser, on résoudra même les problèmes de pollution agricole.

Hypothèse → On verra apparaître des végétaux résistants aux maladies et fixant directement l'azote de l'air ce qui limitera considérablement l'emploi des produits chimiques.

Exemple : « D'après l'ingénieur Lemercier la robotique pourrait s'adapter peu à peu... »

5 Imitez le texte extrait de *l'Événement du Jeudi.* Présentez des informations documentées (ou imaginaires) : découverte d'un médicament miracle, information sur un phénomène mystérieux, invention d'une technique ou d'un appareil révolutionnaire, etc.

8 La nouvelle communication

Une monstrueuse aberration fait croire aux hommes que le langage est né pour faciliter leurs relations mutuelles.

Michel Leiris, *Brisées,* 1966.

Camille Claudel, *Les Causeuses,* marbre, collection particulière.

Comique
Communication universelle
Décodage
Harmonie poétique
Incommunicabilité
Inspiration artistique
Langages
Malentendus
Mise en valeur des idées
Poésie de l'ineffable
Politesse
Temps

Il ne suffit pas d'ouvrir une fenêtre
pour voir les champs et la rivière
Il ne suffit pas de n'être pas aveugle
pour voir les arbres et les fleurs
Il faut également n'avoir aucune philosophie.

Fernando Pessoa (1888-1935), *Poésies d'Alvaro de Campos.*

Alberto Giacometti, *Trois hommes qui marchent,* 1948, Fondation Maeght, Saint-Paul-de-Vence.

LA COMMUNICATION DIFFICILE

De la vulgarité à la grossièreté, au comble de l'impolitesse, deux hommes qui briguent la fonction suprême « se traitent » comme des poissonnières*. Malaise. Nos hommes politiques, de plus en plus adonnés à la surenchère injurieuse, seraient-ils les miroirs de ce que nous sommes devenus ? Qu'en est-il de cette plainte récurrente qui veut que la politesse, la courtoisie, aient déserté les mœurs des Français ?

Revenant du Japon, où il fut le correspondant du journal *le Monde* pendant plus de trente ans, Robert Guillain constate : « *Notre pays est devenu une foire d'empoigne*. La rue, le métro sont une jungle. Pas de respect pour le passant.* » Il est vrai que le Japon, à la différence de la France, cultive soigneusement ses castes et reste extrêmement soucieux des hiérarchies. Chez nous, en revanche, les classes et les genres se confondent, les codes s'effacent, les pyramides se nivellent. Est-ce pour cela que nous sommes devenus si grossiers ?

Faut-il regretter le temps où chacun se tenait à la stricte place qui lui était socialement impartie ?

Isabelle Girard, *L'Événement du Jeudi*, 13.2.1992.

se traiter comme des poissonnières : s'insulter. Allusion aux dérapages verbaux de certains hommes politiques qui n'hésitent pas à échanger des insultes en public.

une foire d'empoigne : affrontement sans concession d'idées ou d'intérêts.

LECTURE
COMMENTAIRE
DES DEUX TEXTES

- L'impolitesse, l'irrévérence, le manque de correction, de respect, de courtoisie, le manquement aux règles de bienséance vous paraissent-ils un problème important dans votre pays ? Dans les pays que vous connaissez ?
- Quelle explication l'auteur du premier article donne-t-il de la généralisation des attitudes irrévérencieuses ? Pouvez-vous donner d'autres explications ?
- Représentez par un schéma l'explication que l'École de Palo Alto donne de la communication difficile. Appliquez ce schéma à des situations que vous connaissez.

JEUX DE RÔLES

Après un temps de préparation, deux étudiants jouent une scène illustrant une situation de communication difficile. Une psychologue essaie d'en donner une explication.

Deux époux avaient un ami commun très apprécié de l'un comme de l'autre. Un jour, en l'absence de la femme, l'ami téléphone pour signaler son passage dans la région. Le mari prend alors l'initiative de l'inviter à venir les voir, pensant que sa femme serait aussi heureuse que lui de cette visite. Lorsque celle-ci revient à la maison, le mari lui annonce la « bonne nouvelle » mais au lieu de la joie attendue, c'est une violente dispute qui éclate entre les époux à propos de cette visite. Pourtant, lorsque cette querelle est évoquée plus tard en séance de thérapie, tous deux conviennent de la légitimité de cette invitation et de leur plaisir respectif à recevoir leur ami. Leur désaccord ne venait donc pas du contenu de leurs échanges mais d'un point qu'ils n'avaient pas abordé et qui concernait uniquement leur relation : le mari s'estimait en droit d'évaluer ce qui pourrait ou non plaire à sa femme et la femme n'admettait pas que l'un d'eux puisse prendre une initiative qui engageait le couple sans consulter l'autre.

Le niveau de la relation offre aussi à lui seul des occasions de conflit. À ce niveau, les partenaires s'offrent mutuellement des définitions de leur relation, et donc d'eux-mêmes, qui peuvent se traduire par la formule « voici comment je me vois, comment je voudrais que vous me voyiez et comment je voudrais que vous vous situiez par rapport à moi ». L'autre peut alors accepter, refuser ou corriger cette définition, les acceptations et les refus étant pratiquement à la base de toutes les émotions que les gens ressentent les uns vis-à-vis des autres et qui s'étendent de la haine à l'amour. Or la réponse de l'autre à la proposition qui lui est faite est vitale pour celui qui l'a formulée ; c'est en communiquant avec autrui, à travers l'image qu'il nous renvoie, que l'on parvient à prendre conscience de soi-même et à se forger une identité.

Edmond Marc et Dominique Picard, *l'École de Palo Alto**, Retz, 1984.

École de Palo Alto : groupe de psychologues et de médecins spécialisés dans l'étude de la communication et vivant à Palo Alto (Californie).

PÈRE ET FILLE

Claire Bretécher, *Agrippine,* © Claire Bretécher, 1990 (p. 45)

IDÉES

La communication totale

Regardez ces jeunes filles de Nuba : comme hypnotisées, elles balancent leur corps et martèlent le sol au rythme des tambours, dans l'oubli d'elles-mêmes et du monde qui les entoure.

Elles sont en état d'extase, mot d'origine grecque qui signifie « sortie de soi-même », « absence ». C'est une expérience que chacun de nous peut faire dans une discothèque saturée de rythme et de lumière.

Poussé à bout, un tel état peut susciter des phénomènes inexplicables : les Aïssaouas, membres d'une confrérie mystique du Maroc, sont capables après s'être enivrés de musique et de danse de se transpercer les bras avec des poignards, de piétiner ou de croquer des braises sans ressentir la moindre douleur. Plus surprenant encore : ni sang ni brûlure n'apparaissent.

Dans la vie quotidienne nous connaissons naturellement deux états de conscience : le sommeil et la veille. Mais depuis que les sociétés humaines existent nous sommes capables, dans certaines situations d'accéder par des techniques appropriées, à un nouveau rapport au monde qui peut se traduire sous diverses formes : comme la transe, la possession ou l'extase. Ces phénomènes correspondent à des degrés et des processus un peu différents, mais ils ont en commun de provoquer une modification importante de notre conscience et de notre perception. Pour nos ancêtres, ils étaient la manifestation même du sacré. [...]

[L'auteur passe en revue les différents moyens d'accéder à l'extase : danse, bruits rythmés, drogues, répétition continue d'un geste, d'une phrase, d'un mot, ascèse et jeûne. Il montre que certaines facultés intellectuelles ne sont pas mises hors circuit durant ces états inhabituels de conscience.]

L'extase n'est donc pas, comme on l'a dit parfois, un état de régression infantile. Elle ne surgit pas des couches animales ou primitives du cerveau, mais fait appel aux facultés de mémoire et de compréhension de l'esprit humain pour mettre en scène non seulement des émotions et des sentiments, mais des idées et des symboles. En ce sens, elle est proche du théâtre et des arts de la représentation en général. Reste à savoir pourquoi l'homme éprouve le besoin de modifier de la sorte sont état de conscience et de perception de la réalité. Est-ce un besoin vital ou une perversion de sa raison ?

Les anciens Grecs attribuaient à l'extase rituelle une vertu cathartique, c'est-à-dire que l'âme s'y purifiait de ses passions et retrouvait sa sérénité. De nos jours, nous parlons de la nécessité d'extérioriser nos émotions ; c'est sensiblement la même idée : pour être équilibré, notre psychisme a besoin de libérer périodiquement des pulsions fondamentales ordinairement réprimées par les règles morales et sociales et intériorisées par les individus. L'extase serait donc, entre autres, un moyen de nous défouler.

C'est particulièrement évident lors des manifestations collectives : danses, réunions politique ou sportive, cérémonie officielle, etc. Dans ces occasions, le sentiment qui ravit les foules est celui de la communion des personnes et de la fusion des émotions en un seul corps. Curieusement, les mystiques décrivent leurs expériences en des temps à peu près semblables : ils ressentent l'union avec Dieu et l'annihilation de leur individualité. [...]

L'homme en étant normal est dominé par le sentiment de sa subjectivité : le monde et les autres s'opposent à lui. En extase, au contraire, il se sent libéré parce qu'il ne forme plus qu'un avec l'objet de ses transports, que ce soit un partenaire, l'esprit qui le visite, Dieu ou la totalité du monde. Entre eux et lui, rien ne s'oppose plus à son action, et c'est là un aspect qui permet aux extatiques de transgresser les règles morales qu'ils respectent habituellement.

Pourtant, l'extase est une arme à double tranchant. Le fondateur de la psychanalyse, Sigmund Freud, disait que les foules en extase ne faisaient qu'assouvir leur besoin de soumission et d'amour envers un chef ou une idée. Pour lui, cet état revenait à une suppression hypnotique de la volonté qui pouvait être exploitée à des fins dangereuses. [...]

Nicolas Journet, *Ça m'intéresse,* n° 16, juin 1982.

« PÈRE ET FILLE » VUS PAR CLAIRE BRETÉCHER

Les paroles que Claire Bretécher met dans la bouche de sa jeune fille Agrippine viennent en partie de l'observation du langage des jeunes mais également de sa propre invention.

- Relevez les créations verbales et faites des hypothèses sur leur sens, distinguez :
  - mots courants dont le sens est modifié,
  - abréviations,
  - création de locutions,
  - mots en verlan (à l'envers, à structure inversée).
- Quel est le sujet de la conversation entre le père et sa fille ? De quels comportements se moque Claire Bretécher ?
- Trouvez-vous une grande part de vérité dans cette satire des comportements entre parents et enfants ?

SYNTHÈSE

- Recherchez les principales informations apportées par cet article afin d'en faire une synthèse. Regroupez ces informations autour des points suivants :
  - définition et explication du phénomène de l'extase ;
  - exemples ;
  - fonctions psychologiques et sociales ;
  - intérêts et dangers de cette pratique.

DÉBAT

- Y a-t-il dans ces situations une réelle augmentation du potentiel physique et intellectuel de l'individu ? Ces états et leurs conséquences ne sont-ils que des illusions ou des mystifications ?
- Ces expériences vous paraissent-elles intéressantes, recommandables, dangeureuses ?

DIRE L'INEFFABLE

HARMONIE DU SOIR

Voici venir les temps où vibrant sur sa tige
Chaque fleur s'évapore ainsi qu'un encensoir* ;
Les sons et les parfums tournent dans l'air du soir ;
Valse mélancolique et langoureux* vertige !

Chaque fleur s'évapore ainsi qu'un encensoir ;
Le violon frémit comme un cœur qu'on afflige ;
Valse mélancolique et langoureux* vertige !
Le ciel est triste et beau comme un grand reposoir*.

Le violon frémit comme un cœur qu'on afflige,
Un cœur tendre, qui hait le néant vaste et noir !
Le ciel est triste et beau comme un grand reposoir ;
Le soleil s'est noyé dans son sang qui se fige.

Un cœur tendre, qui hait le néant vaste et noir,
Du passé lumineux recueille tout vestige !
Le soleil s'est noyé dans son sang qui se fige...
Ton souvenir en moi luit comme un ostensoir* !

Charles Baudelaire, *Les Fleurs du Mal,* 1857.

un encensoir : récipient suspendu à des chaînettes dans lequel on fait brûler de l'encens, utilisé à l'église durant la liturgie.

langoureux : de langueur (affaiblissement, paresse).

un reposoir : à l'église, autel sur lequel on expose l'hostie consacrée à l'occasion de certaines fêtes.

un ostensoir : pièce d'orfèvrerie utilisée pour montrer aux fidèles l'hostie consacrée.

L'UNIVERS DU POÈTE

• Faites l'inventaire des thèmes abordés dans ce poème. Répartissez les mots principaux selon ces catégories.

Thème de la nature : tige, fleur, air, etc.

Thème des sensations physiques : vibrer, etc.

Thème des sentiments. ...

Etc.

• Étudiez les liaisons entre ces thèmes (mise en relation, comparaisons, métaphores). Montrez les effets produits par ces correspondances.

Exemple : les deux premiers vers évoquent cette atmosphère particulière aux soirs d'été où le parfum des fleurs se fait plus présent et plus enivrant. Les verbes « vibrer » et « s'évaporer » communiquent à la fleur à la fois vie et fragilité. L'image de l'encensoir auquel la fleur est comparée confère à la scène une sorte de religiosité.

• Confrontez vos observations avec ces vers extraits de Correspondances (autre poème de Baudelaire).

« Comme de longs échos qui de loin se confondent
Dans une ténébreuse et profonde unité...
Les parfums, les couleurs et les sons se répondent. »

LA CONSTRUCTION MUSICALE

• Quels sont les effets produits par :
– les reprises de motifs (vers ou fragments de vers),
– les harmonies sonores (répétitions de voyelles ou de consonnes).

LE SENS DU POÈME

• Découvrez le sens du poème en étudiant dans le dernier quatrain les relations entre : le poète ↔ la nature ↔ l'autre (la femme aimée) et son souvenir.

• Les formules suivantes vous paraissent-elles caractériser ce poème ?
mélange des sensations – harmonie universelle – extase mystique – incantation – accord entre la nature et les sentiments du poète.

LE FOND ET LA FORME

• Faites la liste de toutes les particularités formelles de ce poème (choix des mots, images, constructions, etc.).

• Montrez que ces choix formels sont parfaitement adaptés aux idées que veut transmettre Baudelaire.

Claude Monet, *Impression, soleil levant,* 1874, musée Marmottan.

MAI

Le mai le joli mai en barque sur le Rhin
Des dames regardaient du haut de la montagne
Vous êtes si jolies mais la barque s'éloigne
Qui donc a fait pleurer les saules riverains

Or des vergers fleuris se figeaient en arrière
Les pétales tombés des cerisiers de mai
Sont les ongles de celle que j'ai tant aimée
Les pétales flétris sont comme ses paupières

Sur le chemin du bord du fleuve lentement
Un ours un singe un chien menés par des tziganes
Suivaient une roulotte traînée par un âne
Tandis que s'éloignait dans les vignes rhénanes
Sur un fifre lointain un air de régiment

Le mai le joli mai a paré les ruines
De lierre de vigne vierge et de rosiers
Le vent du Rhin secoue sur le bord les osiers
Et les roseaux jaseurs et les fleurs nues des vignes.

Guillaume Apollinaire, *Alcools,* Gallimard, 1920.

LE SECRET DU POÈME

• Dessinez à grands traits le tableau suggéré par ce poème.

• Relevez tous les éléments qui sont en relation avec :
– l'idée de temps :
durée, permanence, instantané, fuite du temps, temps passé, mort ;
– l'idée de mouvement :
passage, éloignement, rapprochement, voyage, immobilité ;
– la femme aimée :
notez les comparaisons.

• Utilisez ces observations pour dégager le secret du poème. Apollinaire n'a pas seulement voulu faire une description. Qu'a-t-il voulu nous communiquer ?

• Donnez la signification symbolique :
– de la scène évoquée dans le premier quatrain,
– de la scène des tziganes.

LE TABLEAU DE MONET

• Montrez que l'esthétique de Monet peut être rapprochée :
– du poème de Baudelaire : comparer l'harmonie des couleurs à l'harmonie des sons ;
– du poème d'Apollinaire : comparez les perceptions du temps.

LE MALENTENDU TRAGIQUE

LA FICELLE (EXTRAITS)

Sur toutes les routes autour de Goderville, les paysans et leurs femmes s'en venaient vers le bourg ; car c'était jour de marché.

Sur la place de Goderville, c'était une foule, une cohue d'humains et de bêtes mélangés. Les cornes des bœufs, les hauts chapeaux à longs poils des paysans riches et les coiffes des paysannes émergeaient à la surface de l'assemblée. Et les voix criardes, aiguës, glapissantes, formaient une clameur continue et sauvage que dominait parfois un grand éclat poussé par la robuste poitrine d'un campagnard en gaieté, ou le long meuglement d'une vache attachée au mur d'une maison. [...]

Maître Hauchecorne, de Bréauté, venait d'arriver à Goderville, et il se dirigeait vers la place, quand il aperçut par terre un petit bout de ficelle. Maître Hauchecorne, économe en vrai Normand, pensa que tout était bon à ramasser qui peut servir ; et il se baissa péniblement, car il souffrait de rhumatismes. Il prit, par terre, le morceau de corde mince, et il se disposait à le rouler avec soin, quand il remarqua, sur le seuil de sa porte, maître Malandain, le bourrelier*, qui le regardait. Ils avaient eu des affaires ensemble au sujet d'un licol, autrefois, et ils étaient restés fâchés, étant rancuniers tous les deux. Maître Hauchecorne fut pris d'une sorte de honte d'être vu ainsi, par son ennemi, cherchant dans la crotte un bout de ficelle. Il cacha brusquement sa trouvaille sous sa blouse, puis dans la poche de sa culotte ; puis il fit semblant de chercher encore par terre quelque chose qu'il ne trouvait point, et il s'en alla vers le marché, la tête en avant, courbé en deux par ses douleurs. [...]

Chez Jourdain, la grande salle était pleine de mangeurs, comme la vaste cour était pleine de véhicules de toute race. [...]

Tout à coup, le tambour roula, dans la cour, devant la maison. Tout le monde aussitôt fut debout, sauf quelques indifférents, et on courut à la porte, aux fenêtres, la bouche encore pleine et la serviette à la main.

Après qu'il eut terminé son roulement, le crieur public lança d'une voix saccadée, scandant ses phrases à contretemps :

« Il est fait assavoir aux habitants de Goderville, et en général à toutes – les personnes présentes au marché , qu'il a été perdu ce matin, sur la route de Beuzeville, entre – neuf heures et dix heures, un portefeuille en cuir noir, contenant cinq cents francs et des papiers d'affaires. On est prié de le rapporter – à la mairie, incontinent*, ou chez maître Fortuné Houlbrèque, de Manneville. Il y aura vingt francs de récompense. »

Alors on se mit à parler de cet événement, en énumérant les chances qu'avait maître Houlbrèque de retrouver ou de ne pas retrouver son portefeuille.

Et le repas s'acheva.

On finissait le café, quand le brigadier de gendarmerie parut sur le seuil.

Il demanda :

« Maître Hauchecorne, de Bréauté, est-il ici ? »

Maître Hauchecorne, assis à l'autre bout de la table, répondit :

« Me v'là. »

Et le brigadier reprit :

« Maître Hauchecorne, voulez-vous avoir la complaisance de m'accompagner à la mairie. M. le maire voudrait vous parler. »

Le paysan, surpris, inquiet, avala d'un coup son petit verre, se leva et, plus courbé encore que le matin, car les premiers pas après chaque repos étaient particulièrement difficiles, il se mit en route en répétant :

« Me v'là, me v'là. »

Et il suivit le brigadier. [...]

La nouvelle s'était répandue. À sa sortie de la mairie, le vieux fut entouré, interrogé avec une curiosité sérieuse ou goguenarde, mais où n'entrait aucune indignation. Et il se mit à raconter l'histoire de la ficelle. On ne le crut pas. On riait.

Il allait, arrêté par tous, arrêtant ses connaissances, recommençant sans fin son récit et ses protestations, montrant ses poches retournées, pour prouver qu'il n'avait rien.

On lui disait :

« Vieux malin, va ! »

Et il se fâchait, s'exaspérant, enfiévré, désolé de n'être pas cru, ne sachant que faire, et contant toujours son histoire.

La nuit vint. Il fallait partir. Il se mit en route avec trois voisins à qui il montra la place où il avait ramassé le bout de corde ; et tout le long du chemin il parla de son aventure.

Le soir, il fit une tournée dans le village de Bréauté, afin de la dire à tout le monde. Il ne rencontra que des incrédules.

Il en fut malade toute la nuit.

Le lendemain, vers une heure de l'après-midi, Marius Paumelle, valet de ferme de maître Breton, cultivateur à Ymauville, rendait le portefeuille et son contenu à maître Houlbrèque, de Manneville.

Cet homme prétendait avoir, en effet, trouvé l'objet sur la route ; mais, ne sachant pas lire, il l'avait rapporté à la maison et donné à son patron.

La nouvelle se répandit aux environs. Maître Hauchecorne en fut informé. Il se mit aussitôt en tournée et commença à narrer son histoire complétée du dénouement. Il triomphait.

Tout le jour il parlait de son aventure, il la contait sur les routes aux gens qui passaient, au cabaret aux gens qui buvaient, à la sortie de l'église le dimanche suivant. Il arrêtait des inconnus pour la leur dire. Maintenant, il était tranquille, et pourtant quelque chose le gênait sans qu'il sût au juste ce que c'était. On avait l'air de plaisanter en l'écoutant. On ne paraissait pas convaincu. Il lui semblait sentir des propos derrière son dos. [...]

Alors il recommença à conter l'aventure, en allongeant chaque jour son récit, ajoutant chaque fois des raisons nouvelles, des protestations plus énergiques, des serments plus solennels qu'il imaginait, qu'il préparait dans ses heures de solitude, l'esprit uniquement occupé de l'histoire de la ficelle. On le croyait d'autant moins que sa défense était plus compliquée et son argumentation plus subtile.

« Ça, c'est des raisons d'menteux », disait-on derrière son dos.

Il le sentait, se rongeait les sangs*, s'épuisait en efforts inutiles.

Il dépérissait à vue d'œil.

Les plaisants maintenant lui faisaient conter « la Ficelle » pour s'amuser, comme on fait conter sa bataille au soldat qui a fait campagne. Son esprit, atteint à fond, s'affaiblissait.

Vers la fin de décembre, il s'alita.

Il mourut dans les premiers jours de janvier, et, dans le délire de l'agonie, il attestait son innocence, répétant :

« Une 'tite ficelle... une 'tite ficelle... t'nez, la voilà, m'sieu le Maire. »

Guy de Maupassant, *La Ficelle,* 1884.

un bourrelier : celui qui fabrique les harnais des chevaux et en particulier les licols (colliers où l'on fixe les bras de la charrette).

incontinent : immédiatement.

se ronger les sangs : se tracasser, se faire du souci.

MOMENTS NARRATIFS, DESCRIPTIFS, DIALOGUÉS

Repérez l'alternance de ces moments.

Moments descriptifs

• Analysez la description de la place de Goderville (partie 1). Quelles sont les impressions qui dominent ? Relevez le vocabulaire relatif à ces impressions.

• Dans les extraits qui vous sont donnés la plupart des autres moments descriptifs ont été coupés. Imaginez où Maupassant les a placés et quel était leur contenu.

Moments narratifs

• Faites une mise en scène de la 2e partie (succession des actions, attitudes des personnages, etc.).

• Caractérisez l'art du récit chez Maupassant.

Moments dialogués

• Étudiez les particularités du langage du crieur public et de Hauchecorne.

• Imaginez la scène entre le Maire et Hauchecorne (entre les parties 3 et 4).

• Dans ces extraits, quelques moments dialogués ont été coupés. Imaginez leur place et leur contenu. Vérifiez vos hypothèses sur les moments descriptifs et dialogués supprimés en écoutant la lecture complète de la nouvelle (voir p. 137).

STRUCTURE ET SENS DE LA NOUVELLE

• Analysez l'évolution du comportement de Hauchecorne et des sentiments qu'il éprouve.

	Comportement	Sentiments
partie 1	acte révélateur d'une personne fruste – sens de l'économie (avarice ?)	honte – méfiance

• Appliquez à cette nouvelle :
– la grille d'analyse du récit (p. 65),
– la grille d'analyse de la tragédie (p. 85).
} Retrouvez les éléments du récit et de la tragédie ainsi que leur fonctionnement.

• Donnez de cette nouvelle une explication
– sociale,
– psychologique.

PREMIERS MOTS

« LA MAMAN ET LA PUTAIN », FILM DE JEAN EUSTACHE (1973)

Voici une des premières scènes du «film culte » des années 68. Jean Eustache y a mis tous les espoirs, les égarements, les utopies et les illusions de la jeunesse de l'époque.
Assis à la terrasse d'un café, Alexandre aperçoit une jolie fille qui passe sur le boulevard. Il l'aborde mais elle est très pressée et les deux jeunes gens ne font qu'échanger leurs numéros de téléphone. Le lendemain, Alexandre téléphone et obtient un rendez-vous auquel Véronika ne vient pas. Quelque temps après, elle rappelle pour s'excuser. Un nouveau rendez-vous est pris. Alexandre arrive au café où Véronika est déjà assise.

ALEXANDRE. Je ne me trompe pas.
VÉRONIKA. Non.
Il s'assoit en face d'elle.
ALEXANDRE. Vous savez, j'avais un peu peur de ne pas vous reconnaître.
VÉRONIKA. Vous ne m'en voulez pas pour hier ? Vous savez que je suis désolée. Vous n'avez pas trop attendu, j'espère.
ALEXANDRE. Si. J'ai attendu très longtemps. Mais ça n'a aucune importance. En arrivant j'avais regardé un peu partout. Dehors il y avait un type qui me ressemblait. Tout à coup je ne l'ai plus vu. J'ai pensé que vous vous étiez peut-être trompée. Que vous étiez partie avec lui.
Elle sourit.
VÉRONIKA. Je ne me serais pas trompée.
Alors vous m'avez attendue longtemps. Ça m'ennuie.
ALEXANDRE. Je vous ai dit : ça n'a aucune importance. Au contraire. Je dirais même que ça m'a arrangé. Il y a longtemps qu'on ne m'avait pas posé de lapin*. C'est un mot que j'avais presque oublié. Vous l'avez fait resurgir du passé, comme d'autres mots que l'on n'entend plus. Par exemple on n'entend plus jamais le mot « limonade ». Personne ne dit : « J'ai bu une excellente limonade à midi ».

Je pensais à ça en vous attendant. Et même quand je ne vous attendais plus car je restais là. Je pensais : si elle arrive maintenant je vais lui parler de limonade. Pour voir la tête que vous auriez fait.

Et puis je n'ai jamais compris les gens qui sans se connaître, trouvent des sujets de conversation. Je crois qu'il faut se taire, se regarder en silence. Ou bien parler beaucoup parce que cela revient au même. Mais chercher les mots qu'il faut dire, choisir... celui-ci ou celui-là... Pourquoi... Comment peut-on faire ?

Vous savez en général les gens, les femmes me plaisent surtout pour des raisons extérieures, des raisons qui n'ont rien à voir avec elles, posées sur elles comme une robe de chambre, un manteau, qu'on peut poser sur une autre...

Une femme me plaît par exemple, parce qu'elle a joué dans un film de Bresson, ou parce qu'un homme que j'admire est amoureux d'elle. Quel plus grand hommage peut-on rendre à un homme qu'on admire que de lui prendre sa femme ? En ne venant pas hier, vous m'avez permis aujourd'hui de parler de votre absence. Alors qu'hier je n'avais rien à vous dire. Vous avez installé quelque chose entre nous.

Vous ne croyez pas ?
VÉRONIKA. Je ne sais pas.
ALEXANDRE. Si ce que je dis vous ennuie, vous m'arrêtez.
VÉRONIKA. Oh non. Pas du tout.
ALEXANDRE. Parce qu'on peut parler d'autre chose. De la pluie, du beau temps, du M.L.F.
VÉRONIKA. Qu'est-ce que c'est ?
ALEXANDRE. Vous ne connaissez pas ? C'est le Mouvement de Libération de la Femme. Ce sont des femmes qui en ont assez de porter le petit déjeuner au lit de leur mari. Alors elles se révoltent. Elles ont un slogan : « Nous n'avons plus besoin d'hommes sous nos édredons ». Une chose comme ça.
VÉRONIKA. Mais c'est triste...
ALEXANDRE. Oui. Je crois qu'elles sont très tristes.
VÉRONIKA. Quand j'aime quelqu'un, j'aime bien lui porter son petit déjeuner.
ALEXANDRE. J'ai un ami qui pense que les femmes sont faites justement pour lui porter son petit déjeuner.

« La Maman et la Putain », *Cahiers du cinéma,* 1986.

poser un lapin : ne pas venir à un rendez-vous.

Alexandre invite Véronika à une soirée chez Marie.

Alexandre habite chez Marie et se laisse sans complexes entretenir par elle. Marie se comporte avec lui tantôt comme une maîtresse, tantôt comme une mère.
Ici Véronika téléphone à Alexandre.

LA RENCONTRE

- Comparez avec d'autres rencontres de la littérature ou du cinéma.
- Analysez le comportement des deux personnages. Appliquez à leur conversation la théorie de l'école de Palo Alto (p. 127).

L'ESPRIT DE
LA GÉNÉRATION 68

- Définissez la mentalité de ces deux jeunes gens.
- Jean Eustache déclare avoir fait son film à partir d'expériences vécues. Une telle scène vous paraît-elle représentative des mentalités actuelles ?

INFO MÉMOIRE

3 AVRIL 1992. CHANGEMENT DE PREMIER MINISTRE. PIERRE BÉRÉGOVOY SUCCÈDE À ÉDITH CRESSON

• À l'aide de l'enregistrement et des documents ci-dessous, préparez un article à l'intention d'un journal en français publié dans votre pays. Vous développerez brièvement :
– l'annonce du changement,
– le portrait de Pierre Bérégovoy,
– les causes du départ d'Édith Cresson,
– les réactions de la presse et du monde politique.

AIDE À L'ÉCOUTE

CAP d'ajusteur : certificat d'aptitude professionnelle, un ajusteur est un ouvrier qui fabrique des pièces mécaniques.

un cheminot : employé à la SNCF (chemins de fer).

SFIO-PSU-FGDS : anciennes dénominations des courants politiques qui composent le parti socialiste (PS).

la portion congrue : une part insuffisante.

le système phonatoire : les organes de la parole.

RÉACTIONS DANS LES MILIEUX POLITIQUES

De haut en bas :
Libération
Le Quotidien de Paris
L'Humanité

BÉRÉ PREMIER

Consécration d'une patiente carrière et assouvissement d'un vieux rêve, Pierre Bérégovoy a été nommé hier Premier ministre par François Mitterrand. Lire page 2.

LE QUOTIDIEN DE PARIS

PIERRE BEREGOVOY PREMIER MINISTRE

LE MOINS PIRE

En nommant Pierre Bérégovoy à Matignon, François Mitterrand répare l'erreur Cresson mais, à onze mois des législatives, la tâche du Premier ministre paraît difficile. Malgré la satisfaction des milieux économiques et l'apaisement des

l'Huma

Pierre Bérégovoy entendra-t-il le message des urnes ?

PAS DE BON AUGURE

La nomination à la tête du gouvernement de l'ancien ministre de l'Economie

Bernard Stasi
Pour le vice-président des centristes, *« la nomination de Monsieur père la rigueur à Matignon ne fera pas sortir la gauche de son coma ».*

André Lajoinie
Le président du groupe communiste à l'Assemblée est pessimiste : *« La désignation de celui qui est considéré comme un des pères de la politique d'austérité, n'est pas de bon augure pour l'action du futur gouvernement. Si M. Bérégovoy pose la question de confiance, nous ne lui accorderons pas. »*

François Léotard
Le président d'honneur du Parti Républicain juge que cette nouvelle étape permet au Parti socialiste *« d'aborder une épreuve de rattrapage devant les Français »*, mais qu'elle sera de *« courte »* durée.

RPR
Selon le Rassemblement pour la République de Jacques Chirac, Bérégovoy incarne la poursuite d'*« une gestion désastreuse pour l'emploi et les finances publiques qui n'a cessé d'aggraver le chômage et le déficit budgétaire »*. Et le RPR conclut : *« La France a besoin d'une politique radicalement différente. »*

Jean-Jack Queyranne
Le porte-parole du PS estime que Bérégovoy à Matignon *« c'est la capacité socialiste à reprendre l'offensive ».*

VOIX

Opinions

L'ENSEIGNEMENT DES LANGUES VIVANTES DANS LES COLLÈGES ET LES LYCÉES

La plupart des Français pense qu'à la fin du cycle secondaire les élèves ont un niveau insuffisant dans la maîtrise des langues vivantes étrangères. C'est le sujet du débat d'une émission « Le téléphone sonne ». Des enseignants et des éditeurs de manuels donnent leur opinion sur ce problème.

AIDE À L'ÉCOUTE

IUT : institut universitaire de technologie.

un bagage : ici, un ensemble de connaissances et de compétences.

le nombrilisme : attitude qui consiste à donner à sa personne ou à son pays une importance exagérée.

une aura : ici, synonyme de prestige.

les effectifs : le nombre des personnes (ici, nombre d'élèves).

• Les participants au débat énumèrent les raisons pour lesquelles les élèves n'acquièrent pas des compétences suffisantes. Faites la liste de ces causes. Classez-les autour des points suivants :
– problèmes matériels,
– problèmes de méthode,
– problèmes d'organisation de l'enseignement (en particulier organisation du temps),
– problèmes de mentalités et d'images des langues.

• Organisez un débat sur la question. Faites un projet commun de réforme de l'enseignement des langues étrangères pour votre pays (ou pour la France).

À travers la France

Ce « désert plus triste que ceux de l'Afrique » (Camby, 1798) a pourtant été peuplé dès la Préhistoire (les monuments mégalithiques y abondent : dolmens, menhirs, allées couvertes), puis colonisé au Moyen Âge par des ordres religieux : les Cisterciens au Relecq, les Templiers à la Feuillée, qui s'acharnèrent en vain à amender cette terre ingrate désespérément acide dont la partie labourable a rarement plus de 25 cm d'épaisseur.

L'élevage des bêtes à cornes, des chevaux, les foires, le colportage ont permis aux plus chanceux de survivre décemment – les autres étant réduits à la mendicité – mais leur ont fait perdre l'habitude de travailler la terre.

Cependant, la noirceur de leur vie quotidienne dans leurs petites fermes obscures en terre battue n'a déteint que sur leurs vêtements : bruns. Leur pauvreté matérielle n'ayant d'égal que la richesse de leur sens de la fête (les processions dégénéraient souvent en fêtes païennes) et de leur imaginaire collectif toujours fertilisé par cette terre stérile. [...] Cette terre magique les posséda jusqu'à ce que la vie moderne éveillât en eux des besoins moins spirituels. Entre les deux guerres, malgré des efforts pour développer l'économie locale de 1870 à 1910, un exode hémorragique vida le pays de sa main-d'œuvre, le condamnant à l'élevage. Tout ce qu'on a entrepris depuis – après 1950 – pour sauver la région a échoué. Ne subsistent que des activités montagnardes traditionnelles : plantations de résineux, scieries, pisciculture. Un espoir : le tourisme. Le parc régional d'Armorique est devenu le nouveau dieu tutélaire de ces monts inspirés.

Guide Bleu Bretagne, Hachette, 1991.

LES HABITANTS DES MONTS D'ARRÉE (BRETAGNE) ET LES ÉTRANGERS

• Relevez dans le texte les caractéristiques du pays et de ses habitants.

• Écoutez l'enregistrement. Le directeur du parc naturel d'Armorique (où se situent les monts d'Arrée) participe à une conversation sur le sens de l'accueil chez les habitants de ce pays. Un des participants vient de raconter comment il a été accueilli avec méfiance lorsqu'il est venu s'installer dans la région. Le directeur du parc naturel fait part de sa propre expérience.
Relevez les caractéristiques du comportement des habitants. Comment s'explique ce comportement ?

La scène et l'écran

• Écoutez la lecture de *La Ficelle,* conte de Maupassant (p. 132).

LE POINT DE VUE

Vélasquez (1599-1660), *Les Ménines,* 1656, Musée du Prado, Madrid. (Le peintre représenté sur le tableau est Vélasquez lui-même. À gauche on voit l'infante Marguerite entourée de suivantes et de bouffons. Vélasquez s'est représenté en train de faire le portrait du roi Philippe IV et de son épouse.)

Edgar Degas (1834-1917), *L'Absinthe,* 1876, musée du Louvre.

Raoul Dufy (1877-1953), *L'Apéritif,* 1908, musée d'Art moderne de la Ville de Paris.

POINTS DE VUE ET REGARDS

• Comment sont vues ces trois scènes ?
En plongée (de haut) – en contre-plongée (du bas) – selon un angle latéral – de face.

• Quels sont les effets produits par ces angles de vue ?
Le regard que le spectateur porte sur un tableau peut :
– être extérieur au tableau,
– passer par le regard d'un personnage présent dans le tableau ou absent (mais que l'on devine).

• Étudiez ce regard dans les tableaux de Degas et de Dufy.

• Les sujets de *L'Absinthe* et de *L'Apéritif* sont identiques. Pourtant les deux œuvres ont des significations différentes. Répertoriez tous les procédés par lesquels Degas et Dufy ont fait passer leur message (point de vue, regard, composition, couleur, tracé, etc.)

• Étudiez le jeu des regards dans *Les Ménines*. Qui regarde qui ? (Prenez en compte l'artiste, l'infante Marguerite et sa suite, le personnage du fond, les personnages qui posent, le spectateur du tableau.)

• Formulez des hypothèses sur le sens de ce jeu de regards et de miroirs. (En 1635, dans *La vie est un songe,* le dramaturge espagnol Calderón de la Barca écrivait : « *Qu'est la vie ? Une illusion. Une ombre. Une fiction... Car toute la vie est un songe et les songes sont des songes* ».)

OUTILS POUR L'EXPRESSION

VARIATION DES POINTS DE VUE

Une information apportée par un texte peut être donnée de différents points de vue :

☐ **Du point de vue de l'auteur.** Dans ce cas l'auteur, qu'il tienne un discours subjectif ou objectif (voir p. 56), ne fait pas intervenir le jugement ou les sentiments d'autres personnes.

☐ **Du point de vue d'une autre personne.** La communication de l'information se fait alors par l'intermédiaire de cette personne :

- directement grâce à une citation

Le professeur Raynaud affirme : « Il faut repenser la gestion des hôpitaux. »

- indirectement

Le professeur Raynaud affirme que la gestion des hôpitaux doit être repensée.

Selon... D'après... Comme l'a dit (affirmé, etc.) le professeur Raynaud, la gestion...

... C'est le point de vue, l'opinion du professeur Raynaud.

☐ **Du point de vue du lecteur.** L'auteur entraîne alors le lecteur avec lui.

- en utilisant la première (et dans certains cas la deuxième) personne du pluriel.

Remarquons que le cas que nous venons d'étudier peut être généralisé.

- en utilisant la forme interrogative

Les hôpitaux sont mal gérés. Leur organisation doit-elle être repensée ?

La variation des points de vue est un moyen d'intéresser l'auditeur ou le lecteur.

LE DISPARU DE PLOUESCAT

Qu'est-il arrivé à Loïc Roudeaut, un beau garçon de 19 ans, dans la nuit du 25 au 26 décembre 1989, à Plouescat (Finistère) ? Cette question, son père André, sa belle-mère Monique, Rachel sa sœur et son demi-frère Yann ne cessent, depuis neuf mois, de la tourner et de la retourner dans leur tête.

Ce soir-là, après un Noël sans histoire, Loïc décide d'aller avec un ami au « Roxy », une discothèque plantée au bord de la baie du Ternic à 3 km du pavillon familial. L'ambiance est plutôt morne ; les clients se font rares. Les deux garçons rencontrent cependant deux couples de jeunes gens inconnus dans la région, avec qui ils partagent une bouteille de gin. *« L'un d'eux a même proposé à Loïc de sortir avec sa copine »*, se souviendra le compagnon du jeune homme.

Rompus d'ennui et de fatigue (Loïc doit se lever tôt le lendemain), les deux compères quittent la discothèque vers 3 heures du matin et se séparent à l'entrée du village. Depuis lors, Loïc n'a plus reparu. Dès le lendemain, André et Monique appellent cliniques et hôpitaux. En vain. Les gendarmes, bientôt alertés, évoquent la fugue et hésitent à engager les recherches. Loïc a en effet le tort, en la circonstance, d'être majeur. Qu'à cela ne tienne, ses parents multiplient les investigations, organisent une battue, consultent des radiesthésistes, sans résultat. Quinze jours plus tard, après que les journaux ont enfin accepté de diffuser un avis de recherche, un témoin affirme avoir vu cette nuit-là le jeune homme titubant, dans la direction opposée à celle de Plouescat. Que pouvait-il faire là ? La fugue, personne n'y croit. Ce jeune sportif, aimable et tranquille, ne manquait ni d'amis ni de projets. De plus, sans papier d'identité et avec seulement 100 F en poche, il ne serait pas allé loin. Alors ? Un accident après lequel son cadavre aurait été dissimulé ? Le moindre taillis a été fouillé. Reste les sables mouvants et les pièges d'une grande marée en cette nuit noire où Loïc a peut-être voulu rentrer chez lui en traversant la baie. Reste aussi l'hypothèse d'un enlèvement.

Selon l'association Disparition-Espoir, créée en septembre 1989 pour conseiller les familles, sur 10 000 disparitions enregistrées chaque année en France, 2 000 demeurent inexpliquées.

Pierre-Henri Allain, *L'Événement du Jeudi*, 30.8.1990.

1 Voici le récit d'un fait divers. Notez les différents changements de point de vue et les procédés utilisés pour opérer ces changements.

2 Imaginez un récit plus développé de l'un des faits divers de la page 112. Utilisez les procédés de variation de points de vue en mettant en scène les différents acteurs ou témoins de cet événement.

OUTILS POUR L'EXPRESSION

MISE EN VALEUR DES MOTS ET DES IDÉES

On peut mettre en valeur un mot ou une idée en les caractérisant. On utilise alors **le vocabulaire de l'intensité** (surtout, par-dessus tout, en premier lieu, etc.), **de l'importance** (c'est capital, essentiel, fondamental, primordial), **de la spécificité** (particulièrement, spécialement, etc.).
Mais la mise en valeur peut aussi se faire en modifiant la construction de la phrase.

☐ **Placer le mot important en début ou en fin de phrase.**

Les députés RPR se sont réunis dans une salle du Palais-Bourbon. Ils ont rejeté la loi des finances proposée par le gouvenement.

- *Le rejet de la loi des finances a été décidé par les députés.* (mise en valeur du rejet par la nominalisation)
- *C'est le rejet de la loi des finances que les députés RPR ont finalement décidé.* (emploi d'une construction présentative)
- *Concernant la loi des finances, les députés RPR ont tranché : c'est le rejet pur et simple.* (position en fin de phrase)
- *C'est dans une salle du Palais-Bourbon que se sont réunis les députés pour...* (construction présentative et inversion du sujet)

☐ **Renforcer le mot important**

- *Le groupe RPR, lui, n'a pas hésité à voter le rejet...*
  Critiques, ils l'étaient, ces députés RPR réunis au Palais-Bourbon...

☐ **Passer de la phrase classique à la phrase nominale**

- *Les députés RPR ont réagi rapidement au projet de loi du gouvernement. Réunion express dans une salle du Palais-Bourbon. Vote. Rejet unanime du projet de loi.*

3 **Observez les effets de mise en valeur dans les phrases suivantes :**

– Dans la classe le chahut était à son comble. C'est à ce moment-là qu'entra l'inspecteur.
– Finis les plats lourds et consistants ! Consignées dans les tiroirs les recettes de grand-mère ! La cuisine allégée est partout, même sur les tables les plus prestigieuses.
– Notre hôtel vous offre les meilleures prestations : luxe, calme et service attentif.
– C'est le général R... lui-même qui avait pris le pouvoir. Ses adversaires, quant à eux, organisaient la résistance.

4 **Modifiez le texte suivant de façon à mettre en valeur les mots en italique. Il faut modifier non seulement la construction mais aussi le vocabulaire.**

Il y a un conflit entre le personnel et la direction dans *l'entreprise de produits chimiques Brisseaux.* Les ouvriers réclament *non pas un salaire plus élevé* mais de meilleures conditions de sécurité. Les syndicats constatent en effet que *le système d'alarme a des défaillances,* que *les combinaisons de protection ne sont plus appropriées et que les installations sont vétustes. La direction* nie ces risques et accepte *seulement* de changer le système d'alarme. Les syndicats affirment qu'ils sont prêts *à la grève.* Déjà, ils ont programmé *des arrêts de travail d'une heure.*

5 **Le 1er novembre 1992 une loi anti-tabac a été mise en application en France. Rédigez un article sur cet événement. Utilisez :**
– le document ci-dessous,
– les résultats (que vous imaginerez) d'une enquête auprès de fumeurs et de non-fumeurs.
Variez les points de vue et mettez en valeur des idées qui vous paraissent importantes (respect des autres, liberté, santé, etc.).

LES LOIS ANTI-TABAC
1976 – Loi Veil : interdiction de fumer dans les locaux affectés à un usage collectif.
1992 – Loi Évin : elle étend considérablement les espaces interdits.
Transport aérien : interdiction sur les vols de moins de deux heures.
Métro : interdiction totale (couloirs, quais, rames).
Trains : interdiction dans les gares, limitation du nombre de voitures fumeurs, interdiction dans les voitures bar.
Restaurants et cafés : emplacements réservés aux fumeurs.
Lieu de travail : interdiction générale mais salles réservées aux fumeurs.

9 Au péril de la science

Science sans conscience n'est que ruine de l'âme.

Rabelais, *Pantagruel*, 1532.

Apparition du langage
Avant-garde artistique
Comique
Droitiers et gauchers
Effets spéciaux au cinéma
Éthique scientifique
Médicaments
Mentalités
Raisonnement logique
Recherche scientifique
Science-fiction

Pierre-Gilles de Gennes, prix Nobel de physique, 1991.

Dessin futuriste japonais (ville lunaire en 2050).

Ne pense pas, chante
Toute science est vaine.

Charles Van Lerberghe, *La Chanson d'Ève*, 1943.

Problèmes d'éthique scientifique

Pour les générations qui ont découvert le monde à travers l'enseignement des instituteurs « à la Jules Ferry* », la Science s'écrivait avec une majuscule. Repousser l'obscurantisme, s'affranchir des vieux mythes, éliminer les peurs ancestrales, renoncer aux soumissions lâches, observer enfin l'univers qui nous entoure avec un regard ouvert, lucide, le dominer en le connaissant mieux, agir sur lui, le transformer, l'asservir, prendre en main l'avenir de l'homme, tout cela allait être possible grâce au progrès scientifique.

Au-delà du verbiage ronflant des inaugurations officielles ou des distributions de prix, une foi réelle s'était répandue, transformant en profondeur l'attitude de chacun face à son destin : l'avenir n'était plus craint, mais espéré.

Un siècle a passé ; les fruits sont plus nombreux encore que l'on ne prévoyait, mais ils sont amers. Le monde a été transformé, oui, hélas ! L'homme a pris possession de la planète au point de la rendre méconnaissable. Une anxiété diffuse s'est répandue ; les prévisions sont plus sinistres que jamais, et pourtant ce qui a été fait n'est qu'un timide échantillon de ce qui pourrait être fait, de ce que, peut-être, l'on s'apprête à faire. Ce que les scientifiques mettent en vitrine est peu de chose comparé à ce qu'ils ont en magasin. L'humanité vit désormais sous une menace permanente, dont on ne voit guère comment elle pourra un jour être écartée ; la volonté de quelques hommes suffirait à effacer en quelques instants toute vie sur notre Terre. Tous, nous le savons ; mais nous nous efforçons de n'y jamais penser, de peur d'être obligés d'y penser à chaque instant. Devrons-nous jusqu'à la fin des temps vivre avec cette obsession ?

Toujours porteuse d'espoir pour certains, la science est devenue simultanément source de crainte pour beaucoup. Une attitude de rejet est apparue, et peu à peu se répand ; présenté parfois comme la seule voie permettant d'éviter la catastrophe définitive, ce rejet est facilement justifié par les excès auxquels a conduit l'efficacité scientifique. À ceux dont l'imagination est trop courte pour évoquer les apocalypses nucléaires, il suffit de regarder la détérioration du paysage qui les entoure : même les champs de blé, tout vibrants autrefois des couleurs des coquelicots et du chant des oiseaux, sont devenus, au nom du rendement, d'immenses et sinistres « camps de concentration » (E. Morin) aseptisés pour végétaux classés par espèces. [...]

On pourrait sans fin, et inutilement, prolonger la liste des bienfaits et des méfaits de la science, en quête d'un bilan illusoire. Ce thème de réflexion est pourtant nécessaire : la science n'est pas un arbre autonome, se développant selon ses lois propres, et dont nous récolterions passivement les fruits ; elle est une entreprise collective, notre entreprise, et c'est à nous de l'orienter. Les incantations proscientifiques de la fin du XIXe siècle, antiscientifiques de la fin du XXe, sont également inutiles : l'important est de comprendre à quel processus nous avons affaire, et auquel nous participons. Et, d'abord, de s'interroger sur la nature de cet objet que nous désignons par le mot « science ».

Albert Jaccard*, *Au péril de la science ?*, Seuil, 1982.

Jules Ferry : voir p. 159.

Albert Jaccard : scientifique, directeur du département de génétique à l'Institut national d'études démographiques.

RECHERCHE D'EXEMPLES

- Faites la liste des fonctions attribuées traditionnellement à la science et des problèmes qu'elle pose aujourd'hui.
- Pour chacune de ces idées trouvez un exemple concret.

DÉBAT

- Albert Jaccard souhaite que la société oriente les sciences. Êtes-vous d'accord ? Dans quelles directions prioritaires les différentes sciences devraient-elles être orientées ?

Extraits du compte rendu d'une conférence faite par le Professeur Jean Bernard (hématologue), président du Comité français d'éthique scientifique.

« D'un côté de la Méditerranée, un enfant condamné par une thalassémie (forme grave d'anémie) – ses parents n'ayant pas les 600 000 francs pour le soigner –, de l'autre côté de l'Atlantique, l'épouse d'un milliardaire américain payant cash 15 000 dollars une mère porteuse, pour remédier à sa frustration de maternité. »

« Les greffes de moelle osseuse permettent de soigner des leucémies. Solution : devant les difficultés pour trouver un donneur compatible, les parents conçoivent un autre enfant pour soigner le frère malade. Perversion made in USA : la mère avorte jusqu'à la naissance du "sauveur" qui permettra enfin une greffe compatible... »

« On sait où s'arrête la vie : on en connaît le terme. Mais à quel instant elle commence ? [...]

Interrogation fondamentale qui pose aussi le problème de la procréation assistée : plusieurs œufs sont fécondés *in vitro* jusqu'à la réussite de l'implantation dans l'utérus. La méthode a une chance sur dix de succès et coûte des milliers de francs à la collectivité. N'empêche que malgré ce faible taux de réussite, les frigos des laboratoires se retrouvent quand même remplis de milliers d'embryons qui n'ont pas été utilisés. Que faire de ces "personnes humaines potentielles" ainsi que les désigne pudiquement le chercheur ? »

« La médecine du XXIe siècle sera celle de la prédiction, souligne le conférencier. Avec le revers de la médaille : l'avènement du "Meilleur des mondes". Huxley n'avait que très peu anticipé dans son célèbre roman. La détermination du caractère de l'individu est désormais une réalité : grâce au HLA* on peut soigner les névroses. Le patronat japonais s'est vu heureusement interdire l'accès de "cette carte d'identité" [...]. Mais rien n'exclut qu'un jour un nouvel Adolph Hitler exploite cette découverte pour se forger une population de moutons... ou de tigres. »

P.D.D. – C.L., *La Montagne,* 17.10.1991.

LA FIN DE L'AVENIR

Jean Grimpel fait un constat pessimiste des progrès de la science.

Échec des futurologues

La fin des années 60 a vu la publication de deux best-sellers consacrés à la prospective : *L'an 2000* de Kahn et Wiener, et *Le choc du futur* d'Alain Toffler. La plupart de leurs prédictions ne se sont pas matérialisées. 1971 n'a pas été l'année du dessalement économique de l'eau de mer, ni 72 celle de la traduction automatique, ni 75 celle des prévisions météorologiques sûres. Et, en l'an 2000, nous ne passerons pas de week-ends sur la Lune et nous ne vivrons pas encore jusqu'à 130 ans.

Échec de la médecine

Il n'existe toujours pas de vaccins contre six des maladies tropicales majeures. Le paludisme est de retour. Il touche environ sept cents millions de personnes dans le tiers monde. De même, les maladies occidentales ont gardé la forme. Le rhume comme le cancer que *Science et Vie* prédisait vaincu en 1970 et qui menace encore une personne sur dix dans les pays industrialisés. Sans parler du sida.

Échec de la robotique

Les robots devaient prendre en charge le fonctionnement de notre société. En 68, on prévoyait 100 000 robots aux États-Unis. Vingt ans plus tard, il n'y en a que 20 000 aux États-Unis et à peine 100 000 dans le monde, essentiellement pour construire des voitures.

Échec de la révolution informatique

Les ordinateurs étaient supposés construire une société de loisirs. Selon le bureau américain des statistiques du travail, le contraire semble s'être produit. Pour les salariés, la tendance a été de travailler aussi dur, si ce n'est plus dur qu'avant. Les Japonais ont découvert que les ordinateurs, aussi sophistiqués soient-ils, ne pouvaient pas dans l'avenir immédiat remplacer l'intelligence et les compétences humaines. En 1988, ils ont annoncé qu'ils repoussaient leur ambitieux programme pour créer une intelligence artificielle.

Sources : *La Fin de l'avenir,* Jean Grimpel, Seuil. Décapant.

Actuel, n° 18, juin 1992.

EXPOSÉ DE PROBLÈMES

- Définissez le problème d'éthique posé par chacun des quatre extraits de la conférence de Jean Bernard.
- L'avenir de la science pose-t-il d'autres problèmes que ceux qui ont été évoqués par les textes des pp. 142-143 ? Exposez-les.

RECHERCHE D'IDÉES

- Après avoir lu le texte « La fin de l'avenir », recherchez les arguments qui vous permettent, à la différence de J. Grimpel, de faire un constat optimiste des progrès scientifiques.

ÉCRITURE

- Vous êtes maire d'une ville où doit se tenir un congrès de personnalités scientifiques sur le sujet : « L'avenir de la science : optimisme ou pessimisme ? » On vous a demandé d'ouvrir ce congrès par une brève introduction générale. Rédigez cette allocution.

HLA : un des systèmes de caractérisation des tissus humains.

IDÉES

QUAND LA SCIENCE SÈCHE

POURQUOI Y A-T-IL DES DROITIERS ET DES GAUCHERS ?

« T*iens ton couteau de la main droite !* » Quel gaucher n'a pas, un jour entendu cette réflexion ? Ciseaux, instruments de musique, écriture, bonnes manières, tout est conçu pour les droitiers. Regroupant près de 90 % de l'humanité, les droitiers imposent leur mode de préhension sans aucune réserve. Pourquoi sont-ils si nombreux ? Pourquoi certains d'entre nous se découvrent-ils gauchers ou ambidextres ? Au terme de plusieurs siècles d'investigation scientifique, personne ne peut fournir une explication satisfaisante.

Il y a bien longtemps déjà, on a découvert que le cerveau est constitué de deux hémisphères grossièrement symétriques.

L'hémisphère gauche domine la partie droite du corps et vice versa. Chez les droitiers, le cerveau gauche est d'ailleurs un peu plus gros que chez les gauchers. On a même cru un temps que le cerveau droit avait une moindre importance, ce qui s'est révélé faux par la suite. À quoi sert cette configuration ? Voici encore une énigme. Pour l'élucider, les neurologues ont étudié dans les moindres détails le comportement de malades à qui l'on avait supprimé toute communication entre les deux hémisphères à la suite d'une épilepsie grave. Ils ont vu ainsi que chaque hémisphère possède des spécialités plus ou moins bien définies : le droit est responsable des fonctions émotionnelles et spatiales, le gauche du langage et de la motricité. Multipliant les dissections, les vivisections et les observations par résonance magnétique, les scientifiques ont désormais une bonne connaissance de ce qu'ils appellent la latéralisation. Ils ont découvert entre autres que les deux hémisphères des gauchers sont reliés entre eux par des connexions plus nombreuses que celles des droitiers. Toutefois, personne n'est encore parvenu à expliquer pourquoi, quelques mois après la naissance, on se révèle plus habile de la main droite que de la main gauche.

Remarquant que 60 % des enfants de deux parents gauchers le sont aussi, les biologistes ont d'abord pensé qu'il s'agissait d'un facteur génétique. Erreur : les vrais jumeaux issus de gauchers ne le sont pas forcément tous les deux. Les chercheurs se sont alors intéressés au développement utérin. Il semblerait que la présence d'hormones mâles entre le septième et le huitième mois de la grossesse joue un rôle décisif. La solution se situe peut-être entre les deux, une part génétique et l'autre hormonale. On remarque aussi que la « manualité » se détermine au même moment que l'apprentissage du langage. Or, beaucoup de dyslexiques sont aussi gauchers.

En attendant d'en savoir plus, les gauchers peuvent être fiers de l'être : leur perception de l'espace est en général meilleure que celle des droitiers et ils sont particulièrement doués pour les arts, la musique, les sports et les maths.

Philippe Chambon, *L'Événement du Jeudi*, 30.8.1990.

PRISE DE NOTES

- Lisez ce texte en prenant en notes les principales idées. Notez ces idées dans un style télégraphique et en utilisant des schémas.

Exemple :
Introduction : ***droitiers*** *(90 % de l'humanité) → la civilisation est faite pour eux ;*
gauchers *(10 %) → phénomène considéré comme « anormal ».*
Causes de ce phénomène : *problème pour la science.*

- Exposez le contenu de l'article à votre voisin (e) en utilisant seulement vos notes.

L'ORGANISATION DU TEXTE

- Repérez les moments du développement (voir p. 176), les procédés de mise en valeur (voir p. 141), la manière de présenter les idées.
- Inspirez-vous de la construction de ce texte pour exposer par écrit l'état d'une question que vous connaissez bien ou sur laquelle vous vous serez documenté.

IDÉES

MENTALITÉ : LES FRANÇAIS ET LES MÉDICAMENTS

LES MALADES IMAGINAIRES

Les Français sont des grands malades. Ils n'aiment pas l'ordre, ils aiment l'ordonnance. Stressés à mort par leur course aux chimères et leur excessive subjectivité, ils se bourrent de médicaments. Ils en achètent en moyenne 50 boîtes par an, deux fois plus que les Allemands, trois fois plus que les Américains. Se soigner à tout va est un réflexe. Un malaise ? Hop ! Hystériques, ils n'ont conscience de rien. 81 % des Français affirment ne prendre des médicaments qu'en cas de vraie maladie, preuve qu'ils se sentent malades en permanence. Ce rapport à la médecine n'est pas sans rappeler la facilité avec laquelle ce peuple hexagonal, tout au cours de son histoire, a changé de régime, de lois et de programmes : il ne peut pas vivre sans cette croyance en une thérapie salvatrice. Si, lors de la dernière décennie, la vie idéologique des Français s'est stabilisée au niveau zéro, ils ont compensé en passant premiers consommateurs au monde de tranquillisants. Bilan : 17 200 hospitalisations par an pour intoxication pharmaceutique, suicides non inclus. Cela coûte cher à la Sécurité sociale. Claude Évin a décrété le bon usage du médicament grande cause nationale. Son ministère de la Santé part en guerre, avec l'agence Hintzy Heymann : *« Un médicament, ça ne se prend pas à la légère. »* Le parti pris est d'inquiéter en faisant ressortir que les substances absorbées sont actives et peuvent réagir entre elles de manière imprévisible et néfaste. Il est conseillé de voir son pharmacien et son médecin. On se calme ! Sans calmants ? Dur.

Philippe Gavi, *Le Nouvel Observateur,* 4.4.1991.

LA POTION MAGIQUE

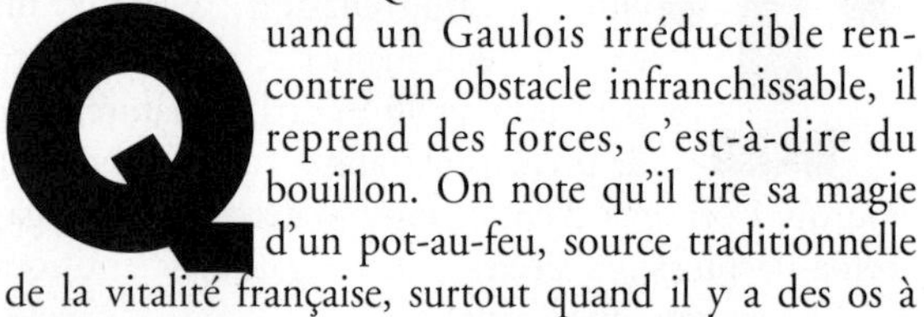

Quand un Gaulois irréductible rencontre un obstacle infranchissable, il reprend des forces, c'est-à-dire du bouillon. On note qu'il tire sa magie d'un pot-au-feu, source traditionnelle de la vitalité française, surtout quand il y a des os à moelle.

Grâce à la potion magique, la France d'Astérix s'est donné les moyens de sa politique. Tirant leçon de la défaite de 52 face aux légions mécanisées de César, le village a misé sur la dissuasion. Il peut frapper où il veut, quand il veut. Le Romain le sait et rarement s'aventure dans la forêt. Dans la tradition très française du *sanctuaire,* la potion se tient juste après l'oppidum, bien avant les fortifs, Maginot et le bouclier nucléaire. Le village y puise un sentiment de sécurité qui le conduit à négliger l'armement conventionnel, sans oublier la culture physique. Privé de potion, il ne vaut guère mieux qu'une Division Daguet*. Mais il a pour lui la mobilité, la si réputée *furia francese :* la stratégie gauloise consiste à leur foncer dans le tas, en quoi elle se distingue assez peu de la tactique gauloise où il s'agit de leur rentrer dans le chou.

Le recours aux potions qui dispensent de l'effort fait partie de notre identité. Pour citer quelques variétés récentes du bouillon national : l'homme providentiel, la commission de réforme, la subvention, le traitement social du chômage, le beurre allégé, l'automédication et les excitants distribués par des druides complaisants.

Alain Schifres, *L'Express,* 17.10.1991.

Division Daguet : unité armée envoyée par la France lors de la guerre du Golfe (1991).

LES MALADES IMAGINAIRES

- Quelle est la mentalité générale que trahit le comportement des Français envers les médicaments ? Connaissez-vous d'autres signes de cette mentalité ?
- Analysez les comportements des habitants de votre pays (ou des pays que vous connaissez) envers les médicaments, l'automobile, la nourriture, le jeu, etc. Sont-ils les signes de certains traits généraux de mentalité ?

LA POTION MAGIQUE

- Relevez toutes les allusions et les références culturelles de cet article :
  - histoire,
  - habitudes,
  - bande dessinée *Astérix,*
  - modes,
  - géographie,
  - politique,
  - archéologie,
  - littérature,
  - langue (expressions et locutions).

N.B. : Pour vous encourager et vous consoler, sachez qu'un Français ne trouverait peut-être pas toutes ces allusions !

L'HUMOUR DES TEXTES

- Répertoriez les divers procédés grâce auxquels les auteurs ont rendu ces textes humoristiques.

LA PUBLICITÉ

- Quel est le but de la publicité ci-contre ? Par qui, d'après vous, a-t-elle été commandée ?
- Analysez sa composition (sujet, texte, image). L'impact sur le public vous paraît-il suffisamment fort ?
- Sur le même sujet, imaginez :
  - une autre affiche,
  - un film de 30 secondes pour une séquence publicitaire destinée à la télévision.

UN MÉDICAMENT
ÇA NE SE PREND PAS
À LA LÉGÈRE.

VISIONS DU FUTUR ET DU PASSÉ

LES ÉCRIVAINS RÉSOLVENT LE PROBLÈME DE LA NAISSANCE DU LANGAGE

Quand, comment, pourquoi le langage est-il apparu un jour sur la Terre ? Voilà un problème que la science n'a pas encore résolu. Mais les écrivains ont réponse à tout.

La thèse de Jean-Jacques Rousseau

On ne commença pas par raisonner, mais par sentir. On prétend que les hommes inventèrent la parole pour exprimer leurs besoins ; cette opinion me paraît insoutenable. L'effet naturel des premiers besoins fut d'écarter les hommes et non de les rapprocher. Il le fallait ainsi pour que l'espèce vint à s'étendre, et que la terre se peuplât promptement ; sans quoi le genre humain se fût entassé dans un coin du monde, et tout le reste fût demeuré désert.

De cela il suit avec évidence que l'origine des langues n'est point due aux premiers besoins des hommes ; il serait absurde que de la cause qui les écarte vînt le moyen qui les unit. D'où peut donc venir cette origine ? Des besoins moraux des passions. Toutes les passions rapprochent les hommes que la nécessité de chercher à vivre force à se fuir. Ce n'est ni la faim, ni la soif, mais l'amour, la haine, la pitié, la colère, qui leur ont arraché les premières voix. Les fruits ne se dérobent point à nos mains ; on peut s'en nourrir sans parler ; on poursuit en silence la proie dont on veut se repaître : mais pour émouvoir un jeune cœur ; pour repousser un agresseur injuste, la nature dicte des accents, des cris, des plaintes. Voilà les plus anciens mots inventés, et voilà pourquoi les premières langues furent chantantes et passionnées avant d'être simples et méthodiques.

Jean-Jacques Rousseau, *Essai sur l'origine des langues,* composé vers 1750.

LE RAISONNEMENT DE ROUSSEAU

• Représentez sous forme d'un schéma les éléments de l'argumentation. Indiquez :
– les idées combattues par Rousseau,
– sa propre thèse,
– les preuves données pour étayer cette thèse.

• Étudiez la rhétorique du texte. Cherchez :
– les marques d'un discours logique, rigoureux, scientifique ;
– les marques d'un discours qui cherche à convaincre, à enthousiasmer le lecteur pour la thèse.

CRÉATIVITÉ

• Imaginez des explications originales aux grandes inventions suivantes :
– la roue,
– l'écriture,
– la première pièce de monnaie.
– Etc.

La vision de Claude Klotz dans son roman « Les Innommables ».
(Une tribu de la Préhistoire vient de mener un terrible combat contre un lézard monstrueux.)

Lorsqu'ils ouvrirent les yeux, le lézard s'était écroulé. Sur son dos, un fouillis prodigieux de bras et de jambes le clouait au sol, huit bras lui serraient la gargamelle* : Alain avait franchi le précipice [...]

Ils plantèrent une dernière fois l'énorme couteau, le fracassant contre une épiphyse indestructible.

C'était fini.

Ils se regardèrent. Ils n'y croyaient pas encore.

Alors, pour la première fois dans l'histoire du monde, un mot fut proféré.

À la chaleur du brasier qui éloignait les miasmes fétides, il sonna, incongru.

Ce fut Frantz qui le prononça :

« Ouf. »

Dit-il.

Et tous surent alors que quelque chose d'important venait de se produire.

Claude Klotz, *Les Innommables,* Christian Bourgois, 1971.

la gargamelle : la gorge.

L'explication originale de Cavanna

20 000 avant Jésus-Christ	Un homme de génie a l'idée d'utiliser sa bouche pour émettre des sons articulés. Cette nouveauté connaît un succès immédiat. On massacre tous ceux qui veulent rester ventriloques.
15 000 avant Jésus-Christ	Un bienfaiteur de l'humanité invente l'écriture. Un criminel sadique invente l'orthographe.

Cavanna, *Le Con se surpasse,* Belfond, 1986.

ENTRE DEUX MONDES INCERTAINS

Petites histoires de science-fiction

Le problème

Tout à coup, distrait, le professeur qui, au tableau, expliquait à ses élèves les lois essentielles de la chute des corps dans l'espace, commit une erreur. Assez grossière, d'ailleurs.

Et, à cet instant précis, tous les avions qui sillonnaient le ciel tombèrent, comme des objets de plomb, non pas vers la Terre, mais du ciel dans le gouffre de l'espace.

Le débarquement

Quand les Stralkes entrèrent pour la première fois en contact avec notre monde, ils débarquèrent en Afrique, en pleine brousse, à proximité d'un village zoulou. Ils prirent des notes, déduisirent des lois générales et, un an plus tard, ils envahirent la Terre dans le but de l'annexer.

Ils s'étaient noirci la peau, ils avaient bariolé leur corps de peinture, ils s'étaient armés de lance-pierres et d'arcs.

Mais, cette fois, ils débarquèrent aux États-Unis, entre Boston et Chicago.

Le décalage

Alors les navigateurs de l'espace arrivèrent sur une planète strictement parallèle à la Terre, mais décalée d'un an par rapport à notre temps et ils durent se rendre à l'évidence qu'ils n'avaient pas encore quitté la Terre.

L'impensable

Dans ce monde où il était impossible pour un esprit humain de distinguer ce qui était vie d'avec ce qui était objet, de même qu'il était impossible de faire la différence entre les éléments confus dont le sol était criblé, les hommes commirent une erreur qui coûta la vie à toute une division de débarquement.

Séduit par l'éblouissante orchestration de végétaux qui explosaient dans un paysage cristallin, un biologiste trancha une plante aux étonnants reflets et la plaça dans un verre d'eau.

C'est ce geste qui fut la cause de l'incident.

Ce n'était pas une plante que le biologiste venait d'arracher au sol. C'était le chef des guerriers de ce monde.

Le complot

Tout sur Édrèle est complot tacite, secret, mortel. Chaque habitant d'une cité possède sans le savoir un double qui erre dans les vastes caves inconnues creusées sous les cités.

Et ce double n'a qu'un seul but : le complot qu'il trame sournoisement durant des années pour provoquer par n'importe quel moyen la mort de son reflet. Mais le double ignore que la mort de ce dernier signifie en même temps, irréductiblement, sa mort à lui.

Jacques Sternberg, *Entre deux mondes incertains,* Denoël, 1985.

LA « MACHINERIE SCIENCE-FICTION »

On dit quelquefois que Jules Verne, le père de la science-fiction française avait peu d'imagination. Ses personnages sont habillés et parlent comme leurs contemporains et l'intérieur des machines futuristes créées par le romancier ressemble en tout point à un appartement bourgeois du Second Empire. Jules Verne nous fait entrer dans l'univers de la SF en utilisant seulement deux ou trois ressorts originaux : la machine, l'extension de l'espace (on voyage vers la Lune ou au centre de la Terre) et quelquefois du temps. La « machinerie science-fiction » ne se distingue donc de la « machinerie du roman classique » que par une ou deux pièces originales et efficaces.

LES RESSORTS DE LA SCIENCE-FICTION

• Dans les petites histoires de Jacques Sternberg retrouvez le ressort qui, chaque fois, fait basculer le récit dans l'univers de la science-fiction. Montrez que ces ressorts appartiennent aux domaines des perceptions et de la logique.

Exemple : « Le problème. » Il y a deux ressorts :

– la perversion de la relation logique de cause à effet. Il n'y a normalement aucune relation possible entre le professeur dans sa classe et les avions ;

– l'inversion de la loi de la chute des corps.

• Quelle est la morale de chacune de ces histoires ?

• En vous appuyant sur les histoires de SF que vous connaissez faites la liste des ressorts possibles.

CRÉATIVITÉ NARRATIVE

• Imaginez de brèves histoires de SF en vous appuyant sur la liste des ressorts établie.

CINÉMA : QUAND L'ILLUSION DEVIENT RÉALITÉ

LES IMAGES VIRTUELLES

Il y avait bien eu « Alien », « Tron », « Total Recall », honorables balbutiements d'ordinateurs qui renvoyaient, déjà, les câbles et poulies présidant aux effets spéciaux de « La Petite Boutique des horreurs* » chez le ferrailleur. « Terminator II » frappe encore plus fort : il propulse son robot synthétique, T 1000, fruit d'études sur la dynamique des fluides, au rang d'acteur à part entière. Qui surgit du sol, fond en flaques, explose en gouttelettes, adopte toutes les formes. Et flanque, d'un coup, vingt ans dans les dents du beau Schwarzenegger, supercyborg première génération, qui perd ses vieux boulons dans la bagarre. L'image de synthèse bouscule le rythme d'un film, prête une réalité à ce qui est purement illusoire, autorise les scénarios les plus fous. Le monde réel n'est plus indispensable, puisque les images sont créées à partir de programmes informatiques. [...]

Avec seulement une batterie d'ordinateurs et de logiciels, un auteur et trente informaticiens, Alain Guiot, patron de Videosystem, peut recréer l'univers fantastique de Mœbius. Que ce soit chez Walt Disney, « Industry Light Magic » (de George Lucas), ou Videosystem à Paris, on assiste à une véritable course aux armements. Ce n'est qu'un début.

Cette créature plaquée argent, carrossée comme un offshore, n'est autre que « Suzy la Surfeuse ». Présentée au salon Imagina, elle vous emmènera fendre les flots, sa joue contre la vôtre. Ça s'appelle la réalité virtuelle et n'a pas plus de consistance que de la barbe à papa*. Autant le savoir : cet univers n'existe pas, vos sensations vous trompent. Le temps d'ôter votre casque, vos lunettes et vos gants de données, Suzy vous aura plaqué dans un clapotis. « L'image de synthèse a un effet particulier sur le cerveau. En recréant l'illusion de la réalité, elle active certaines zones émotionelles. [...] »

On apprend des choses étonnantes. Qu'une plume s'envole au seul souffle du spectateur sur l'écran. Qu'un dinosaure s'est ébroué dans un bureau sans y faire de dégâts. Que des comédiens dialoguent en direct et en temps réel avec des personnages de synthèse. Que Mœbius soi-même a effectué des repérages dans les décors de son film, lesquels, pourtant, n'existent qu'en équations.

Il nous fut rapporté qu'une poignée d'élus immergés dans un musée virtuel psychédélique, où les murs se gondolaient en formes étranges, sont ressortis de là nauséeux, titubants, traumatisés. Que d'étranges sabbats ont lieu dans quelques salles de Tokyo, où les spectateurs, par rangées entières, se contorsionnent dans leur fauteuil pour modifier l'image panoramique projetée en 70 mm ! Nom de code : Dynamic Motion Simulator.

« Nous n'en sommes qu'aux bricolages des frères Lumière*, affirme Philippe Queau, directeur de recherche à l'INA*. Tout dépendra de l'évolution des ordinateurs et du degré de réalisme qu'ils permettront. » Mais il en est certain, l'avenir du cinéma virtuel passera par la projection individuelle. Fini le plaisir collectif. Plus de pellicule ni d'opérateur. Chaque spectateur s'immergera en solitaire dans le scénario de son choix, dont il sera devenu l'un des héros. Tout comme Alice quand elle traversa le miroir.

Attention, danger de dépendance ! Mœbius soupire : « La grande affaire de l'an 3000 sera sans doute d'aller chercher les gens qui se sont perdus dans ces mondes illusoires ! »

Dominique de Saint-Pern, « Le Cinéma, 100 ans, 100 films », *L'Express,* n° 1 hors série 1992.

« La Petite Boutique des horreurs » : film des années 70 utilisant des effets spéciaux.

la barbe à papa : friandise en filaments autour d'un bâtonnet.

les frères Lumière : inventeurs du cinématographe en 1895.

l'INA : l'Institut national de l'audiovisuel.

LECTURE-RECHERCHE

- Quelles sont les trois générations d'effets spéciaux évoquées dans le premier paragraphe ?
- Faites la liste de tous les termes techniques utilisés pour décrire ces effets spéciaux.
- Énumérez les possibilités offertes aux metteurs en scène par la technique des images de synthèse.
- Analysez l'humour du texte.

ÉCRITURE

- Un éditeur qui fait un dictionnaire encyclopédique vous demande un court article sur le sujet : les images de synthèse. Rédigez cet article en six à huit lignes.

DÉBAT

- Quelles perspectives la fin du texte trace-t-elle pour le cinéma du prochain siècle ? Quels bouleversements cela entraînera-t-il dans l'industrie cinématographique et dans le comportement des spectateurs ? Donnez votre avis sur ces changements.

Images avec effets spéciaux extraites des films *Qui veut la peau de Roger Rabbit ?* (ci-contre) et *Chéri, j'ai rétréci les gosses.*

LA CRITIQUE DES SAVANTS

LE BOURGEOIS GENTILHOMME

La scène se passe au XVIIe siècle dans la maison d'un riche bourgeois, M. Jourdain. Celui-ci, qui est de condition modeste et qui a passé sa vie à travailler pour s'enrichir, n'a pas reçu une éducation d'homme de qualité. Ayant enfin acquis l'aisance financière de la noblesse, il veut aussi en avoir l'aisance culturelle et spirituelle. Il engage donc une série de professeurs (de musique, de danse, d'armes et de philosophie) qui doivent le transformer en gentilhomme cultivé.

La scène suivante se situe à la fin de la leçon qu'il a prise avec le maître de philosophie.

M. JOURDAIN. Il faut que je vous fasse une confidence. Je suis amoureux d'une personne de grande qualité, et je souhaiterais que vous m'aidassiez à lui écrire quelque chose dans un petit billet que je veux laisser tomber à ses pieds.

MAÎTRE DE PHILOSOPHIE. Fort bien.

M. JOURDAIN. Cela sera galant, oui ?

MAÎTRE DE PHILOSOPHIE. Sans doute. Sont-ce des vers que vous lui voulez écrire ?

M. JOURDAIN. Non, non, point de vers.

MAÎTRE DE PHILOSOPHIE. Vous ne voulez que de la prose ?

M. JOURDAIN. Non, je ne veux ni prose ni vers.

MAÎTRE DE PHILOSOPHIE. Il faut bien que ce soit l'un ou l'autre.

M. JOURDAIN. Pourquoi ?

MAÎTRE DE PHILOSOPHIE. Par la raison, monsieur, qu'il n'y a pour s'exprimer que la prose ou les vers.

M. JOURDAIN. Il n'y a que la prose ou les vers ?

MAÎTRE DE PHILOSOPHIE. Non, monsieur : tout ce qui n'est point prose est vers ; et tout ce qui n'est point vers est prose.

M. JOURDAIN. Et comme l'on parle, qu'est-ce que c'est donc que cela ?

MAÎTRE DE PHILOSOPHIE. De la prose.

M. JOURDAIN. Quoi ? quand je dis : « Nicole apportez-moi mes pantoufles et me donnez mon bonnet de nuit », c'est de la prose ?

MAÎTRE DE PHILOSOPHIE. Oui, monsieur.

M. JOURDAIN. Par ma foi ! il y a plus de quarante ans que je dis de la prose sans que j'en susse rien, et je vous suis le plus obligé du monde de m'avoir appris cela. Je voudrais donc lui mettre dans un billet : *Belle marquise, vos beaux yeux me font mourir d'amour ;*

Jacques Charon (Monsieur Jourdain) et Robert Hirsch (Le Maître de Philosophie) dans *Le Bourgeois Gentilhomme,* mise en scène de Jean-Louis Barrault, Comédie-Française, décembre 1972.

mais je voudrais que cela fût mis d'une manière galante, que cela fût tourné gentiment.

MAÎTRE DE PHILOSOPHIE. Mettre que les feux de ses yeux réduisent votre cœur en cendres ; que vous souffrez nuit et jour pour elle les violences d'un...

M. JOURDAIN. Non, non, non, je ne veux point tout cela ; je ne veux que ce que je vous ai dit : *Belle marquise, vos beaux yeux me font mourir d'amour.*

MAÎTRE DE PHILOSOPHIE. Il faut bien étendre un peu la chose.

M. JOURDAIN. Non, vous dis-je, je ne veux que ces seules paroles-là dans le billet ; mais tournées à la mode, bien arrangées comme il faut. Je vous prie de me dire un peu, pour voir, les diverses manières dont on les peut mettre.

MAÎTRE DE PHILOSOPHIE. On les peut mettre premièrement comme vous avez dit : *Belle marquise, vos beaux yeux me font mourir d'amour.* Ou bien : *D'amour mourir me font, belle marquise, vos beaux yeux.* Ou bien : *Vos yeux beaux d'amour me font, belle marquise, mourir.* Ou bien : *Mourir vos beaux yeux, belle marquise, d'amour me font.* Ou bien : *Me font vos yeux beaux mourir, belle marquise, d'amour.*

M. JOURDAIN. Mais de toutes ces façons-là, laquelle est la meilleure ?

MAÎTRE DE PHILOSOPHIE. Celle que vous avez dite : *Belle marquise, vos beaux yeux me font mourir d'amour.*

M. JOURDAIN. Cependant je n'ai point étudié, et j'ai fait cela tout du premier coup. Je vous remercie de tout mon cœur [...]

Molière, *Le Bourgeois Gentilhomme,* 1670 (Acte II, scène 4).

Jean Le Poulain et France Rousselle à la Comédie-Française, décembre 1979.

Scène du Malade imaginaire *(acte III, scène 10, Molière, 1673). Argan se croit perpétuellement malade et vit environné de médecins et de pharmaciens qui exploitent sa fortune. Pour essayer de lui ouvrir les yeux, sa servante Toinette se déguise en médecin et lui donne une consultation qui tourne au burlesque.*

LES EFFETS COMIQUES

Effets d'opposition

– de milieux (condition sociale, professionnelle, culturelle, etc.),
– d'âge (conflit de génération),
– psychologique (intelligence, caractère, etc.). Contraste entre ce que l'on est et ce que l'on croit être,
– visuelle (aspect physique des personnages, attitudes, gestes, etc.),
– de langue (niveaux et registres de langue).

Effets de répétition

– dans le langage,
– dans les situations, gestes et attitudes.

Effets d'exagération

– d'un trait psychologique,
– d'un élément visuel, etc.

Effets de dérèglement logique

– dans le langage,
– le comportement,
– les relations habituelles de causes à effets.

LA LANGUE DU XVIIe SIÈCLE

• Relevez les constructions de phrases et les temps verbaux qui vous paraissent ne plus être employés aujourd'hui (*N.B. :* les variations de constructions sur la phrase « Belle marquise... » sont évidemment fantaisistes.)

• Quels sens avaient les mots suivants au XVIIe siècle ? : une personne de *qualité* – *galant* – *point de...* – *que cela fût tourné gentiment.*

LE COMIQUE

• Étudiez le comique de la scène en vous appuyant sur les informations ci-contre.

• Étudiez les effets comiques dans la scène du *Malade imaginaire* qui figure dans l'enregistrement (voir p. 155) et qui est illustrée ci-dessus.

• Cherchez dans le cinéma, le théâtre ou la littérature, des exemples illustrant les effets comiques que vous n'auriez pas trouvés chez Molière.

Les explorateurs

Quand à la fin des années cinquante **Yves Klein** accrocha au mur d'une galerie un tableau entièrement couvert d'une peinture bleue uniforme et que çà et là, artistes et critiques se mirent à proclamer la mort de l'Art, il fut clair qu'une étape irréversible venait d'être franchie et qu'il était urgent de découvrir de nouvelles voies.

Certes, beaucoup de créateurs sont restés d'une certaine manière dans la tradition et continuent de s'exprimer à travers le tableau ou la sculpture. Qu'elle soit figurative ou abstraite, d'inspiration impressionniste, expressionniste ou surréaliste, la peinture n'a pas fini de se renouveler et l'image reste un champ dont on est loin d'avoir exploré toutes les possibilités.

Mais d'autres artistes semblent s'être donnés pour tâche de faire le procès de la peinture. Ainsi le groupe **BMPT** (du nom de ses quatre membres : **D. Buren, O. Mosset, H. Parmentier** et **N. Toroni**) refuse les codes sensibles traditionnels. La peinture n'a rien à communiquer, ni réel, ni imaginaire. Elle ne doit offrir que sa propre représentation à l'état brut. Et Buren ne cesse de couvrir les supports les plus variés des mêmes alternances bicolores de bandes verticales.

Pour le groupe **Support-Surface** l'acte du peintre s'identifie également au travail de l'artisan. Fondant sa pratique sur une théorie marxiste de l'art contemporain, ce groupe refuse la hiérarchie de valeurs établie depuis toujours entre le support, la surface peinte et le message (l'idée) transmis par cette surface. Non seulement la peinture n'a pas à exprimer d'idée mais support et surface peinte sont dotés d'un statut égalitaire. Par la technique du pliage ou du froissage, **Hantaï** expose des œuvres où la surface peinte joue avec le support brut.

Ce procès de la peinture peut aller jusqu'à son exécution. **Jaccard** fabrique des objets avec des fils et des cordages, les dispose sur une toile et les réduit par le feu à l'état de restes calcinés.

Certains artistes refusent de se laisser enfermer dans le cadre étroit de la simple fabrication d'objets (tableau ou sculpture). Pour eux « l'art est dans tout » ou si l'on préfère « tout peut être art ». Le comportement de l'artiste est plus important que la réalisation qui en découle : objet éphémère et souvent détruit. **Ben**, par exemple, n'hésite pas à mettre en scène ses objets personnels et ses pensées dans le joyeux bric-à-brac de sa boutique. Ceux qui pratiquent l'« **Art corporel** » font de leur propre corps un moyen d'expression et de connaissance exposant empreintes, assemblages d'ongles ou de cheveux, boudin fabriqué avec leur propre sang, dans un exhibitionnisme qui nous contraint au voyeurisme. Les adeptes du « **Land Art** » investissent le paysage, couvrant les rochers de peinture, recouvrant les falaises de feuilles de nylon ou « sculptant » l'espace grâce à des agencements de surfaces cultivées. Certains pratiquent l'« **Art postal** ». Des paquets contenant des objets, des textes, des graffitis sont adressés à des destinataires connus ou inconnus. D'autres enfin se livrent à une exploration du passé, reconstituant en miniature des bâtiments ou des quartiers disparus.

J.G.

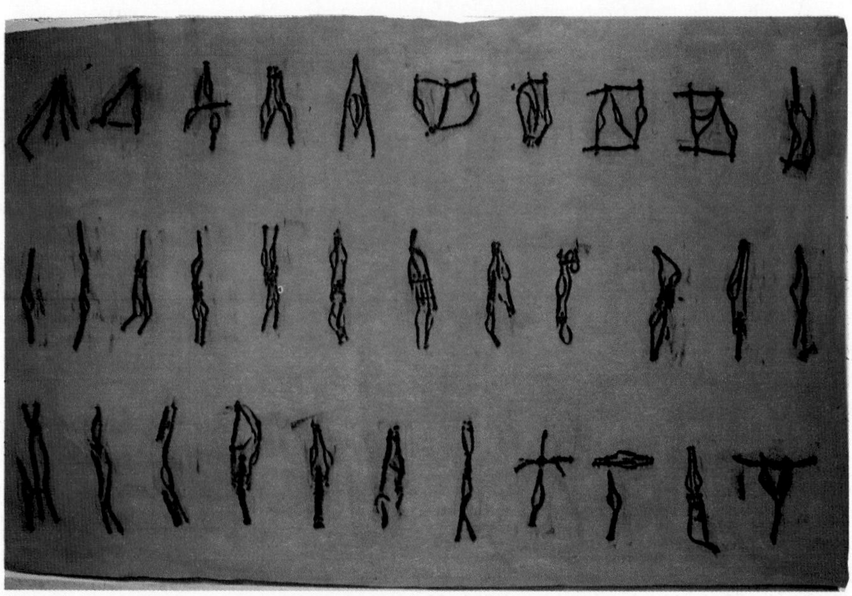

Jaccard, *Drap teinté avec empreintes*, 1973-1974.

COMMENTAIRE

• Faites la liste des différentes démarches artistiques présentées dans ce texte.

• Commentez les photos qui illustrent certaines de ces démarches.

JEU DE RÔLES

• Au Salon des arts contemporains, un journaliste interroge des créateurs. Chacun présente ce qu'il fait et explique son travail.

CRÉATIVITÉ

• Vous ne savez ni dessiner, ni peindre, ni sculpter mais vous avez décidé de devenir célèbre dans le milieu artistique. Imaginez une « forme d'art » originale qui fera parler de vous. N'oubliez pas que ce qui compte est moins ce que l'on fait que le discours d'explication et de justification que l'on tient sur sa « pratique ».

Ben, *La boutique,* musée national d'Art moderne.

Verame, Rochers peints dans le Tibesti, 1989.

LE RAISONNEMENT LOGIQUE

■ EXPRESSION DE LA CAUSE

On peut exprimer la relation de cause :

☐ **Par une simple juxtaposition :**

Nous ne sommes pas sortis. Il pleuvait.

☐ **Par des noms :**

■ la cause – l'origine – la source – le point de départ – la raison – le motif – le mobile – le prétexte – le fondement :

Son départ en province a été la source de tous ses ennuis.

☐ **Par des verbes :**

■ venir de – résulter de – découler de – être à l'origine de, à la source de, au point de départ de, etc.

Tous ses ennuis viennent de son départ en province.

☐ **Par des prépositions et des conjonctions :**

■ pour – en raison de – à cause de – du fait de – à la suite de – grâce à – faute de } introduisent un nom et dans certains cas une proposition infinitive

Il a été récompensé pour son succès (pour avoir réussi).

– quand la cause est exprimée par une proposition :

■ car (conséquence → cause) :

Il ne viendra pas car il est malade.

■ comme (cause → conséquence) :

Comme il est malade il ne viendra pas.

■ parce que – étant donné que – vu que – du moment que – puisque } cause ⇄ conséquence

Il ne viendra pas vu qu'il est malade.
Vu qu'il est malade il ne viendra pas.

■ EXPRESSION DE LA CONSÉQUENCE

On peut exprimer la relation de conséquence :

☐ **Par une simple juxtaposition :**

Il pleuvait. Nous ne sommes pas sortis.

☐ **Par des noms :**

■ la conséquence – l'effet – la suite – l'incidence – la répercussion – le retentissement – la réaction – la retombée – l'impact

L'événement a eu des conséquences dramatiques.

☐ **Par des verbes :**

■ on peut en déduire... on peut en conclure... causer – provoquer – permettre – amener – donner naissance à – faire naître – entraîner – engendrer – créer – déclencher
rendre (+ adj.) – donner (+ nom) – faire (+ verbe)

La catastrophe a provoqué la ruine du pays.

☐ **Par des prépositions et des conjonctions :**

■ coordination entre la cause et la conséquence donc – par conséquent– c'est pourquoi – c'est la raison pour laquelle – en conséquence – alors – aussi (avec pronom sujet après le verbe)

Il est malade. Par conséquent il ne viendra pas. (Aussi ne viendra-t-il pas.) ;

■ relation grammaticalisée entre la cause et la conséquence :

de manière à / de façon à / au point de } + infinitif

de sorte que – de façon que – au point que – à tel point que – (tant et) si bien que } + indicatif

Il est malade de sorte qu'il ne viendra pas.

1 Présentez les causes de la crise économique de 1929 aux États-Unis. Variez les formulations. Utilisez des noms, des verbes, des prépositions et des conjonctions pour exprimer la cause (le signe ← signifie « causé par »).

À partir des années 20, crise dans le monde agricole :

– baisse des cours du blé de plus de 50 % ← production trop forte,

– baisse des prix de vente du coton ← concurrence des fibres textiles synthétiques.

Les paysans ont de plus en plus recours au crédit ← augmentation des prix des matières non agricoles.

Banques de plus en plus endettées ← développement excessif du crédit.

Faillite des banques en chaîne ← spéculation boursière ← affolement du public à l'annonce des premières faillites.

Chômage - baisse des prix ← faillite des entreprises ← arrêt du crédit.

« À l'origine de la crise de 1929, il y a... »

2 Recherchez les causes possibles des événements suivants. Utilisez les moyens d'expression de cause que vous n'avez pas utilisés dans l'exercice 1.

– un trou de mémoire
– une panne de voiture
– l'émigration
– un divorce

3 **Voici un enchaînement de causes/conséquences expliquant la crise de l'enseignement en France. Construisez deux paragraphes :**

– présentez les conséquences du boum démographique des années 60,
– expliquez les causes du malaise de l'enseignement.

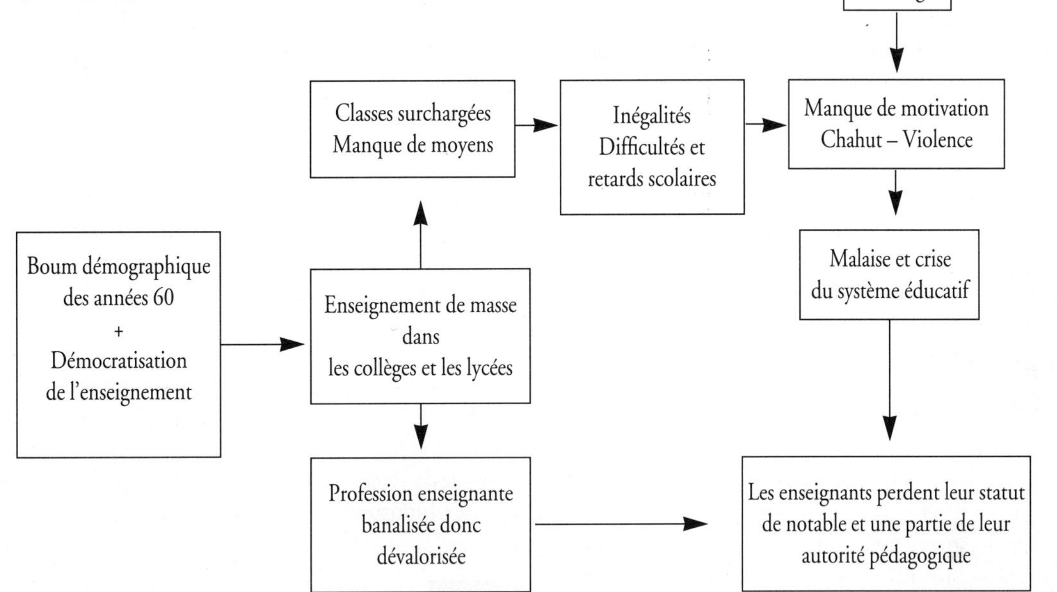

4 **Des événements anodins peuvent, par réactions en chaîne, entraîner des conséquences imprévisibles. Imaginez des séries de conséquences à partir des incidents suivants :**

– La voiture d'un riche industriel tombe en panne près d'une ferme isolée en Auvergne...
– Tous les trois jours, le facteur Roger Brun apporte un paquet, toujours identique, à la coquette villa des Pins. Un jour, par accident, le paquet tombe et se déchire...
– Les révolutions se succèdent dans ce pays désorganisé. Chacune porte au pouvoir un homme nouveau qui ne tarde pas à être destitué ou assassiné. Un jour, un mouvement populaire se donne comme dictateur un grand chanteur d'opéra...

■ QUELQUES FORMES DE RAISONNEMENTS LOGIQUES

☐ **Raisonnement par induction.** On présente une série de faits concrets (par exemple des détails sur le mode de vie actuel des femmes) et on en dégage une hypothèse ou une idée générale (par exemple : la femme est plus heureuse aujourd'hui que dans le passé).
☐ **Raisonnement par hypothèse/vérification.** On formule une hypothèse ou une idée générale (par exemple : la démocratie est le meilleur système politique possible) et on accumule les preuves. Il s'agit donc d'une démonstration.
☐ **Raisonnement par déduction.** On enchaîne les idées selon une relation de causes/conséquences (voir exercice précédent sur la crise de l'enseignement).
☐ **Raisonnement par opposition** (voir p. 93).
N.B. Dans les écrits non scientifiques (essais, articles de presse, etc.) les formes de raisonnement se mêlent souvent.

5 **Voici quelques sujets de réflexion. Quelle forme de raisonnement utiliseriez-vous pour les traiter ? Faites brièvement le plan de développement de quelques-uns de ces sujets.**

– Les films qui sont tournés le sont de plus en plus pour la télévision. Quelles sont les conséquences de ce phénomène ?
– Qu'est-ce qui traduit le mieux la pensée ou les sentiments ? Le discours parlé ou le texte écrit ?
– La construction de l'Europe est-elle une utopie ou un projet réaliste ?
– Certains disent : « La littérature, ça ne sert à rien. » Qu'en pensez-vous ?
– Les jeux vidéo ou informatiques occupent de plus en plus les enfants. Est-ce une bonne chose ?

INFO MÉMOIRE

20 JANVIER 1992, ACCIDENT D'AVION.

L'avion s'est écrasé hier vers 19 h 30 à 40 km de Strasbourg.

UNE DIZAINE DE SURVIVANTS DANS L'AIRBUS D'AIR INTER.

Plusieurs dizaines de personnes ont vraisemblablement péri dans un accident d'un Airbus A-320 d'Air Inter qui, avec 96 personnes à bord sur la liaison Lyon-Strasbourg, s'est écrasé vers 19 h 30 hier soir pour des raisons encore inconnues près du mont Sainte-Odile, non loin de Strasbourg.

Selon la Préfecture du Bas-Rhin, il y aurait une dizaine de survivants, dont un membre d'équipage. Le premier survivant retrouvé par les sauveteurs est un enfant, une fillette de deux ans, indemne. Elle a été aussitôt conduite au monastère du mont Sainte-Odile. *« Il y aurait dix ou même plus de survivants »*, a expliqué un gendarme sans pouvoir donner d'indications plus précises sur le nombre de morts et de blessés.

L'appareil avait à son bord 90 voyageurs et 6 membres d'équipage. Il assurait le vol IT-5148, décollant à 18 h 30 de Lyon-Satolas et devant atterrir à Strasbourg-Entzheim à 19 h 25.

C'est seulement peu avant minuit que les équipes de secours, qui travaillaient sans relâche depuis plus de quatre heures, ont réussi à localiser l'avion, qui s'est écrasé à 500 mètres au sud du Mont Sainte-Odile (760 mètres d'altitude), à une cinquantaine de kilomètres de Strasbourg.

On ignore encore tout des causes de cette catastrophe. Le Directeur général de l'Aviation civile, M. Pierre-Henri Gourgeon, a déclaré ne pas pouvoir donner de précisions à ce sujet. Toutefois, le fait d'avoir retrouvé des survivants amène les enquêteurs à écarter l'hypothèse d'une explosion en plein vol, en altitude.

Midi Libre, 21.1.1992.

- Lisez le premier article de presse paru sur l'accident le 21 au matin.
- Écoutez le bulletin d'informations du 22 janvier à 7 heures. Qu'apprenez-vous de nouveau ? Remaniez et complétez l'article de façon à intégrer ces nouvelles informations.

AIDE À L'ÉCOUTE

la boîte noire : boîte située dans les avions et où sont enregistrées diverses données concernant le vol. Cette boîte est en principe indestructible et permet souvent de détecter les causes d'un accident.

Paul Quilès : ministre des Transports à l'époque de l'accident.

Direction de l'aviation civile : administration qui régit les transports aériens.

JOËL DE ROSNAY, DIRECTEUR DE LA CITÉ DES SCIENCES ET DE L'INDUSTRIE DE LA VILLETTE PRÉSENTE CET ESPACE CULTUREL ORIGINAL.

Située dans les quartiers nord de Paris, la Cité des Sciences et de l'Industrie a été ouverte au public en 1986.

La Cité des sciences et de l'industrie, d'une architecture résolument technique, est entourée, telle une citadelle du savoir, de douves remplies d'eau. Elle comprend sur trois niveaux, le musée des Techniques, Explora, qui est organisé autour de quatre thèmes : « De la Terre à l'Univers » (le Nautile, la fusée Ariane et la station orbitale, expériences tourbillonnantes sur les forces centrifuges et centripètes, naissance et vie des galaxies, le Soleil et ses origines) ; « L'aventure de la vie » (ferme aquacole, pont vert, films sur la vie) ; « La matière et le travail de l'homme » (les matériaux, l'électricité, jardin des particules, zoo des robots, aventures industrielles) ; « Langages et communication » (mondes sonores, expressions et comportements, mutations informatiques).

À côté de ces expositions permanentes, des manifestations temporaires présentent les découvertes récentes des entreprises ; les deux médiathèques pour adultes et enfants sont des centres de documentation ; le planétarium révèle sur un écran géant l'actualité de l'astronomie ; la maison de l'Industrie traite de toute l'activité économique du pays ; l'Inventorium, réservé aux enfants (3-11 ans), les initie à la science par les jeux.

La Géode, conçue par Fainsilber, a été réalisée par Chamayou, l'un des quatre ingénieurs au monde capables de construire une sphère parfaite. C'est une vaste sphère dont l'enveloppe est en métal poli inoxydable qui abrite une salle de projection hémisphérique. Entourée d'un plan d'eau, située dans l'axe du musée, elle assure de manière tout à fait esthétique la transition entre l'architecture technique et fonctionnelle de ce dernier et le parc.

Martine Constans, *Le Guide de Paris,* La Manufacture, 1991.

• Vous travaillez au service des relations publiques de la Cité des Sciences. Un étranger vous téléphone :
« J'organise un voyage à Paris pour mes élèves qui ont 15 ans et je me demande si une visite de La Villette pourrait les intéresser. Qu'est-ce qu'on peut y voir ?... Est-ce que ce n'est pas trop technique ?... J'ai entendu parler d'un bâtiment appelé la Géode. Pouvez-vous me dire ce dont il s'agit ? »
Donnez-lui les informations qu'il demande.
• Quelle est la conception de la culture que développe Joël de Rosnay. La partagez-vous ?
En quoi la Cité des Sciences répond-elle à cette conception ?
• Imaginez ce que pourrait être une Cité des Arts et des Lettres conçue selon cette idée de la culture.

L'ÉCOLE DE JULES FERRY

Ministre de l'Instruction Publique, puis Président du Conseil sous la IIIe République, Jules Ferry fit adopter dans les années 1880 un ensemble de lois qui allaient transformer radicalement non seulement le système éducatif mais aussi l'Histoire de la France.
L'école publique devenait **gratuite et obligatoire** pour tous (garçons et filles) pendant toute la durée du cycle primaire. Elle était également laïque (neutre sur le plan religieux). L'enseignement secondaire était étendu. Un corps de fonctionnaires était créé qui avait pour mission de répandre dans les coins les plus reculés de la France les connaissances de base ainsi que la morale et les valeurs républicaines. Un système de bourses devait aider les élèves de milieux défavorisés les plus méritants.
Ces lois, en conjonction avec les transformations sociales et économiques, allaient avoir d'importantes conséquences sur l'évolution du pays.
– **Disparition progressive des langues régionales.** L'enseignement est donné partout en français.
– **Mobilité des personnes.** L'accès de tous à l'éducation permet aux jeunes des zones rurales pauvres d'envisager un départ vers les villes ou vers les pays de l'empire colonial.
– **Unification idéologique du pays.** Au-delà des clivages politiques, les instituteurs qu'on a appelé les hussards (soldats) de la République, inculquaient à tous les mêmes valeurs : foi dans les connaissances, les sciences et le progrès, stricte morale laïque (exaltation du travail, respect des aînés, etc.), rationnalisme et méfiance à l'égard des « obscurantismes » religieux.
Il fallut attendre la fin des années 60 pour que ce système commence à être bousculé (disparition de la mission moralisatrice des enseignants, reconnaissance des spécificités individuelles et régionales, etc.).

OPINIONS

LE PROFESSEUR GOT JUGE LES MÉDECINES PARALLÈLES

• Comment explique-t-on en France le développement des médecines parallèles (ou « médecines douces » ou « naturopathie ») ?
• Montrez que ces deux conceptions de la médecine déterminent deux types de relation malade/médecin.
• Quel problème d'éthique pose la relation malade/médecin ?

À TRAVERS LA FRANCE

DEUX HABITANTS DE L'ARIÈGE EXPLIQUENT LE DÉPEUPLEMENT DE LEUR DÉPARTEMENT

L'Ariège est un département montagneux situé au centre de la chaîne des Pyrénées.
Répertoriez les causes du dépeuplement progressif de ce département.

AIDE À L'ÉCOUTE

Occitanie : nom donné à l'ensemble des régions du sud de la France où l'on parlait la langue d'Oc et ses variantes.

LA SCÈNE ET L'ÉCRAN

Écoutez :
– la scène du *Bourgeois Gentilhomme* de Molière (p. 152),
– la scène du *Malade imaginaire* de Molière (voir photo p. 153).

10 L’homme efficace

L’homme est ce qu’il fait.

André Malraux, *Antimémoires,* 1967

Crédit Agricole.

Adolescence
Architecture
Avenir du cinéma
Corrida
Enseignement
Illettrisme
Intellectuels
Philosophie de l’action
Plan d’un développement
Sens de l’existence
Systèmes éducatifs
Travail

Apprends, Ô Sancho, qu’un homme n’est pas plus qu’un autre s’il ne fait plus qu’un autre.

Miguel de Cervantès, *Don Quichotte,* 1605-1615.

MAJORITÉ À QUINZE ANS

Médecin psychanalyste, Françoise Dolto s'est plus particulièrement intéressée à la psychanalyse des enfants et des adolescents. Ses analyses de cas diffusées par le livre ou à la radio ont touché un large public. Elle répond ici aux questions d'un groupe d'enquêteurs.

Un jeune individu sort de l'adolescence lorsque l'angoisse de ses parents ne produit plus sur lui aucun effet inhibiteur. Ce que je dis n'est pas très agréable pour les parents, mais c'est la vérité qui peut les aider à être clairvoyants : leurs enfants ont atteint le stade adulte lorsqu'ils sont capables de se libérer de l'influence parentale en ayant ce niveau de jugement : « Les parents sont comme ils sont, je ne les changerai pas et je ne chercherai pas à les changer. Ils ne me prennent pas comme je suis, tant pis pour eux, je les plaque*. » Et sans culpabilité de les plaquer. À ce moment de rupture féconde, trop de parents voudraient rendre coupables leurs enfants, parce qu'ils souffrent et qu'ils sont angoissés de ne plus pouvoir avoir l'œil sur eux : « Qu'est-ce qu'ils vont devenir... ils n'ont pas d'expérience... etc. ».

Cette fin de l'adolescence peut-elle être vécue beaucoup plus tôt qu'à seize ans ?

Non, parce que la société ne le permet pas. Oui, si la société permettait qu'on travaille chez les autres à quatorze ans et qu'on gagne sa vie. Le jeune ne trouve pas en Occident de solutions licites* pour plaquer ses parents en s'assumant* sans être pour cela marginal, délinquant ou à la charge de quelqu'un qui veut bien prendre en charge un adolescent au risque de perversion. Actuellement nombre d'adultes sont intéressés par la très grande demande d'adolescents sur le plan sexuel et sur le plan affectif. Finalement, les jeunes sont obligés de se vendre, que la vénalité* soit visible comme la prostitution qui est dans la rue, ou qu'elle soit ambiguë : on se fait entretenir par quelqu'un qui s'estime dès lors avoir des droits sur vous et sur votre corps. Cette nouvelle forme de dépendance vient de ce que les lois ne permettent pas à un jeune de gagner sa vie, même d'une façon parcellaire, mais qui lui donnerait les moyens d'avoir un gîte* et une soupe populaire... enfin, de ne pas être à la charge de quelqu'un, et en même temps de trouver un travail ou un apprentissage payé, ou une expérience de voyage subventionné. Je pense que la société pourrait faire beaucoup en annonçant des possibilités de bourses de voyage, de bourses de formation... toute une gamme de « petits boulots ». [...]

Avancer l'âge de la majorité ?*

La majorité légale devrait être à quinze ans tout simplement et l'émancipation* possible à partir de treize ans, l'émancipation totale. J'entends l'objection : « Les parents ne feront plus rien pour eux. » Ça prouve qu'ils ne faisaient déjà rien. Quand un adulte pour une raison ou pour une autre déconnecte*, ce peut être un accident, ce peut être une maladie évolutive qui le frappe d'incapacité temporaire ou irréversible, il est bien amené à être assisté. Donc on peut inclure dans ce risque des jeunes qui, à l'âge d'une majorité avancée, à quinze ou seize ans, ne seraient pas capables de se débrouiller mais qui seraient l'exception.

Si les parents acceptaient, à la demande de l'enfant, l'émancipation, ils seraient en droit de ne plus donner un sou à leur enfant et de le laisser se clochardiser complètement. S'ils le faisaient, cela prouverait qu'ils le laissaient à l'abandon déjà auparavant. Si au contraire, ils se sentaient responsables de leur enfant, ce n'est pas parce que leur enfant aurait le statut d'émancipé qu'ils ne l'aideraient plus. Il ne serait pas interdit qu'ils aident leurs enfants mais ce ne serait plus obligatoire. Pourquoi le font-ils dans le statut actuel ? Parce que c'est obligatoire ? Non, ils le font pour avoir du pouvoir sur leur enfant. Aucun argument ne tient. Qu'il soit débile, ça ne tient pas. Qu'il soit infirme, ça ne tient pas parce qu'il y a des assistés infirmes adultes.

Françoise Dolto, *La Cause des adolescents,*
Robert Laffont, 1988.

plaquer quelqu'un : (fam.) quitter, abandonner.

licite : autorisé par la loi.

s'assumer : se prendre en charge, être responsable et décider de sa vie et de ses actes.

la vénalité : fait de céder quelque chose pour de l'argent.

un gîte : un logement.

la majorité : âge (18 ans, depuis 1974) où une personne devient responsable de ses actes au regard de la loi, où elle peut créer une entreprise, se marier, voter. Les parents ne sont plus alors obligés d'entretenir leurs enfants.

une émancipation : acte juridique par lequel un enfant est libéré de la tutelle parentale (actuellement, 16 ans).

déconnecter : se trouver en marge de la société pour des raisons de santé physique ou mentale, etc.

ARGUMENTATION

- Reconstituez les éléments de l'argumentation par laquelle Françoise Dolto démontre qu'il faudrait avancer l'âge de la majorité et de l'émancipation.
- Discutez son point de vue. Si vous n'êtes pas d'accord, construisez une argumentation contraire.

TRAVAIL : LES PANTOUFLARDS ET LES AVENTURIERS

60 % de dynamiques, 40 % de frileux

LA GUERRE DES DEUX FRANCE

La France du travail est-elle plutôt tricot ou plutôt jogging ? Pantouflarde* ou aventurière ? Les deux, bien sûr. Mais sur la voie encombrée des années 90, professions « TGV » et professions « sleeping » se frottent de plus en plus. Au risque de se heurter. C'est une des révélations les plus intéressantes de notre enquête : le clivage aujourd'hui ne passe plus seulement entre riches et pauvres. La véritable guerre des deux France, c'est celle que se livrent désormais *frileux* et *dynamiques.* Deux groupes de professions, homogènes, de taille presque équivalente, mais aux attitudes devant le travail aussi différentes que possibles.

Les frileux. Ils représentent 40 % des Français interrogés. Blottis derrière des murailles d'avantages acquis, ils bétonnent* leurs situations sur l'air de « pourvu que ça dure ». Et s'imaginent que tout le monde fait de même. Quel que soit leur niveau de revenus, ils se sentent concernés par les inégalités qui régissent le monde du travail, surtout lorsqu'ils en sont victimes. Ils n'hésitent d'ailleurs pas à manifester leur réprobation. *« Certains gagnent trop, il y a des abus »,* se plaignent-ils.

Les dynamiques, soit 60 % des Français interrogés. Pour eux, c'est la liberté – d'entreprendre – qui prime. D'ailleurs, s'ils atteignent la stratosphère des hauts revenus, c'est généralement sur un siège éjectable. Totalement investis dans leur travail, ils se soucient peu de la condition d'autrui. Leur crédo : *« Dans la société, chacun est payé à sa juste valeur. »* Ils ne nourrissent aucune sympathie pour les *frileux,* responsables, selon eux, des rigidités du système. Mieux : ils les poursuivent désormais d'une hargne nouvelle.

À quoi rêvent ces deux groupes ? Nous avons soumis à notre échantillon une série de critères professionnels. Moulinés* par l'ordinateur, cela donne un contraste saisissant.

Fric et sécurité sont les maîtres mots des *frileux.* Ce qu'ils espèrent avant tout, c'est gagner le maximum d'argent avec le minimum de risques. Pour cela, ils rêvent de se reposer sur des diplômes, d'avoir une progression de carrière assurée, et de bénéficier de la sécurité d'emploi. Prendre des initiatives, échapper à la routine, c'est bien le cadet de leurs soucis*. Être utile aux autres ? Quand les poules auront des dents*... Le métier le plus proche de leur idéal se situe dans la zone des *grands gagnants :* notaire, TPG*, expert-comptable, pharmacien, radiologue. Monsieur Prud'homme*, quand tu nous tiens... Ne leur parlez pas surtout d'être artiste-peintre – c'est trop précaire ; ni d'être prêtre – trop mal payé.

Les *dynamiques* veulent des initiatives à tout prix. La routine, voilà leur hantise. Certes, ils ne crachent pas sur un bon salaire. Mais rendre des services reconnus socialement les préoccupe aussi. En revanche, haro sur l'idéologie sécuritaire en matière de travail ! Les diplômes comme rente de situation, la sécurité de l'emploi et la carrière assurée... à d'autres !

Leur idéal professionnel ? C'est chez les *aventuriers* qu'il faut le chercher : styliste, promoteur immobilier, golden boy, journaliste, PDG. Qui risque beaucoup gagne gros ! Leur phobie : le « fonctionnaire » – de base – (gardien de prison, facteur, agent de police, conducteur SNCF, instituteur...) et l'employé de banque.

Yann Holchaker, *Le Nouvel Observateur,* 29.11.1990.

LECTURE-RECHERCHE

• Relevez les caractéristiques des deux groupes sociaux.

• Analysez les formes linguistiques qui permettent ces caractérisations.

Exemple : être tricot → aimer et pratiquer le tricot (signe d'un être peu ouvert à la nouveauté, peu enclin à bouger, etc.).

VOCABULAIRE

• Choisissez les mots qui permettent de caractériser chacun des deux groupes.

CRÉATIVITÉ

• La profession de fonctionnaire (agent de police, gardien de prison, instituteur, etc.) intéresse de moins en moins le groupe des dynamiques.

Réalisez une publicité pour les inciter à choisir cette profession.

Caractère	Valeurs
casanier – novateur – téméraire – timoré – progressiste – économe – routinier – créatif – entreprenant – conservateur – progressiste – dépensier – etc.	famille – argent – maison – voyage – travail – diplôme – communication – stabilité – goût du risque – sécurité – etc.

LA GALÈRE DES FEMMES CADRES

Elles n'ont plus rien des féministes des années 70. L'égalité est, pour elles, un droit acquis. Elles ont renoncé aux carrières bien balisées par leurs aînées dans l'enseignement ou le travail social pour disputer aux hommes le pouvoir dans l'entreprise. L'Insee* les évalue à un peu plus de 200 000 dans le secteur privé. Une bien maigre minorité (2,2 %) dans les bataillons sans cesse grossissant du travail féminin, mais qui représentait déjà en 1989 plus de 18 % des cadres d'entreprise, contre 12,9 % en 1983.

Les femmes ont grignoté discrètement mais sans relâche les postes jusque-là réservés aux hommes. Elles s'y montrent compétentes, exigeantes, ambitieuses. Ni la maternité ni la crise économique et la montée du chômage n'ont eu raison de leur détermination. Le pouvoir ne les a pas transformées en mères tyranniques ou en harpies castratrices. Les fantasmes, les clichés se sont épuisés d'eux-mêmes.

Pourtant, de l'avis même des principales intéressées et des entreprises qui les emploient, les problèmes ne manquent pas ! « L'envie de réussir », chez la femme, ne relève plus de la névrose, comme l'affirmait péremptoirement Freud. Mais, pour quelques histoires édifiantes montées en épingle, combien de carrières qui, commencées dans l'enthousiasme, se poursuivent au mieux dans la déception, au pire dans la franche aigreur ?

En 1987, Diane Keaton incarnait à l'écran une brillante avocate d'un cabinet new-yorkais surprise en pleine ascension sociale par l'arrivée inopinée d'un bébé. Le marmot sous un bras, l'attaché-case sous l'autre, l'héroïne de « Baby Boom » tente de concilier une ambition dévorante et les contraintes de la maternité. En quelques semaines, et sans avoir le temps de comprendre ce qui lui arrive, elle perd successivement la confiance de son employeur, l'espoir d'une promotion, ses principaux contrats et, finalement, son job au profit d'un homme, son adjoint de surcroît.

« Nous sommes nombreuses à pouvoir nous identifier à elle, confie Véronique, responsable du service contentieux dans une banque lyonnaise. *Pendant des années, on donne à la boîte son temps sans compter. Elle nous le rend bien, avec des promotions rapides, de nouvelles responsabilités. Et puis un beau jour, crac : elle découvre qu'on est une femme. Fini, la lune de miel, et bonjour la voie de garage. Comme si tout n'avait été qu'un malentendu. »*

À 25 ans, les jeunes embauchées comme « chef de secteur » sont toutes des « enthousiastes ». Cinq ans plus tard, promues « responsables d'équipes de vente », elle se rangent encore massivement dans la catégorie des « ambitieuses en sursis ». Après dix ans de carrière, le paysage change : face à quelques « super-women » capables de mener de front ascension professionnelle et vie privée, on trouve surtout les cohortes de toutes celles qui vivent douloureusement le dilemne sans pouvoir le trancher, prêtes à rejoindre les catégories des « résignées » ou des « désadaptées ».

« À l'évidence, souligne Catherine Thibaux, directeur des relations humaines de BSN*, *la féminisation des cadres a atteint le seuil où elle pose des problèmes radicalement nouveaux aux organisations classiques. L'entreprise doit faire un effort d'imagination pour adapter non seulement la gestion des carrières, mais sans doute aussi la conception même du travail. »*

Jean-François Lacan, *Le Point,* n° 1023, 25.4.1992.

pantouflard : qui aime rester chez lui, les pieds dans ses pantoufles. Casanier. Peu dynamique.

bétonner : construire avec du béton (fig.) renforcer.

mouliner : faire passer dans un moulin (à café, à légumes, etc.). Ici, emploi métaphorique qui évoque le traitement par ordinateur.

Monsieur Prud'homme : personnage littéraire créé par Henri Monnier (1853). Incarnation du bourgeois qui a réussi. Conformiste et étroit d'esprit.

« c'est le cadet de leurs soucis » : le cadet est le plus jeune de deux enfants. Ici, un souci secondaire.

« quand les poules auront des dents » : (locution populaire) jamais.

TPG : trésorier payeur général.

LECTURE – COMMENTAIRE

- Comparez les motivations, les attitudes et les problèmes des femmes cadres d'entreprise dans les années 70 et aujourd'hui.
- Pour quelles raisons une femme cadre pose-t-elle plus de problèmes qu'un homme dans une entreprise ?
- Catherine Thibaux (dernier paragraphe) affirme que ces problèmes pourraient être résolus par un effort d'imagination ainsi que par une adaptation de la gestion des carrières et de la conception du travail. Quelles solutions concrètes préconiseriez-vous ?

Insee : Institut national de la statistique et des études économiques.

BSN : importante entreprise d'agro-alimentaire.

L'ÉDUCATION CONTROVERSÉE

MISE EN CAUSE DES INNOVATIONS

« La guerre, disait Clemenceau, est une chose trop sérieuse pour être confiée à des militaires. » La pédagogie serait-elle, elle aussi, une chose trop sérieuse pour être confiée à des pédagogues ? On serait tenté de le croire au vu de la cascade d'innovations pédagogiques malheureuses qui depuis vingt ans s'abattent sur les élèves.

Bien sûr, les années 80 ont marqué dans ce domaine un retour à une certaine sagesse. Outils d'éveil, blocs logiques*, fours à céramique et autres inventions des pédagogues des années 70 dorment aujourd'hui dans un profond oubli, remisés dans les armoires du fond de la classe. Mais, des années folles de la pédagogie, un principe a surnagé et s'est imposé à tous : la nécessité de rendre les élèves « actifs » et de les faire « participer ». Si l'intention est louable, les résultats ne sont, eux, pas toujours probants. De plus en plus, sous prétexte de pédagogie active, l'écrit cède du terrain à l'oral, le cours magistral tend à être remplacé par de vagues exercices et le « par cœur » se trouve cantonné aux tables de multiplication. Jargon et formalisme, en revanche, se portent bien, de sorte que les élèves se trouvent confrontés à des exercices tantôt simplets, tantôt insolubles.

À force d'être « modernes », les mathématiques du même nom ont fini par prendre un coup de vieux. « *En maths,* explique Jacques Colomb, mathématicien et directeur du département de didactique des disciplines à l'Institut national de recherche pédagogique (INRP), *on en est revenu à des méthodes beaucoup plus raisonnables que dans les années 70. On manipule de moins en moins dans les classes ; on a laissé tomber tout le fatras des ensembles et sous-ensembles, qui n'avait aucun intérêt pour les élèves. C'était transformer l'enseignement des maths en leçons de choses : aujourd'hui, on remet l'accent sur la résolution de problèmes.* » Fini, donc, les maths modernes, mais les pédagogues n'ont pas pour autant renoncé à compliquer la tâche aux élèves. Un exemple entre mille : l'introduction des signes mathématiques. « *J'ai été critiquée,* se plaint une institutrice qui enseigne dans le dix-huitième arrondissement de Paris, *pour avoir parlé tout de suite à mes élèves du signe "égal", en leur disant : 2 + 2, c'est la même chose que 4 ; 2 + 2 est égal à 4. Il aurait, paraît-il, fallu que je leur fasse une longue leçon sur l'égalité, en passant par tout un système de symboles compliqués. Le résutat, c'est que pour un objectif simple, la leçon aurait duré trois semaines...* »

Le Point, n° 951, 10.12.1990.

blocs logiques : matériel pédagogique qui permet d'initier les jeunes enfants à la mathématique des ensembles.

ENSEIGNEMENT TRADITIONNEL ET PÉDAGOGIE MODERNE

• Notez dans le tableau les particularités de ces deux conceptions de l'enseignement. Puisez les informations dans le texte, dans l'encadré ci-dessous et dans vos propres expériences.

Enseignement traditionnel	Pédagogie moderne

Enseignement directif

Autonomie de l'élève
Travail par petits groupes
Programmes précis et obligatoires
Éducation de la mémoire
Ouverture de l'école sur le monde
Manipulations et expérimentations
Travail sur projets propres à l'élève
Apport important de connaissances
Etc.

L'ENSEIGNEMENT DES DISCIPLINES

• Quelle est la critique faite à l'enseignement des mathématiques ? Cette critique vous paraît-elle fondée ?
L'enseignement dans votre pays a-t-il connu de grandes innovations en mathématiques, dans les autres disciplines ?

• Si vous étiez ministre de l'Éducation dans votre pays quelles seraient vos priorités ?

LE SYSTÈME JAPONAIS

Les trente gamins ont tous apporté en classe un pot de capucines. « *Lequel va fleurir le plus vite ?* » interroge la jardinière d'enfants. Engagés dès le berceau dans une compétition scolaire féroce qui s'achève aux portes de l'université, ces écoliers en herbe « apprennent à jouer » en groupe dans des instituts d'éducation précoce qui préparent, dès l'âge de 1 an, au concours d'entrée dans des maternelles cotées. La sociabilité est déterminante. « *Tout enfant timide ou qui pleure est aussitôt recalé. À 4 ans, mon fils devra présenter trois écoles maternelles privées pour être reçu* », explique Eric Hashimoto, mère au foyer à Tokyo. Être admissible : la première étape, capitale, d'intégration de la filière des « écoles-ascenseurs » qui portent leurs élèves au succès.

Assidue aux « cours d'intelligence » préscolaires, Yunno, 3 ans et demi, sait déjà lire, écrire et compter avant même d'entrer au jardin d'enfants. « *Avec de l'acharnement et une éducation poussée, toute mère peut élever un génie* », affirme Atsuko Oshima, sa maman, une ex-coiffeuse qui s'est documentée sur l'enfance de Mozart et de Picasso. Comme nombre de petits Nippons poussés par les *kyoikumama,* les « mamans-éducation », obsédées par la réussite scolaire, Yunno a débuté à 2 ans le piano, l'anglais, le dessin et la natation. À 10 ans s'ajouteront la calligraphie ou les arts martiaux. Absents du foyer, les pères sont souvent hostiles à l'emploi du temps surchargé de leur progéniture. Mais ne pas « faire comme les autres » est inconcevable ! Et les résultats sont là.

Le Japon, prix d'excellence. Avec 92 % de bacheliers et un taux d'alphabétisation proche de 100 %, il est le pays le plus éduqué du monde. Un système éducatif exemplaire ? [...]

Forcer l'entrée d'une université prestigieuse : voilà le but du parcours du combattant de l'écolier japonais. Car le diplôme constitue l'unique critère de recrutement pour décrocher un emploi à vie dans la haute administration ou une grande entreprise. La notoriété des écoles fréquentées et le bachotage à outrance sont les armes décisives pour l'emporter sur l'adversaire. Au japon, l'« éducation-business » tourne à plein régime. Dans un pays où l'impôt sur l'héritage atteint 75 %, l'éducation reste le seul capital non imposable légué par les parents. Onéreux mais performant, le privé attire 60 % des élèves. À l'école obligatoire s'ajoutent les cours du soir des *juku* ou des *yobiko,* de prometteuses « boîtes à concours ». Levée à 6 heures du matin, Akiko, 10 ans, finit vers minuit tous ses devoirs de classe. Les examens blancs occupent les week-ends et les vacances. « *Pendant trois ans, j'ai passé le nouvel an enfermé dans un hôtel, à réviser avec un professeur particulier* », raconte Ken Funakoshi, enfin sorti de l'enfer. [...]

Fondé exclusivement sur la mémorisation de connaissances apprises par cœur et testée par ordinateur, l'enseignement nippon produit des individus adaptables à la concurrence, mais immatures et peu créatifs. [...]

Gisèle Tavernier, *Le Point,* n° 938, 10.9.1990.

LE SYSTÈME JAPONAIS
- Quelles sont les spécificités du système éducatif japonais ? Quelles conceptions reflète-t-il de la société , du rôle de l'éducation dans la société ?

LES FRANÇAIS LISENT MOINS
- Analysez et commentez l'article ci-dessous. Écoutez l'enregistrement correspondant (*cf.* p. 167). Pensez-vous qu'il y ait dans votre pays un problème analogue ?
- Quelles sont les causes du désintérêt pour la lecture ?
- Ce phénomène vous paraît-il important ?

DÉBATS
- Croyez-vous à l'efficacité d'un enseignement précoce ? :
  - – pour les apprentissages fondamentaux (lecture, mathématiques, etc.) ?
  - – pour le développement des compétences artistiques ? (dessin, musique, etc.) ?
  - – pour l'éducation physique et sportive ?
- Le système éducatif japonais conviendrait-il à votre pays ?

LES FRANÇAIS LISENT MOINS. LA FAUTE À... L'ÉCOLE.

Les Français lisent moins aujourd'hui qu'il y a vingt ans. Telle est la sombre conclusion d'une étude de l'Insee publiée dans la revue *Économie et Statistique.* Depuis la fin des années 60, alors que la durée des études s'est allongée et que la culture s'est démocratisée, la pratique de la lecture, elle, a stagné. Catégories les plus touchées : les 34-41 ans, les habitants de l'agglomération parisienne, et surtout... les scolaires et les étudiants. Il y a vingt ans, en effet, les trois quarts des étudiants lisaient au moins trois livres par mois. Ils sont seulement un tiers aujourd'hui. De même, moins de la moitié des élèves du secondaire lisent au moins un livre par mois, contre les deux tiers en 1967. Un chiffre divertissant, s'il n'était consternant : 12,6 % des élèves du secondaire et 4,8 % des étudiants avouent aujourd'hui ne jamais ouvrir un livre (ils étaient 0 % en 1967). Faut-il accuser la télévision et les loisirs ? Non, répond l'Insee : il y a complémentarité et non concurrence entre les activités de loisirs et la lecture. Alors ? La vraie coupable, expliquent les statisticiens, serait l'école. Naguère, elle dégoûtait seulement les élèves des classiques. Aujourd'hui, en s'emparant de toutes sortes de livres pour en faire des objets d'étude, elle détournerait les jeunes Français du livre en général, désormais « *trop associé à l'univers scolaire* »...

F. D., *Le Point,* n° 932, 30.7.1990.

INFO MÉMOIRE

LE COMMENTATEUR DE L'ACTUALITÉ SAINT-GRANIER CRITIQUE LES CORRIDAS

Un moment d'histoire de la radio : dans les années 50, « La minute de Saint-Granier » était très écoutée.

- Quel fait de l'actualité de l'époque sert de point de départ au commentaire de Saint-Granier ?
- Relevez les détails du commentaire (arguments défavorables et arguments favorables) sur :
  - les courses de taureaux,
  - la chasse à courre.
- À quelles particularités du style de Saint-Granier voit-on qu'il s'agit d'un enregistrement des années 50 ?

ANALYSE DE L'ARGUMENTATION

- Quelle est, d'après les deux auteurs, la signification profonde de la corrida ? Montrez que toute leur argumentation repose sur cette signification profonde.
Discutez cette argumentation.
- La réalité quotidienne et les fictions que nous aimons montrent qu'il y a toujours chez l'homme une fascination pour la violence et la mort.
Pensez-vous, comme les auteurs, « qu'on ne rendra pas l'humanité meilleure en l'empêchant d'affronter ses démons » ?
- Organisez un débat pour ou contre les corridas.

DÉFENSE DE LA CORRIDA

Codifiée, réglementée, la corrida se sauve de la barbarie et s'affirme spectacle – fût-il intolérable à certains. Interdite et secrète, elle redeviendrait sauvage. Mais n'en demeurerait pas moins. Située à l'opposé des lénifiantes « morales » du temps, la tauromachie se fait montrer du doigt par les âmes sensibles comme une incompréhensible survivance. Or elle n'est qu'un sempiternel défi que l'homme se lance, et elle durera peut-être pour cet unique motif.

Ce défi absurde et angoissé de l'homme à la mort à travers les fauves ne trouve pas sa réponse dans une arène, mais c'est le seul lieu où la question puisse encore être formulée d'une façon si abrupte et donc si... populaire. Car, aux arènes, la relation du spectateur avec la mort n'est ni rejet ni fascination. En fait, c'est le seul endroit – et la seule activité – où cette relation soit une... connivence.

Ramener la lidia* à un passe-temps d'arriérés, sous le prétexte – d'apparence louable – de faire cesser toute cruauté superflue, est un point de vue. Qu'il est (encore) possible de ne pas partager. Ne serait-ce qu'au nom du droit à la différence. Les vœux pieux ont toujours le même but : interdire plutôt qu'admettre, aligner sur soi, la pire des démarches, faire cesser plutôt que comprendre. Supposer un monde serein d'où toute violence sera exclue parce qu'on l'aura expédiée dans la clandestinité est un non-sens aux multiples conséquences. Je ne crois pas qu'on rende l'humanité meilleure en l'empêchant d'affronter ses démons. En supprimant la corrida, on sauverait sans aucun doute quelques hommes, mais, à l'évidence, aucun toro. Je ne souhaite à la corrida ni un bel avenir ni un avenir de honte. Je lui souhaite un avenir de toros limpios* et de toreros de légende.

La passion des toros se partage, mais ne s'explique peut-être pas. Elle se vit, comme toute passion, avec ses troubles et ses émotions.

Un matador face à un toro, c'est un peu comme le premier combat de l'histoire du monde.

Françoise Bourdin et Pierre Mialane, *Corrida, la fin des légendes*, Denoël, 1992.

Marie Sara, jeune « torera » française, dans les arènes de Nîmes.

OPINIONS

L'ILLETTRISME ET L'ANALPHABÉTISME EN FRANCE ÉVOQUÉS PAR DES SPÉCIALISTES DE L'APPRENTISSAGE DE LA LECTURE

• Recherchez les informations suivantes :
– définition de l'illettrisme et de l'analphabétisme,
– chiffres concernant ces problèmes,
– corrélation entre l'illettrisme et l'origine sociale,
– influence de la télévision sur l'apprentissage de la lecture.

AIDE À L'ÉCOUTE

une volée de bois vert : une vive réprimande.

prisé : apprécié.

une corrida : spectacle d'origine espagnole et portugaise, très apprécié dans certaines villes du sud de la France, en particulier Nîmes, Arles, Béziers, Dax (côte Basque). Le vocabulaire utilisé pour décrire la corrida (course de taureaux ou « toros ») est emprunté à l'espagnol. Le spectacle aboutissant à la mort d'un taureau dure environ un quart d'heure et se déroule selon un rituel immuable. Par des jeux de **passes** avec une cape, les **toreros** doivent amener le taureau à recevoir un coup de **pique** donné par un homme à cheval, puis des **banderilles** (petits batons munis d'un harpon). Le **matador** continue seul les jeux de passes afin que le taureau prenne une position favorable au **coup d'épée** final. L'ensemble doit mettre en valeur la bravoure et les qualités du taureau, le courage et le savoir-faire des toreros dans un déroulement à la fois ritualisé et improvisé où la beauté des gestes et des mouvements ne peut s'obtenir qu'au prix d'un constant défi à la mort.

lidia : combat du taureau et du torero.

toro limpio : taureau possédant toutes les qualités de sa race (bravoure, combativité, etc.).

À TRAVERS LA FRANCE

UN VIEUX PÊCHEUR BRETON DE FÉCAMP SE SOUVIENT DE L'ÉPOQUE DES GRANDES PÊCHES EN MER DE TERRE-NEUVE

• Complétez cet extrait des Mémoires rédigées par ce pêcheur.

« En ... j'étais ... sur le trois-mâts fécampois "Léopoldine". C'était une magnifique goélette de ... de long dont mon père était ... . J'avais ... ans. Nous étions partis vers ... . On partait souvent aux environs de midi à cause de ... . C'était un spectacle extraordinaire car ... À cette époque un mousse ne chômait pas. Depuis le matin jusqu'au soir il fallait ... . Puis le travail était très dur à cause de ... »

AIDE À L'ÉCOUTE

un trois-mâts goélette : type de bateau à voile.

un mousse : jeune garçon qui sur un bateau fait l'apprentissage du métier de marin.

terre-neuvas : nom donné aux marins et aux bateaux qui partaient pêcher à Terre-Neuve.

un doris : (terme technique) petite embarcation utilisée par les pêcheurs pour aller placer les lignes de fond.

le roulis : balancement latéral du bateau dû aux vagues. (**Le tangage** est le mouvement d'avant en arrière.)

affaler la morue : (terme technique) tirer le poisson vers soi.

un ciré : grande veste imperméable utilisée par les pêcheurs pour se protéger de la pluie et du vent.

La croisée des destins

L'ŒUVRE AU NOIR

Nous sommes au XVIe siècle. Le jeune Henri-Maximilien quitte Bruges et son avenir de fils de marchand pour aller s'engager dans les troupes du roi de France, François Ier, en guerre contre l'Italie. Sur la route, il rencontre son cousin Zénon qui abandonne l'avenir ecclésiastique qui lui est tout tracé en Flandres pour aller en pèlerinage à Saint-Jacques de Compostelle. Les deux cousins se font part de leurs projets.

– J'ai seize ans, dit Henri-Maximilien. Dans quinze ans, on verra bien si je suis par hasard l'égal d'Alexandre. Dans trente ans, on saura si je vaux ou non feu César. Vais-je passer ma vie à auner du drap dans une boutique de la rue aux Laines ? Il s'agit d'être homme.

– J'ai vingt ans, calcula Zénon. À tout mettre au mieux, j'ai devant moi cinquante ans d'étude avant que ce crâne se change en tête de mort. Prenez vos fumées et vos héros dans Plutarque, frère Henri. Il s'agit pour moi d'être plus qu'un homme.

– Je vais du côté des Alpes, dit Henri-Maximilien.

– Moi, dit Zénon, du côté des Pyrénées.

Ils se turent. La route plate, bordée de peupliers, étirait devant eux un fragment du libre univers. L'aventurier de la puissance et l'aventurier du savoir marchaient côte à côte.

– Voyez, continua Zénon. Par-delà ce village, d'autres villages, par-delà cette abbaye, d'autres abbayes, par-delà cette forteresse, d'autres forteresses. Et dans chacun de ces châteaux d'idées, de ces masures d'opinions superposés aux masures de bois et aux châteaux de pierre, la vie emmure les fous et ouvre un pertuis aux sages. Par-delà les Alpes, l'Italie. Par-delà les Pyrénées, l'Espagne.

[...] Et, plus loin encore, la mer, et, par-delà la mer, sur d'autres rebords de l'immensité, l'Arabie, la Morée, l'Inde, les deux Amériques. Et partout, les vallées où se récoltent les simples, les rochers où se cachent les métaux dont chacun symbolise un moment du Grand Œuvre*, les grimoires déposés entre les dents des morts, les dieux dont chacun a sa promesse, les foules dont chaque homme se donne pour centre à l'univers. Qui serait assez insensé pour mourir sans avoir fait au moins le tour de sa prison ? Vous le voyez, frère Henri, je suis vraiment un pèlerin. La route est longue, mais je suis jeune.

Ils se séparèrent au prochain carrefour. Henri-Maximilien choisit la grand-route. Zénon prit un chemin de traverse. Brusquement, le plus jeune des deux revint sur ses pas, rejoignit son camarade ; il mit la main sur l'épaule du pèlerin :

– Frère, dit-il, vous souvenez-vous de Wiwine, cette fillette pâle que vous défendiez jadis quand nous autres, mauvais garnements, lui pincions les fesses au sortir de l'école ? Elle vous aime ; elle se prétend liée à vous par un vœu ; elle a refusé ces jours-ci les offres d'un échevin. Sa tante l'a souffletée et mise au pain et à l'eau, mais elle tient bon. Elle vous attendra, dit-elle, s'il le faut, jusqu'à la fin du monde.

Zénon s'arrêta. Quelque chose d'indécis passa dans son regard, et s'y perdit, comme l'humidité d'une vapeur dans un brasier.

– Tant pis, dit-il. Quoi de commun entre moi et cette petite fille souffletée ? Un autre m'attend ailleurs. Je vais à lui.

Et il se remit en marche.

– Qui ? demanda Henri-Maximilien stupéfait. Le prieur de Léon, cet édenté ?

Zénon se retourna :

– *Hic Zeno,* dit-il. Moi-même.

Marguerite Yourcenar, *L'Œuvre au noir,* Gallimard, 1968.

le Grand Œuvre : le processus alchimique de la transmutation des métaux en or et de la recherche de la pierre philosophale. Ce processus symbolisait le dépassement de la Matière par l'Esprit.

L'ATMOSPHÈRE DU XVIe SIÈCLE

• Le vocabulaire. L'auteur utilise les mots du XVIe siècle devenus aujourd'hui archaïques. Essayez de deviner leur sens d'après le contexte.

auner – un pertuis – la Morée – des simples – un grimoire – un échevin – un prieur

• Relevez tout ce qui crée une atmosphère « XVIe siècle ».

LES DEUX CONCEPTIONS DE LA VIE

• Formulez ce que chaque phrase dévoile sur la philosophie des personnages (conception de la vie, attente, projet, etc.)
Exemple : « Dans quinze ans on verra bien si je suis par hasard l'égal d'Alexandre » → ambition, désir de se réaliser par le métier des armes, goût de l'aventure et abandon entre les mains du hasard.

• Qu'est-ce que la conversation sur Wiwine nous révèle sur le personnage de Zénon ?

• Rédigez un paragraphe de présentation des deux personnages. Mettez en valeur leurs ressemblances et leurs différences.

• En quoi le lieu où se passe la scène est-il symbolique des propos que tiennent les personnages ?

JEUX DE RÔLES

• Improvisez ou rédigez comme pour une pièce de théâtre un dialogue entre deux personnes qui ont fait des choix de vie différents.

– Faire fortune/rester simple.

– Devenir célèbre/rester inconnu.

– Se consacrer entièrement au travail/penser d'abord aux loisirs.

– Vivre à la ville/habiter la campagne.

– Se marier/rester célibataire...

LITTÉRATURE

SE DÉPASSER PAR L'ACTION

VOL DE NUIT

Nous sommes en Argentine, dans les années 20, à l'époque héroïque des débuts de l'aviation commerciale. Fabien est un de ces pilotes qui ont la dangereuse mission de transporter le courrier à travers le pays dans des conditions de navigation aérienne extrêmement périlleuses. Mais pour lui, cette mission a un caractère sacré car elle incarne le progrès. Il agit « comme si quelque chose dépassait, en valeur, la vie humaine ». Dans la scène suivante il s'apprête à faire escale à San Julian.

En descendant moteur au ralenti sur San Julian, Fabien se sentit las. Tout ce qui fait douce la vie des hommes grandissait vers lui : leurs maisons, leurs petits cafés, les arbres de leur promenade. Il était semblable à un conquérant, au soir de ses conquêtes, qui se penche sur les terres de l'empire, et découvre l'humble bonheur des hommes. Fabien avait besoin de déposer les armes, de ressentir sa lourdeur et ses courbatures, on est riche aussi de ses misères, et d'être ici un homme simple, qui regarde par la fenêtre une vision désormais immuable. Ce village minuscule, il l'eût accepté : après avoir choisi on se contente du hasard de son existence et on peut l'aimer. Il vous borne comme l'amour. Fabien eût désiré vivre ici longtemps, prendre sa part ici d'éternité, car les petites villes, où il vivait une heure, et les jardins clos de vieux murs, qu'il traversait, lui semblaient éternels de durer en dehors de lui. Et le village montait vers l'équipage et vers lui s'ouvrait. Et Fabien pensait aux amitiés, aux filles tendres, à l'intimité des nappes blanches, à tout ce qui, lentement, s'apprivoise pour l'éternité. Et le village coulait déjà au ras des ailes, étalant le mystère de ses jardins fermés que leurs murs ne protégeaient plus. Mais Fabien, ayant atterri, sut qu'il n'avait rien vu, sinon le mouvement lent de quelques hommes parmi leurs pierres. Ce village défendait, par sa seule immobilité, le secret de ses passions, ce village refusait sa douceur : il eût fallu renoncer à l'action pour la conquérir.

Quand les dix minutes d'escale furent écoulées, Fabien dut repartir.

Il se retourna vers San Julian : ce n'était plus qu'une poignée de lumières, puis d'étoiles, puis se dissipa la poussière qui, pour la dernière fois, le tenta. […]

Il enfouit sa tête dans la carlingue. Le radium des aiguilles commençait à luire. L'un après l'autre le pilote vérifia des chiffres et fut content. Il se découvrait solidement assis dans le ciel. Il effleura du doigt un longeron d'acier, et sentit dans le métal ruisseler la vie : le métal ne vibrait pas, mais vivait. Les cinq cents chevaux du moteur faisaient naître dans la matière un courant très doux, qui changeait sa glace en chair de velours. Une fois de plus, le pilote n'éprouvait en vol, ni vertige, ni ivresse, mais le travail mystérieux d'une chair vivante.

Maintenant il s'était recomposé un monde, il y jouait des coudes pour s'y installer bien à l'aise. […]

Antoine de Saint-Exupéry, *Vol de Nuit,* Gallimard, 1931.

L'ESCALE À SAN JULIAN (SYMBOLIQUE DE L'ESPACE ET DU TEMPS)

- Analysez l'espace dans lequel se déroule cette scène :
  – position des éléments les uns par rapport aux autres,
  – mouvements,
  – thème de l'enfermement (ou de la clôture).

  Montrez que l'espace a ici une valeur symbolique.
  Exemple : Fabien est en hauteur dans une position dominante (liée à l'évocation du conquérant) et dans un espace libre, etc.
- Relevez tous les mots qui sont en relation avec la notion du temps (ralentir, etc.). Quel sens ont-ils en commun ? Quelle conception du bonheur cette idée suppose-t-elle ?
- Que découvre Fabien dans les deux dernières phrases du premier paragraphe ?
- Résumez en quelques lignes les deux conceptions de l'existence qui s'opposent dans ce texte.

LE RÊVE DE BONHEUR

- Relevez et caractérisez les sensations, les désirs et les rêves de Fabien au cours de sa descente.
- Mettez en relation cette vision du bonheur et ce qui est dit de Fabien dans l'introduction.

LE PILOTE DANS SA CARLINGUE

- Quel est le nouvel espace qui se constitue autour de Fabien après son départ de San Julian ?
- Analysez la valeur symbolique de cet espace.

VOCABULAIRE

- Recherchez (en groupe) le plus grand nombre possible de couples de mots antithétiques qui permettent de définir une philosophie de la vie et du bonheur.
  action/repos – isolement/compagnie – etc.
- Choisissez les mots qui conviennent à votre propre conception de la vie. À partir de ces mots composez :
  – un dessin symbolique dans le style du blason,
  – un poème où chaque vers contiendra l'un de ces mots.

Hans Holbein le Jeune : *Les Ambassadeurs,* 1543, The National Gallery, Londres.

LE TABLEAU
DE HOLBEIN

• Ce tableau représente deux Français du XVIe siècle. Imaginez leur condition (milieu social, profession).

• Faites la liste des différents objets visibles sur ce tableau. Quel message le peintre a-t-il voulu transmettre par cette accumulation ?

• Observez la figure déformée qui se trouve au bas du tableau. De quoi s'agit-il ? Pourquoi cette figure est-elle présente et quel est le sens de la déformation ?

L'ESPRIT
DE LA RENAISSANCE
(XVIe SIÈCLE)

Retrouvez-en les caractéristiques dans le texte de M. Yourcenar, dans ce tableau de H. Holbein et dans celui de J.Cousin (p. 30).

– la foi en l'homme,
– la boulimie de connaissances,
– la volonté d'exploration du monde,
– l'idéalisme (la vérité est l'idée pure cachée derrière les apparences, la découvrir exige une recherche),
– l'obsession de la mort,
– l'importance de la perspective en peinture.

RÉUSSIR L'IMPOSSIBLE

LA TRAGÉDIE DU ROI CHRISTOPHE

L'action de « la Tragédie du roi Christophe » se déroule dans l'île d'Haïti, au début du XIXe siècle, juste après le départ des Français qui l'avaient colonisée. Henri Christophe, ancien esclave affranchi devenu général, a participé activement à la lutte pour l'indépendance. Il est maintenant roi de la province du Nord et conçoit de vastes projets d'avenir afin de stimuler l'énergie de son peuple. Pour « réussir quelque chose d'impossible » il imaginera de construire une fabuleuse citadelle symbole de la « liberté de tout un peuple ». À l'occasion de l'anniversaire de son couronnement, il vient de recevoir une lettre de Londres qui tente de lui donner des conseils.

CHRISTOPHE *[lisant]*

« On n'invente pas un arbre, on le plante ! On ne lui extrait pas les fruits, on le laisse porter. Une nation n'est pas une création, mais un mûrissement, une lenteur, année par année, anneau par anneau. » Il en a de bonnes ! Être prudent ! *Semer,* me dit-il, *les graines de la civilisation.* Oui. Malheureusement, ça pousse lentement, tonnerre ! *Laisser du temps au temps...*

Mais nous n'avons pas le temps d'attendre quand c'est précisément le temps qui nous prend à la gorge ! Sur le sort d'un peuple, s'en remettre au soleil, à la pluie, aux saisons, drôle d'idée !

MADAME CHRISTOPHE

Christophe, à vouloir poser la toiture d'une case* sur une autre case
elle tombe dedans ou se trouve grande !
Christophe, ne demande pas trop aux hommes
et à toi-même, pas trop !

CHRISTOPHE

Je demande trop aux hommes ! Mais pas assez aux nègres, Madame ! S'il y a une chose qui, autant que les propos des esclavagistes, m'irrite, c'est d'entendre nos philanthropes clamer, dans le meilleur esprit sans doute, que tous les hommes sont des hommes et qu'il n'y a ni Blancs ni Noirs. C'est penser à son aise, et hors du monde, Madame. Tous les hommes ont mêmes droits. J'y souscris. Mais du commun lot, il en est qui ont plus de devoirs que d'autres. Là est l'inégalité. Une inégalité de sommations, comprenez-vous ? À qui fera-t-on croire que tous les hommes, je dis tous, sans privilège, sans particulière exonération, ont connu la déportation, la traite, l'esclavage, le collectif ravalement à la bête, le total outrage, la vaste insulte, que tous, ils ont reçu, plaqué sur le corps, au visage, l'omni-niant* crachat ! Nous seuls, Madame, vous m'entendez, nous seuls, les nègres ! Alors au fond de la fosse ! C'est bien ainsi que je l'entends. Au plus bas de la fosse. C'est là que nous crions ; de là que nous aspirons à l'air, à la lumière, au soleil. [...] Et voilà pourquoi il faut en demander aux nègres plus qu'aux autres : plus de travail, plus de foi, plus d'enthousiasme, un pas, un autre pas, encore un autre pas et tenir gagné chaque pas ! C'est d'une remontée jamais vue que je parle, Messieurs, et malheur à celui dont le pied flanche ! [...]

[Le roi Christophe développe alors son projet]

Précisément, ce peuple doit se procurer, vouloir, réussir quelque chose d'impossible ! Contre le Sort, contre l'Histoire, contre la Nature. [...] Imaginez, sur cette peu commune plate-forme, tournée vers le nord magnétique, cent trente pieds de haut, vingt d'épaisseur les murs, chaux et cendre de bagasse*, chaux et sang de taureau, une citadelle ! Pas un palais. Pas un château fort pour protéger mon bien-tenant*. Je dis la Citadelle, la liberté de tout un peuple. Bâtie par le peuple tout entier, hommes et femmes, enfants et vieillards, bâtie pour le peuple tout entier ! Voyez, sa tête est dans les nuages, ses pieds creusent l'abîme, ses bouches crachent la mitraille jusqu'au large des mers, jusqu'au fond des vallées, c'est une ville, une forteresse, un lourd cuirassé de pierre... Inexpugnable, Besse*, inexpugnable ! Mais oui, ingénieur, à chaque peuple ses monuments ! À ce peuple qu'on voulut à genoux, il fallait un monument qui le mît debout. Le voici ! Surgie ! Vigie* !

Aimé Césaire, *La Tragédie du roi Christophe*, DR, 1963.

une case : habitation traditionnelle africaine ou antillaise.

omni-niant : de omni (totalement, universellement) et niant (qui nie, rejette, exclut).

une bagasse : tige de canne à sucre.

un bien-tenant : terre, propriété.

Besse : Christophe s'adresse à l'un de ses conseillers français.

une vigie : guetteur ou poste d'observation.

DÉCOLONISATION ET DÉVELOPPEMENT

• Définissez les trois conceptions du développement qui s'opposent dans cet extrait :
– celle que préconise la lettre de Londres,
– celle de Madame Christophe,
– celle du roi Christophe.

• Quels sont les qualités et les défauts de ces trois conceptions ?

• Comparez le style des trois discours.

LE PROJET DE CHRISTOPHE

• Caractérisez ce projet. Quel trait de caractère révèle-t-il chez Christophe ?

• L'entreprise projetée par le roi Christophe peut-elle résoudre les problèmes qui se posent à son pays ?

AFRIQUE ET DÉVELOPPEMENT

La Tragédie du roi Christophe, écrite en 1936, se voulait une réflexion sur l'avenir de l'Afrique récemment décolonisée.
Le message d'Aimé Césaire a-t-il encore une actualité ?

L'AVENIR DU CINÉMA FRANÇAIS

PATRICE LECONTE

Il fait des films depuis 1976 et a commencé par redonner vie au cinéma comique français en portant à l'écran certains succès du café-théâtre (Les Bronzés). *Avec* Monsieur Hire, *film inquiétant et envoûtant, il a montré qu'il pouvait aborder le genre dramatique et psychologique.*

« Étrangement, la crise dont tout le monde parle (et qui est au cinéma ce que le monstre est au Loch Ness) a depuis quelque temps un effet positif tout à fait inattendu : puisque plus rien de *prévisible* ne fait de succès à coup sûr, les producteurs sont obligés de faire confiance aux auteurs.

Idéalement, chaque film se doit d'être un véritable objet à part, ne ressemblant à aucun autre, un prototype dont on ne lancera jamais la série. Je ne sais pas si c'est gai ou si c'est triste. Pour l'instant, je me réjouis de constater que les enthousiasmes et les envies des auteurs ont davantage de valeur aujourd'hui auprès des producteurs.

Je ne suis pas complètement aveugle non plus, et je sais bien, comme tout le monde, que la fréquentation du cinéma est en baisse. Mais, puisque la crise actuelle nous offre, indirectement, une plus grande liberté d'inspiration (ce qui, égoïstement, m'enchante...), nos films ne peuvent que devenir meilleurs. Et du coup, pourquoi ne pas imaginer les spectateurs qui redécouvriraient le plaisir et l'envie d'aller voir ces films au cinéma... ? Croyez-moi si vous voulez, j'ai sans doute une réputation d'optimiste, mais pas d'utopiste. »

P. L.

JEAN-CLAUDE BRISSEAU

Nouvelle idole des cinéphiles, il a la réputation d'être un auteur sans concession. Un jeu brutal, De bruit et de fureur, Noce blanche *réalisent un équilibre entre réalisme et rêve insomniaque.*

« J'ai peur de l'Europe de 1992. En tant que cinéaste, je ne me lancerai pas dans l'aventure avec enthousiasme, sachant les conditions auxquelles sera soumis le septième art. Face au déferlement américain, deux solutions s'offrent à nous pour être compétitifs : fabriquer de grosses productions luxueuses, ce qui suppose un savoir-faire technique qui reste à apprendre, et de préférence en dehors des écoles de cinéma françaises, où l'art de la caméra est enseigné par des gens qui n'en ont jamais tenu une. Ne pas oublier de concevoir le scénario en fonction des coupes qu'il subira lors de son passage sur les télés privées et avoir constamment à l'esprit que le zapping est le droit le plus absolu du spectateur. Pris à n'importe quel moment, votre film devra donc être toujours compréhensible ! De toute façon, vous n'aurez pas le choix ; si le film existe, c'est que vous aurez reçu, en même temps que les millions pour le faire, les consignes nécessaires de votre producteur. Qui se sera d'abord assuré que vous pratiquez l'anglais parfaitement, langue obligée de tous les professionnels du cinéma, faute de quoi ils seront bons pour l'ANPE* (Amicale des Nouveaux Pauvres Européens).

Autre possibilité, pour les auteurs qui veulent garder leur âme, les petites productions tournées en français, peu coûteuses mais inexportables sauf dans les campus américains et japonais distingués. Bref, face à cette brillante situation, on peut assurer, sans jouer les Cassandre*, qu'un professionnel sur deux disparaîtra du paysage cinématographique. »

J.-C. B.

ANPE : Agence nationale pour l'emploi (voir p. 120).

Cassandre : princesse troyenne qui possédait le don de prophétiser.

LECTURE-RECHERCHE

- En lisant ces quatre déclarations, notez tout ce qui se rapporte :
  – à l'état d'esprit dans lequel se trouvent ces quatre réalisateurs (faites la part du sérieux et de l'humour provocateur dans certains propos),
  – aux problèmes de la production cinématographique,
  – au film en tant qu'œuvre de création,
  – à la façon dont ces metteurs en scène envisagent l'avenir.

ÉRIC ROCHANT

Son premier film, Un monde sans pitié, *a été acclamé au Festival de Venise et a connu un grand succès en France. Une étude juste sur la jeunesse du Quartier latin.*

« La chute des idéologies a entraîné une véritable suspicion envers les systèmes de pensée, une peur de se référer à des idéaux. Le résultat, c'est l'imprécision, le fourre-tout, avec cette pointe d'anti-intellectualisme si à la mode. C'est le revers d'une médaille*. On échappe aux conséquences meurtrières du dogme mais on manque de « grand dessein ». En gros, c'est la déprime. Cette peur de penser entraîne une peur du discours et donc une peur du point de vue, une grande timidité à prendre un vrai parti.
Ce n'est pas un hasard si les meilleurs films américains récents parlent du Viêt-nam. C'est encore un des derniers thèmes où l'on ose avoir un point de vue fort, quasi idéologique.
Un film sans point de vue, ou au point de vue trop général, abstrait, devient un téléfilm. D'où cette grande confusion des genres, cette difficulté pour le cinéma de trouver sa spécificité face à la télévision, à croire qu'il ne peut trouver son salut que dans la surenchère des moyens techniques ou financiers.
D'où un cinéma qui, d'avoir peur de dire quelque chose, ne dit plus rien et ne parle plus que de lui-même. Un cinéma de second degré, nostalgique de la grande aventure sans s'aventurer nulle part, un cinéma d'autoréférence, d'effets gratuits, publicitaire.
Le cinéma doit se détourner de lui-même pour parler de la vie. Il doit garder confiance en lui, c'est-à-dire s'effacer devant les films. Il est fait pour parler d'humain à des humains. »

E. R.

PIERRE JOLIVET

Ex-scénariste et producteur de Luc Besson. Il s'est signalé par la facture irréfutable de Force majeure, *dans la tradition des hollywoodiens style Hawks ou Ford.*

« Celui ou celle qui voudra faire son premier long métrage en 2015, devra :
– Parler au moins quatre langues afin de tourner en quadruple version dont le chinois, la Chine populaire étant devenue le grand réservoir à spectateurs qui faisait cruellement défaut.
– Être un expert en finance et management, son film ayant une cote en Bourse qui variera avant même qu'il soit tourné, et pouvant être à tout moment victime d'une OPA*.
– Avoir fait des stages dans plusieurs écoles militaires pour une meilleure connaissance de la logistique et de la stratégie, le nombre des techniciens sur le tournage s'élevant parfois à plus de 600 personnes.
– Être un expert en psychanalyse (ayant été lui-même analysé plusieurs fois selon différentes méthodes : Freud, Lacan, thérapie de groupe, etc.), afin de mieux dominer les rapports avec les acteurs, qui, eux, ne sortiront de leur retraite médicale que pour la durée du film.
– Avoir du « génie », qu'il aura pu acquérir dans les classes prévues à cet effet au sein des meilleures écoles de cinéma de New York, Paris ou New Delhi (cité-réservoir pour la figuration). Dans ces lieux privilégiés et haut de gamme, des professeurs géniaux lui apprendront, grâce à des méthodes géniales et ordinarisées*, des principes cinématographiques qui fonctionnent génialement bien et permettront au produit (et non plus film, œuvre, etc.) de se vendre d'une façon géniale auprès des médias. »

P. J.

Ces quatre déclarations sont extraites du *Nouvel Observateur* du 7.12.1989.

c'est le revers de la médaille : l'aspect négatif d'une chose par ailleurs positive.

une OPA : une offre publique d'achat. Rachat du film par un autre groupe financier.

ordinarisé : recensé, réglé, pré-établi.

RÉDACTION DE COMPTE RENDU

• Préparez un compte rendu de ces déclarations destiné soit à la radio soit à la presse écrite. Rendez ce compte rendu intéressant en variant les points de vue (p. 140) et en faisant vos propres commentaires.

LES CADRES DE VIE

L'homme du XXe siècle est dit-on « malade de ses villes ». Michel Ragon tente de tracer la voie d'un urbanisme du futur.

Depuis 1960, on assiste en Europe occidentale et aux États-Unis à une remise en question de l'urbanisme fonctionnaliste*. Les « forces naturelles » qui ont assuré dans le passé le développement organique des villes sont remises en évidence et les modèles urbanistiques de la société machiniste placés en accusation. Les défenseurs du fonctionnalisme, comme Ostrowski, rétorquent que « le développement spontané mène normalement au chaos ». À quoi nous sommes un certain nombre à répliquer que le développement qui se veut rationnel mène souvent à une image concentrationnaire et kafkaïenne de la ville. Symbole du progressisme pendant plus de cent ans, le fonctionnalisme apparaît de plus en plus comme une erreur, voire comme une attitude réactionnaire liée à une philosophie du pouvoir centralisateur. [...]

À l'image de la pollution industrielle et urbaine, il paraît naturel d'opposer l'« état de nature ». L'idée des premiers urbanistes fonctionnalistes et hygiénistes était d'ailleurs de rétablir en ville l'état de nature. Singulière aberration. La ville n'est-elle pas essentiellement la chose de l'artifice ? Les premières cités ne sont-elles pas nées d'une volonté de l'homme de se désengager de la nature, de trouver protection contre elle, de se créer artificiellement un monde clos qui soit une défense contre les forces obscures de la nature ? [...]

Dans cette nouvelle conception de l'urbain, le centre sera revitalisé par le ludisme. Le Corbusier, homme fasciné par le pouvoir, groupait sa cité idéale autour du centre civique. Lefebvre en fait le pivot du jeu, de la rencontre aléatoire, des échanges culturels. Son centre urbain est un théâtre spontané. Et, ajoute-t-il, « à la ville éternelle pourquoi ne pas opposer des villes éphémères et des centralités mouvantes aux centres stables ». [...]

L'urbanisme, tel qu'il est actuellement pratiqué, n'est plus un art (comme à la Renaissance) ni une science (comme l'avancent imprudemment certains empiriques). L'architecte-urbaniste continue à pratiquer des méthodes intuitives dont toute l'histoire de l'architecture au XXe siècle nous souligne qu'elles conduisent à des erreurs grossières. La progression du nombre des habitants des villes avait été sous-estimée par tout le monde. Aussi rien n'a-t-il été prêt, en 1945, pour recevoir un tel afflux de citadins nouveaux que les villes en ont éclaté. Tout le monde a sous-estimé également le nombre des automobiles. D'où l'asphyxie de nos cités par ces véhicules. Ceci nous conduit à demander que les méthodes de prospective et de futurologie soient appliquées à l'urbanisme. Puisque l'actuel urbanisme des praticiens a fait faillite, il est nécessaire de créer une nouvelle science que Marcel Cornu baptise « urbanologie ». Le mot me paraît heureux. L'urbanologie, dit Marcel Cornu, n'a pour l'instant qu'une existence virtuelle. « Elle n'est pas constituée et organisée en discipline scientifique. » Mais elle existe en puissance dans deux disciplines : la géographie urbaine et la sociologie urbaine. Marcel Cornu voit dans ces deux « approches » les « branches maîtresses » de la future urbanologie. Mais la connaissance de la ville requiert et mobilise à peu près toutes les sciences qu'on appelle « sciences humaines » : démographie, économie, psychologie, histoire, médecine. C'est grâce à l'apport de ces différentes disciplines que l'urbanisme commence à acquérir une dimension nouvelle.

Extraits de : Michel Ragon,
Histoire de l'architecture et de l'urbanisme moderne,
Casterman, 1986.

fonctionnaliste : une maison, un immeuble, le plan d'un quartier, etc., sont conçus uniquement à partir des fonctions qu'ils doivent remplir.

SYNTHÈSE
• Faites la synthèse des principales informations apportées par les textes et les illustrations.

CRÉATIVITÉ
• Imaginez une ville où les habitants seraient heureux. Pour la définir, appliquez la méthode préconisée par Michel Ragon.
– Faites la liste de tous les défauts de la ville actuelle.
– Constituez des groupes de travail ayant des compétences particulières (psychologie, sociologie, biologie et médecine, économie, etc.). Chaque groupe définira un ensemble de prescriptions dont il faudra tenir compte.
– Recomposez les groupes de manière pluridisciplinaire. Chaque groupe est alors chargé d'élaborer un projet de ville idéale.

L'utilisation de nouveaux matériaux (matières plastiques, caoutchouc synthétique) plus légers et plus malléables que l'acier et le béton permet la création de formes nouvelles : bulles habitables, structures gonflables, etc.

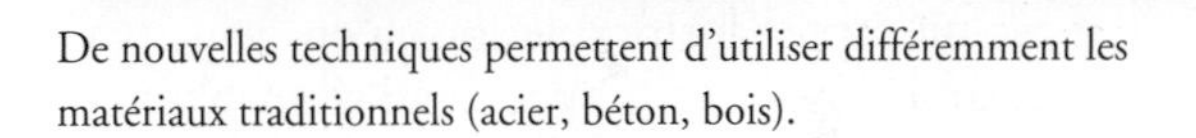

De nouvelles techniques permettent d'utiliser différemment les matériaux traditionnels (acier, béton, bois).

Ville spatiale et mobile de Yona Friedman.
L'ensemble construit sur pilotis permet une mobilité de l'habitat par le jeu des pleins et des vides.

À contre-courant des projets futuristes, le post-modernisme qui s'est imposé en France dans les années 80 et dont le représentant le plus connu est Ricardo Bofill s'inspire des formes architecturales du passé.

LES MOMENTS D'UN DÉVELOPPEMENT ÉCRIT OU ORAL

■ L'INTRODUCTION

☐ **L'introduction a deux fonctions :**
– justifier le développement que l'on va faire,
– capter l'attention du lecteur et éveiller son intérêt.

☐ **Sa forme est variable.**
À l'oral on peut introduire un sujet grâce à certaines formules :
- Je parlerai de… Je traiterai de… Nous allons aborder la question de… Je présenterai…

On peut également annoncer les grandes étapes du développement :
- D'abord… Dans une première partie… Premier point… Ensuite…

À l'écrit il est préférable d'adopter des formulations moins subjectives.
La forme de l'introduction dépend aussi beaucoup du type de texte. C'est ainsi que dans certains articles de presse le titre et le sous-titre peuvent à eux seuls tenir lieu d'introduction.

☐ **On peut introduire un sujet :**
- par une idée générale que l'on commente rapidement afin de poser le problème,
- par une citation que l'on commente,
- par un rappel historique lorsqu'on veut, par exemple, analyser la spécificité d'un phénomène actuel,
- par un raisonnement inductif (voir p. 157) : série de faits qui débouchent sur une hypothèse,
- par une anecdote ou un exemple circonstancié qui posent indirectement le problème.

1 Voici des citations d'auteurs. Utilisez-les pour rédiger une brève introduction à un problème de votre choix.

« Les grands artistes ne sont pas les transcripteurs du monde, ils en sont les rivaux. »

André Malraux, *Les Voix du Silence,* 1951.

« Il n'y a jamais à choisir entre la violence et l'ordre, mais entre la violence et le conflit ou le débat. »

Alain Touraine, *La Société invisible,* 1977.

« Être fidèle, c'est bien souvent enchaîner l'autre. »

Sacha Guitry, *Une folie,* 1974.

2 Voici le début d'un article qui critique les émissions de télévision de caractère « exhibitionniste » où les gens viennent dévoiler leurs problèmes personnels. Commentez le choix de l'introduction. Rédigez trois autres introductions (de types différents) pour cet article.

La télévision n'existe pas encore. Et pourtant, toutes les caméras ont été conviées. Nous sommes au début du siècle, un homme avec des ailes va se jeter de la tour Eiffel. Il est assis contre la balustrade, à côté de son entraîneur. Il tremble, se décide, s'essuie le front, se ravise, boit un verre. La presse attend, on lui a promis un exploit. L'homme hésite encore, se penche au-dessus du vide, veut renoncer. La presse le regarde. L'homme boit un second verre, se retourne à nouveau vers les journalistes. Il saute. Et se tue sur le coup. L'homme se serait-il précipité dans le vide si les caméras n'avaient pas été là pour engloutir l'événement ?

Quelques décennies plus tard, l'attrait de l'image semble tout aussi primaire. On n'hésite pas à se « jeter dans le vide » pour une émission de télévision, à se livrer corps et âme pour répondre aux sollicitations journalistiques. Au nom de la solidarité populaire ou de l'information, les couples déchirés de *L'Amour en danger* s'exhibent sans rougir ni sourire, les parents de suicidés témoignent à la *Marche du siècle,* les adolescents laissent une caméra suivre leur évolution dans *Que deviendront-ils ?,* les parents de *Perdu de vue* supplient leurs petits fugueurs de croire en leur amour. […]

M. Landrot, *Télérama,* n° 2198, 26.2.1992.

■ LE DÉVELOPPEMENT PROPREMENT DIT

Il doit avoir une architecture interne et nous avons eu l'occasion d'aborder de nombreuses formes de construction de textes. Mais il doit également posséder une tension interne qui force l'intérêt du lecteur. Cette tension peut être créée de différentes manières.

☐ **Par l'apport constant d'informations nouvelles.**

☐ **Par l'apport régulier d'exemples concrets.** Ces exemples sont de brefs récits ou de courtes descriptions dont la longueur peut aller du simple énoncé nominal à un développement de quelques lignes.
À l'oral, ils peuvent être introduits par :
- Par exemple…
  À titre d'exemple…
  Prenons un exemple…
  Ainsi…
  Pour illustrer ce point…
  Cela rappelle, évoque…

À l'écrit ces formules peuvent être moins apparentes.

☐ **Par le commentaire que l'auteur fait sur son propre discours** et qui guide le lecteur ou l'auditeur :
- Nous passerons rapidement sur…
  Nous ne ferons qu'effleurer…
  Nous développerons plus amplement…
  Il convient maintenant d'aborder…

À l'oral, ce commentaire ainsi que les appels à l'attention de l'interlocuteur ont une grande importance :
- Vous comprenez ? C'est clair ?
  Que peut-on penser de… ?
  J'ouvre une parenthèse pour…

☐ **Par les transitions entre les différents moments du développement.** La fin de chaque paragraphe doit justifier le paragraphe suivant et inciter à sa lecture.
Les conséquences que nous venons d'examiner sont-elles valables dans tous les cas ?…
Cela pose le problème de…
Cela nous conduit à examiner…

3 Voici le résumé d'un développement sur les conséquences du bruit dans la société occidentale actuelle. Rédigez les phrases de transition entre les différentes parties et le développement de trois exemples.

Premier paragraphe. À partir d'une citation de Jean Giono qui affirmait que le tonnerre est « un des plus beaux bruits qui soient » l'auteur fait un éloge des bruits. Bruits de la campagne mais aussi bruits de la ville. Ils sont la vie même. Ils peuvent constituer un mystère. On ne peut pas vivre dans un silence absolu.

Deuxième paragraphe. L'auteur, exemples à l'appui, fait l'inventaire des perturbations provoquées par un environnement bruyant chez des enfants et des adultes (retard scolaire, troubles du comportement, agressivité, etc.).

Troisième paragraphe. L'auteur examine la législation en matière de lutte contre le bruit (isolation des immeubles, interdiction de klaxonner, etc.) et la trouve insuffisante. Il propose une série de mesures concrètes.

■ LA CONCLUSION

☐ La conclusion, à la différence de l'introduction, n'est pas toujours nécessaire. La dernière partie du développement de l'exercice précédent sur les conséquences du bruit constitue par exemple une conclusion suffisante.

☐ Elle se justifie par contre :
- **à la fin d'un raisonnement,** la conclusion rassemble alors tout ce qui a été démontré au cours du développement ;
- **à la fin d'un travail d'analyse** (commentaire d'œuvres diverses, analyse d'un phénomène social ou culturel, synthèse de documents), elle permet alors de regrouper les idées forces, les principales caractéristiques qui ont été dégagées ;
- **lorsque le développement débouche sur un autre problème,** la conclusion prend alors la forme d'une généralisation (élargissement du débat) ou d'une mise en relation (avec un problème similaire).

☐ Que la conclusion soit ou non nécessaire, il est toujours possible de terminer un texte ou un discours oral par une réflexion, une citation ou un exemple inattendus. Il s'agit alors de laisser le lecteur sur une bonne impression.

4 Rédigez : une conclusion pour le sujet dont vous avez écrit l'introduction (page précédente), puis une conclusion originale pour le développement sur le bruit.

11 La tentation de l'irrationnel

L'invisible est réel. Les âmes ont leur monde.

Alfred de Vigny, *Les Destinées* (posthume, 1864).

Création du monde
Définitions
Double
Fantastique
Généralisation
Irrationnel
Mythes
Opéra
Particularisation
Religions
Rituels
Tribus

La femme-soleil Wuriv Pranala et l'homme-lune Japara lors de la période de la Création (mythe arborigène australien).

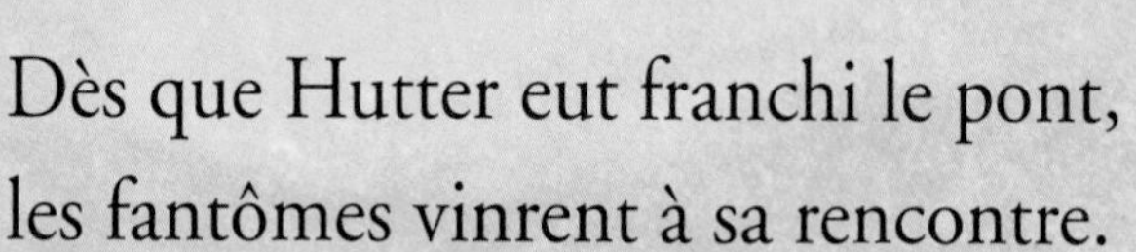

Dès que Hutter eut franchi le pont,
les fantômes vinrent à sa rencontre.

Murnau, *Nosferatu le vampire,* 1922.

RITUELS

SUPPORTERS
RITUELS TRIBAUX

En se grimant, ils ne font que reproduire un vieux rituel papou.

Marseille*, Milan, Bari et Paris : il y avait, ces soirs derniers, des Papous plein les stades. Si le degré le plus réservé du soutien à un sportif est l'applaudissement policé des parcours de golf, les peintures rituelles des derniers matchs représentent sans doute un stade ultime. Il ne faut, paraît-il, pas y voir l'image d'une sauvagerie enfouie qui ne demanderait qu'à renaître, mais plutôt « l'expression la plus spectaculaire d'une profonde identification ». Hé oui, les Marseillais ou les Toulousains ne font aujourd'hui que répéter un rituel que les Papous de Nouvelle-Guinée connaissent depuis des dizaines de milliers d'années.

« Outre le vêtement, explique calmement François Lupu, ethnologue au musée de l'Homme à Paris, il y a deux utilisations du corps pour exprimer une identité sociale. Soit on veut se définir d'une façon permanente, et on utilise alors les tatouages ou les scarifications, indélébiles. Soit on choisit d'exprimer son identité dans le temps, lors d'un moment exceptionnel, lors d'une fête ou d'une manifestation : seule la peinture, effaçable dès le lendemain, le permet. Les supporters sportifs l'ont très bien compris. Car qui dit que ce partisan de Marseille, qui s'affirme aujourd'hui comme appartenant "au clan des joueurs de balle ronde" ne sera pas demain un membre du "clan des balles ovales" ?

Les Papous ne se peignent que lors d'une action précise : le retour de la guerre, des funérailles ou des compétitions entre clans. Pas pour être beaux, mais pour mettre en œuvre une carte d'identité temporaire. Les supporters de l'OM ou du Milan AC ne font rien d'autre. On lit immédiatement sur leurs visages ce qu'ils sont. « Le mot "supporter" est d'ailleurs particulièrement bien choisi, ajoute François Lupu. Ils supportent leurs équipes comme des colonnes romanes soutiennent un chapiteau. Et, comme toute colonne, ils sont sculptés, ou plutôt peints… »

À une époque où tout est favorable à la mobilité, où on peut aisément changer de ville, de vie, de travail, l'identification au groupe est devenue plus difficile. Les vêtements, à l'évidence, ne suffisent plus. Les fans de foot ont trouvé, eux, le marquage violent et coloré du monde tribal. Un peu comme les taggers ont réinventé le pictogramme des cavernes.

François Rousselle, *Le Point,* n° 977, 10.6.1991.

Marseille, Milan, Bari, Paris : il s'agit des équipes de football de ces villes (OM = Olympique de Marseille). L'article évoque les matchs de Coupe d'Europe.

LES TITRES
ET LE TEXTE

• **Le titre.** Avant de lire le texte, réfléchissez sur les énoncés qui composent le titre de cet article. Que vous apprennent-ils ? Faites des hypothèses sur le contenu de l'article.

• Commentez la disposition et la typographie des énoncés du titre.

• **Le texte : expansion du titre.** Montrez que le texte est conçu comme une expansion du titre. Relevez tout ce qui se rapporte aux mots clés de ce titre.

LES MARQUES
DE L'IDENTIFICATION

• Résumez l'explication donnée par l'ethnologue François Lupu. Utilisez les mots suivants :
– ressemblance/différence,
– permanent/occasionnel.

• Recherchez des marques d'identification (ressemblance et différenciation) permanentes ou occasionnelles dans votre société ou dans les sociétés que vous connaissez. Étudiez :
– les marques corporelles (vêtements, accessoires, coiffure, etc.),
– les rituels (bizutages, etc.),
– les habitudes de langage,
– les cérémonies, etc.

LES MYTHES DE LA CRÉATION

Le mystère de la création du monde et de l'homme a toujours hanté les hommes. Voici comment certains textes sacrés l'expliquent.

Au commencement l'eau recouvrait presque entièrement le monde plat en-dessous de notre terre. Loin à l'Est vivait une déesse dans une Kiva. À l'Ouest il y avait une autre déesse semblable…

Alors les déesses de l'Est et de l'Ouest firent s'élever la terre ferme hors de l'eau. En passant au-dessus du monde, le Soleil remarqua la terre nouvelle ; il en parla à la déesse de l'Ouest et lui dit qu'il n'avait vu aucun signe de vie…

La déesse de l'Ouest créa un grand nombre d'oiseaux et de bêtes… et elle les envoya peupler la terre. La déesse de l'Est fit d'abord une femme d'argile, puis un homme ; elle les recouvrit d'un tissu et les deux déesses chantèrent ensemble pour donner la vie à ces deux poupées ; elles leur enseignèrent un langage et leur dirent d'occuper la terre. La déesse de l'Est les mena par-dessus l'arc-en-ciel dans sa demeure où ils séjournèrent quatre jours avant de partir fonder un foyer…

Indiens Hopi de l'Arizona (Amérique du Nord).

Dieu a créé tous les êtres vivants
à partir de l'eau.
Certains d'entre eux rampent sur leur ventre,
certains marchent sur deux pattes,
et d'autres sur quatre.

Le Coran – ss. XXIV : 45.

Au commencement était un chaos, à partir duquel l'esprit limpide se sépara pour se faire le ciel, tandis que la terre se forma de l'esprit trouble.

Quand cette terre encore flottait à la surface de l'eau, trois dieux y bourgeonnèrent. Ces dieux, tous célibataires, étaient le dieu de l'éternité de la terre, le dieu de la plénitude en eau et le dieu du marteau symbolisant les outils. Ensuite se formèrent six dieux qui représentaient respectivement l'argile, le sable, l'habitat, la richesse, la beauté et la raison.

Enfin un couple de dieux apparut : Izanagui et Izanami. Le dieu du ciel leur demanda de solidifier la terre. Alors, ils prirent une hallebarde et remuèrent l'eau de mer. Le sel tombant de la pointe de la hallebarde s'accumula et une île s'en forma. Izanagui et Izanami descendirent à cette île et y construisirent un palais où ils se marièrent.

Il naquit de ce mariage l'archipel de Japon, le dieu des mers, le dieu des fleuves, le dieu des montagnes, le dieu des plaines, le dieu des arbres et le dieu du vent.

Mythe de création de l'Archipel japonais.

Au commencement était le Verbe et le Verbe était avec Dieu et le Verbe était Dieu.
Il était le commencement avec Dieu. Tout fut par lui et sans lui rien ne fut (…)
Et le Verbe s'est fait chair et il a habité parmi nous.

Évangile selon saint Jean.

Au temps où Yahvé fit la terre et le ciel, il n'y avait encore aucun arbuste des champs sur la terre… Alors Yahvé Dieu modela l'homme avec la glaise du sol, il insuffla dans ses narines une haleine de vie et l'homme devint un être vivant. Yahvé Dieu planta un jardin en Eden, à l'orient, et il y mit l'homme qu'il avait modelé…

Yahvé Dieu dit : « Il n'est pas bon que l'homme soit seul… Yahvé Dieu modela encore du sol toutes les bêtes sauvages et tous les oiseaux du ciel, et il les amena à l'homme pour voir comment celui-ci les appellerait ; chacun devait porter le nom que l'homme lui aurait donné. L'homme donna des noms à tous les bestiaux, aux oiseaux du ciel et à toutes les bêtes sauvages, mais, pour un homme, il ne trouva pas d'aide qui lui fut assortie.

Alors Yahvé Dieu fit tomber un profond sommeil sur l'homme, qui s'endormit. Il prit une de ses côtes et referma la chair à sa place. Puis, de la côte qu'il avait tirée de l'homme, Yahvé Dieu façonna une femme et l'amena à l'homme…

La Bible. Tradition Yahviste (env. VIIIe s. av. J.-C.).

L'homme vint tout d'abord dans le règne des choses inorganiques, puis de là il passa dans le règne végétal, ne se souvenant pas de sa condition précédente. Et lorsqu'il passa dans l'état animal, il ne se rappela plus son état en tant que plante : il ne lui resta que l'inclination qu'il éprouva pour cet état – notamment à l'époque du printemps et des fleurs… puis l'homme est entré dans l'état humain ; de ses premières âmes il n'a point de souvenir, et il sera de nouveau changé.

Djelâl ed-Dîn Rûmî,
Mathnavî, IV : 3637 ss. (XIIe-XIIIe s. après J.-C.).

IDÉES

LE RETOUR DE L'IRRATIONNEL

Le Nouvel Observateur *interroge l'historien Jean Delumeau.*

Le Nouvel Observateur. – *On parle d'un retour de l'irrationnel. Qu'en pensez-vous ?*

Jean Delumeau. – Il y a toujours eu dans nos sociétés des tendances, des démarches irrationnelles. Jadis, elles étaient encadrées par les religions officielles. Maintenant que celles-ci se sont débarrassées des problèmes matériels qui n'étaient pas de leur ressort, les gens se tournent vers l'ésotérisme, les sectes, l'astrologie, pour se protéger, se rassurer. Dans un pays comme la France, le rétrécissement de l'espace religieux laisse la place aux astrologues et autres voyants.

N.O. – *Dans votre dernier ouvrage, « Rassurer et protéger », vous montrez qu'en définitive il y a un lien entre la quête des indulgences hier et la prise des assurances aujourd'hui...*

J. Delumeau. – Je raisonne en effet sur la question posée – le retour de l'irrationnel – en fonction de l'étude que j'ai menée sur le sentiment de sécurité. Tout au long de mon travail j'ai été interpellé par cette question : dans quelle mesure les assurances que nous prenons sont-elles rationnelles ou irrationnelles ? Le rationnel, l'irrationnel, ce sont des notions qui évoluent avec le temps. Ce qui nous paraît à nous totalement irrationnel, comme de sonner les cloches contre l'orage, ne le paraissait pas au XVe ou au XVIe siècle. C'était le seul remède possible. De même, à une époque où la médecine était quasiment inexistante, il ne semblait pas absurde de faire appel à des saints guérisseurs : saint Sébastien, saint Roch... Aujourd'hui, les progrès de la science et de la technique nous ont armés. À la lumière de nos connaissances, il nous semble que les démarches anciennes rassuraient mais étaient inefficaces, tandis que les nôtres nous rassurent et nous protègent vraiment.

N.O. – *Vous venez d'assurer la coordination d'un ouvrage collectif, « le Savant et la Foi ». Sans retomber dans le positivisme, n'y a-t-il pas incompatibilité entre la science et la foi ?*

J. Delumeau. – Je constate que des savants de toutes opinions, de toutes confessions ou sans religion du tout découvrent que la science sécrète elle-même ses propres limites. L'Univers est tellement vaste et la nature si complexe qu'il restera toujours une zone d'ombre. Henri Poincaré disait déjà : « *Plus la science accroît le cercle de ses connaissances et plus grandit autour le cercle d'ombre.* » C'est magnifique.

N.O. – *Mais la foi chrétienne n'est-elle pas de l'ordre de l'irrationnel ?*

J. Delumeau. – Je crois qu'il faut distinguer entre l'irrationnel et le suprarationnel. Ma conviction est que la science et la technique, lorsqu'elles arrivent au bout d'elles-mêmes, invitent à nous rendre compte que le mystère existe et qu'il dépasse les moyens humains d'investigation. La science débouche sur le mystère. À ce moment-là, pour y voir clair, il faut une parole venue d'ailleurs, que les chrétiens et les judéo-chrétiens appellent une révélation. Celle-ci ouvre quelques portes sur le mystère, qui est au-delà du rationnel mais qui n'est pas irrationnel.

Propos recueillis par Claude-François Jullien,
Le Nouvel Observateur, 1.6.1989.

RECHERCHE DE CAUSES

• Recherchez les causes du retour de l'irrationnel :
– dans les deux premières réponses de J. Delumeau,
– dans les documents sur les sectes (p. 187),
– dans votre propre expérience.

ÉCRITURE

• Rédigez une explication du phénomène du retour de l'irrationnel comportant :
– une brève introduction présentant le phénomène,
– un développement faisant la synthèse des causes recensées dans l'activité précédente.

LA JUSTIFICATION DES RELIGIONS

• Comment J. Delumeau justifie-t-il la nécessité des religions ? N'y a-t-il pas d'autres justifications possibles ?

• Discutez la dernière réponse de J. Delumeau. La distinction entre irrationnel (qui n'est pas rationnel) et suprarationnel (qui est « au-dessus » ou « au-delà » du rationnel) vous paraît-elle acceptable ?

COMPARAISONS

• Comparez les textes sacrés p. 180. Dégagez :
– l'élément originel,
– le récit de la création.

• Dans quel texte y a-t-il un élément moteur à cette création ?

• Examinez le rôle joué :
– par les éléments primordiaux (air, terre, feu, eau),
– par les entités non matérielles (dieu(x), esprit(s)).

CRÉATIVITÉ

• Imaginez un mythe original de la création du monde.

Figures du fantastique

À QUOI SONGEAIENT LES DEUX CAVALIERS DANS LA FORÊT

La nuit était fort noire et la forêt très sombre.
Hermann à mes côtés me paraissait une ombre.
Nos chevaux galopaient. À la garde de Dieu !
Les nuages du ciel ressemblaient à des marbres.
Les étoiles volaient dans les branches des arbres
Comme un essaim d'oiseaux de feu.

Je suis plein de regrets. Brisé par la souffrance,
L'esprit profond d'Hermann est vide d'espérance.
Je suis plein de regrets. O mes amours, dormez !
Or, tout en traversant ces solitudes vertes,
Hermann me dit : Je songe aux tombes entr'ouvertes !
Et je lui dis : Je pense aux tombeaux refermés !

Lui regarde en avant ; je regarde en arrière.
Nos chevaux galopaient à travers la clairière ;
Le vent nous apportait de lointains angelus ;
Il dit : Je songe à ceux que l'existence afflige,
À ceux qui sont, à ceux qui vivent. – Moi, lui dis-je,
Je pense à ceux qui ne sont plus !

Les fontaines chantaient. Que disaient les fontaines ?
Les chênes murmuraient. Que murmuraient les chênes ?
Les buissons chuchotaient comme d'anciens amis.
Hermann me dit : Jamais les vivants ne sommeillent.
En ce moment, des yeux pleurent, d'autres yeux veillent.
Et je lui dis : Hélas ! d'autres sont endormis !

Hermann reprit alors : Le malheur, c'est la vie.
Les morts ne souffrent plus. Ils sont heureux ! J'envie
Leur fosse où l'herbe pousse, où s'effeuillent les bois,
Car la nuit les caresse avec ses douces flammes ;
Car le ciel rayonnant calme toutes les âmes
Dans tous les tombeaux à la fois !

Et je lui dis : Tais-toi ! respect au noir mystère !
Les morts gisent couchés sous nos pieds dans la terre.
Les morts, ce sont les cœurs qui t'aimaient autrefois !
C'est ton ange expiré ! c'est ton père et ta mère !
Ne les attristons pas par l'ironie amère.
Comme à travers un rêve, ils entendent nos voix.

Victor Hugo, *Les Contemplations,* 1856.

Victor Hugo, *Deux tours reliées par un bâtiment,* Musée Victor-Hugo.

Brauner, *La rencontre du 2 bis rue Perrel,* 1946, musée national d'Art moderne.

LE TABLEAU DE BRAUNER

En 1946, Victor Brauner s'installe dans l'ancien atelier du peintre le Douanier Rousseau. Il peint alors ce tableau en hommage à son prédécesseur. Les créatures de Brauner y côtoient celles du Douanier Rousseau.

- Identifiez et décrivez les éléments qui composent ce tableau.
- Montrez que l'œuvre est organisée selon un jeu de doubles et de figures antithétiques (formes, couleurs, personnages).
- Faites des hypothèses :
  – sur la signification symbolique des éléments du tableau,
  – sur sa signification générale.

LE POÈTE ET HERMANN

- Reportez dans le tableau ci-dessous tout ce qui est dit du poète et d'Hermann ainsi que ce que pensent et disent ces deux personnages (strophes 1 à 4).

Le poète	Hermann
regrets – souffrance	à côté – une ombre

- Faites la synthèse de ces notations. Caractérisez les pensées de chaque personnage face à la vie et à la mort.
- Analysez les deux représentations de la mort faites par Hermann (strophe 5) et par le narrateur (strophe 6).

LE DÉCOR

- Caractérisez le décor de la première strophe et analysez l'évolution de la représentation de la nature jusqu'à la fin du poème. Retrouvez :

– les atmosphères :
nocturne, lugubre, insolite, apocalyptique, funèbre, bucolique ;

– la relation entre la nature et l'homme :
la nature inquiétante, distante, mystérieuse, apaisante ; la nature porteuse d'un message, la nature amie, confidente ; maternelle, accueillante.

LA SYMBOLIQUE DU POÈME

- Faites des hypothèses sur la signification symbolique :
  – du couple « je »/Hermann,
  – de la course à cheval,
  – des éléments du décor : la forêt, la clairière, etc. ; les différents aspects du ciel, etc.

LITTÉRATURE

FIGURES DU FANTASTIQUE

LA VÉNUS D'ILLE

À Ille, dans les Pyrénées, un amateur d'antiquités a trouvé dans son jardin une magnifique statue de Vénus en cuivre. Le matin du mariage de son fils Alphonse, une partie de pelote basque s'organise dans le jardin. Alphonse y participe et, pour ne pas risquer de perdre la grosse bague de diamants qu'il doit bientôt offrir à son épouse, il passe la bague au doigt de la statue.
La scène suivante, racontée par un invité, se passe après le dîner, le soir des noces.

M. Alphonse me tira dans l'embrasure d'une fenêtre, et me dit en détournant les yeux :

« Vous allez vous moquer de moi... Mais je ne sais ce que j'ai... je suis ensorcelé ! le diable m'emporte ! »

« Vous avez trop bu de vin de Collioure, mon cher monsieur Alphonse, lui dis-je. Je vous avais prévenu.

– Oui, peut-être. Mais c'est quelque chose de bien plus terrible. »

Il avait la voix entrecoupée. Je le crus tout à fait ivre.

« Vous savez bien, mon anneau ? poursuivit-il après un silence.

– Eh bien, on l'a pris ?

– Non.

– En ce cas, vous l'avez ?

– Non... je... je ne puis l'ôter du doigt de cette diable de Vénus.

– Bon ! vous n'avez pas tiré assez fort.

– Si fait... Mais la Vénus... elle a serré le doigt. »

Il me regardait fixement d'un air hagard, s'appuyant à l'espagnolette pour ne pas tomber.

« Quel conte ! lui dis-je. Vous avez trop enfoncé l'anneau. Demain vous l'aurez avec des tenailles. Mais prenez garde de gâter la statue.

– Non, vous dis-je. Le doigt de la Vénus est retiré, reployé ; elle serre la main, m'entendez-vous ?... C'est ma femme, apparemment, puisque je lui ai donné mon anneau... Elle ne veut plus le rendre. »

J'éprouvai un frisson subit, et j'eus un instant la chair de poule. Puis, un grand soupir qu'il fit m'envoya une bouffée de vin, et toute émotion disparut.

Le misérable, pensai-je, est complètement ivre. [...]

Je dormis mal et me réveillai plusieurs fois. Il pouvait être cinq heures du matin, et j'étais éveillé depuis plus de vingt minutes, lorsque le coq chanta. Le jour allait se lever. Alors j'entendis distinctement les mêmes pas lourds, le même craquement de l'escalier que j'avais entendus avant de m'endormir. Cela me parut singulier. J'essayai, en bâillant, de deviner pourquoi M. Alphonse se levait si matin. Je n'imaginais rien de vraisemblable. J'allais refermer les yeux lorsque mon attention fut de nouveau excitée par des trépignements étranges auxquels se mêlèrent bientôt le tintement des sonnettes et le bruit de portes qui s'ouvraient avec fracas, puis je distinguai des cris confus.

« Mon ivrogne aura mis le feu quelque part ! » pensais-je en sautant à bas de mon lit.

Je m'habillai rapidement et j'entrai dans le corridor. De l'extrémité opposée partaient des cris et des lamentations, et une voix déchirante dominait toutes les autres : « Mon fils ! mon fils ! » Il était évident qu'un malheur était arrivé à M. Alphonse. Je courus à la chambre nuptiale : elle était pleine de monde. [...]

Je m'approchai du lit et soulevai le corps du malheureux jeune homme ; il était déjà raide et froid. Ses dents serrées et sa figure noircie exprimaient les plus affreuses angoisses. Il paraissait assez que sa mort avait été violente et son agonie terrible. Nulle trace de sang cependant sur ses habits. J'écartai sa chemise et vis sur sa poitrine une empreinte livide qui se prolongeait sur les côtes et le dos. On eût dit qu'il avait été étreint dans un cercle de fer. Mon pied se posa sur quelque chose de dur qui se trouvait sur le tapis ; je me baissai et vis la bague de diamants.

Prosper Mérimée, *La Vénus d'Ille*, 1837.

LES ÉVÉNEMENTS ÉTRANGES

- Reconstituez la chronologie des événements qui se sont produits.
- Montrez que le suspense est créé par une alternance : événements, sensations, impressions étranges / explications rationnelles.

CRÉATIVITÉ

- Imaginez une suite fantastique à cette histoire (suite narrative, message écrit laissé par Alphonse à son père ou à sa femme, etc.).

LE ROI DES AULNES

Prisonnier en Allemagne pendant la Seconde Guerre mondiale, Tiffauges a été affecté dans les lointaines contrées marécageuses et forestières de l'est du pays. Il y mène une vie relativement libre et s'est même trouvé un refuge en pleine forêt où il va passer ses nuits et qu'il nomme le « Canada ».

Une nuit il fut réveillé par des frôlements contre les murs de la maison. Quelqu'un marchait, semblait-il, en s'appuyant aux planches et même contre la porte. Plus effrayé qu'il ne voulut se l'avouer, il se tourna contre la cloison et se rendormit. [...]

Une nuit cependant les pas lourds et les frôlements autour de la maison canadienne éveillèrent à nouveau Tiffauges. Il se leva et alla se placer contre la porte. Dehors le silence était revenu. Il fut troublé soudain par une espèce de râle qui glaça Tiffauges jusqu'aux moelles. Puis il y eut un raclement contre la porte. Tiffauges l'ouvrit brusquement, et recula en chancelant devant le monstre qui s'y encadra. L'animal tenait à la fois du cheval, du buffle et du cerf. Il fit un pas en avant, et fut aussitôt arrêté par ses bois énormes [...]. Levant la tête, il poussa alors vers Tiffauges son gros mufle rond sous lequel l'ouverture triangulaire de la lèvre supérieure s'agitait délicatement, comme le bout d'une trompe d'éléphant. Tiffauges avait entendu parler des troupeaux d'élans qui hantent encore le nord de la Prusse-Orientale, mais il était stupéfait de la masse énorme de poils, de muscles et de bois qui menaçait d'envahir la maisonnette. La sollicitation de cette lèvre qui se tendait vers lui était si éloquente qu'il alla prendre un quignon de pain sur la table, et l'offrit à l'élan. L'animal le renifla bruyamment et l'engloutit. [...]

L'élan devait être satisfait de cette offrande, car il recula et disparut dans la nuit, silhouette gauche et pesante dont la disgrâce et l'esseulement serraient le cœur.

Ainsi la faune de Prusse-Orientale venait de déléguer à Tiffauges son premier représentant, et il s'agissait d'une bête à demi fabuleuse, qui paraissait sortir des grandes forêts hercyniennes de la préhistoire. Il demeura éveillé jusqu'au petit jour, ramené par cette visite à l'étrange conviction qu'il avait toujours eue de posséder des origines immémoriales, une racine en quelque sorte qui plongeait au plus profond de la nuit des temps.

Un jour que l'animal s'était présenté plus tardivement à la cabane, il eut le loisir de l'observer à la lumière de l'aube. [...] Tiffauges remarqua alors que deux taies blanches recouvraient ses petits yeux. L'élan du Canada était aveugle. Dès lors Tiffauges comprit ce comportement quémandeur, cette allure gauche, cette lenteur somnambulique, et, à cause de sa terrible myopie, il se sentit proche du géant ténébreux.

Michel Tournier, *Le Roi des Aulnes*, Gallimard, 1970.

THÈMES ET FIGURES DU FANTASTIQUE

Le seuil : lieu de passage entre deux mondes.

Les manifestations de l'au-delà : perceptions et sensations anormales et inexplicables engendrant des sentiments allant de la surprise à la terreur.

Les métamorphoses du réel : inanimé devenant animé ; présence de créatures composites et imaginaires ; transformation des êtres et des choses.

Le double : apparition d'un être à la fois identique et étranger.

La nuit et **la mort.**

L'INSOLITE

- Faites la liste des manifestations insolites (perceptions, faits, etc.) et des sentiments qu'elles suscitent chez Tiffauges.

L'ANIMAL FABULEUX ET MYTHIQUE

- Relevez les éléments descriptifs de l'animal. En quoi composent-ils une créature imaginaire ?
- Recherchez et décrivez d'autres animaux fabuleux (l'hydre, le sphinx, le faune, la sirène, la licorne, etc.). Quelles sont les significations de ces créatures imaginaires ?
- Recherchez tout ce que l'élan peut symboliser.

LES THÈMES DU FANTASTIQUE

- Recherchez les principaux thèmes du genre fantastique dans les textes et les illustrations des pages 178, 182, 183 ainsi que dans certaines œuvres littéraires, artistiques ou cinématographiques que vous connaissez.

Aidez-vous du tableau ci-dessus.

INFO MÉMOIRE

■ « HEAVY WATER », UNE ŒUVRE DE L'EXPOSITION JAMES TURREL, À POITIERS (1991)

Un journaliste visite un espace créé par l'artiste James Turrel en compagnie de la responsable de l'exposition et de l'architecte Jean Nouvel.

• En quoi consiste l'originalité de cette œuvre artistique ? Que doit faire le visiteur ?
• Retrouvez les différents éléments qui composent cette œuvre.
• Donnez votre opinion sur les travaux de James Turrel.

James Turrel, 1989, Musée des Beaux Arts, Nîmes.

James Turrel est un artiste californien né en 1943. Très tôt, il oriente son travail vers une dématérialisation de l'objet d'art. Ses œuvres se réduisent en effet à des modulations d'effets lumineux sans source d'énergie apparente. Influencé par ses études sur la psychologie de la perception, il veut « faire percevoir aux regardeurs leur perception et leur donner conscience de leur conscience ». Dans ses *Pièces d'angles* par exemple, il crée, par la projection d'une lumière intense dans l'angle d'une pièce, l'illusion d'un volume flottant dans l'espace. Dans sa *Pièce obscure,* il demande au visiteur de rester pendant 20 minutes plongé dans le noir absolu d'une salle où il perd tout repère. Puis, avec le temps, il perçoit une vague lueur dont la couleur se modifie peu à peu. Il vit ainsi une attente et une naissance de la lumière et peut se concentrer sur les aspects fondamentaux de sa vision.

À TRAVERS LA FRANCE

UN GÉOBIOLOGISTE EXPLIQUE QUELQUES MYSTÈRES DE LA NATURE

La géobiologie est une discipline qui utilise les apports de la géographie, de la géologie et de la biologie. Louis Perrier, curé de la paroisse de Besse-en-Chandesse (Auvergne), est un géobiologiste amateur. Qu'apprenez-vous en l'écoutant :
– sur l'origine de la forme des arbres,
– sur le mystère de l'existence de puits au pied des autels des églises romanes ?

VOIX

OPINIONS

■ LE PROBLÈME DES SECTES ÉVOQUÉ PAR TROIS PERSONNES CONCERNÉES.

Depuis plusieurs décennies on assiste en France à une large désaffection pour les grandes religions traditionnelles en particulier pour le catholicisme qui rassemblait en 1970 encore 90 % des Français. Seul, l'islam est en augmentation mais ce phénomène est dû essentiellement à l'arrivée d'émigrés.
Parallèlement, depuis quelques années, des sectes se multiplient, recrutant en particulier parmi les jeunes. Dans un pays comme la France où le droit de choisir sa religion est respecté, ce phénomène ne constituerait pas un problème si de nombreuses plaintes n'avaient été formulées à l'encontre de certaines de ces organisations : plaintes d'adeptes de sectes qui se sont retrouvés ruinés financièrement, moralement et quelquefois même physiquement, plaintes de familles qui ont vu l'un des leurs disparaître abandonnant conjoint et enfants...
Le problème mérite donc d'être examiné attentivement.

• Relevez les informations apportées par l'article ci-dessous. (L'auteur de l'article vient d'énumérer un certain nombre de sectes qui semblent proliférer en France.)

À combien peut-on estimer le nombre des adeptes de ces organisations ? Le rapport établi en 1983 par le député Alain Vivien donnait le chiffre de 25 000 pour la France entière. Toutes sectes confondues. Mais, ajoutait aussitôt le parlementaire, le phénomène concerne près de 500 000 personnes par le biais des relations familiales. Des chiffres qu'il conviendrait aujourd'hui de revoir à la hausse. C'est l'avis de tous les spécialistes, au ministère de l'Intérieur comme dans les associations antisectes.

La raison de ce succès ? L'air du temps. « L'ère du vide » pour reprendre le titre de l'ouvrage dans lequel le philosophe Gilles Lipowetsky se plaisait, il y a moins de dix ans, à célébrer la mort des idéologies et l'avènement d'une société hédoniste. Seulement voilà, la société comme la nature a horreur du vide. Elle a besoin de croire, de rêver, d'espérer. Elle a aussi besoin de points de repère, de sens, d'unité. Alors qu'on ne lui propose qu'un long défilé d'impuissances, d'échecs et de résignations. Les intellectuels, élevés dans la certitude que toute utopie collective conduit au totalitarisme, ont fait relâche. Résultat, les charlatans se sont engouffrés dans la brèche. Cette lame de fond a un nom : le *New Age.* [...] Un bric-à-brac idéologique qui marie ou confond écologie et tisanes, physique quantique et philosophie chinoise, expérience scientifique et expérience mystique, astronomie et astrologie. La pensée magique par excellence. Qui unifie tout à grands coups de vibrations, de karma* et d'univers parallèles...

Les sectes du nouvel âge sont résolument élitistes. Elles ne s'adressent plus à la générosité des individus, mais à leur ambition. Le culte de l'argent et de la réussite a beau s'essouffler, il a laissé des traces. Les gourous* ne proposent pas de changer le monde, mais d'aider le gogo* à « développer son potentiel ». Foin* des paumés*, l'immense majorité des adeptes sont plutôt bien insérés dans la société. Une garantie à la fois de ressources et d'expansion pour les sectes...

Serge Faubert, *L'Événement du Jeudi,* 2.1.1992.

le karma : dogme de la religion hindouiste.

un gourou : maître spirituel.

un gogo : personne naïve et crédule.

foin de : expression archaïque marquant le dédain, la distance.

un paumé : personne désorientée, ayant perdu ses repères sociaux et psychologiques.

AIDE À L'ÉCOUTE

le fondamentalisme – le revivalisme : courants à l'intérieur des grandes religions qui souhaitent un retour à la tradition et aux textes sacrés.

les évangélistes : courant de l'Église protestante.

ADFI : Association pour la défense des familles et des individus.

• Écoutez l'enregistrement. Trois personnes parlent des sectes.
Donnez un titre à chaque séquence : définition, témoignage, explication du phénomène.
Essayez de deviner l'identité de chacun des trois locuteurs. Sont-ils favorables ou non aux sectes ? Parlent-ils en tant que religieux, chercheurs objectifs, etc. ?
Résumez le contenu de chaque intervention.

LA SCÈNE ET L'ÉCRAN

LE MYSTÈRE DU PERSONNAGE

« INDIA SONG », TEXTE, THÉÂTRE ET FILM DE MARGUERITE DURAS

« India Song » est l'histoire d'un amour vécu aux Indes dans les années 30. Un homme, le Vice-consul de France à Lahore en disgrâce à Calcutta, est rejeté par ses pairs car il a tiré sur les lépreux de Lahore. Il crie son amour pour Anne-Marie Stretter, femme de l'ambassadeur de France, qui a pour amant Michaël Richardson. Parallèlement se déroule une autre histoire : celle d'une mendiante venue à pied du Laos jusqu'à Calcutta.
Les histoires ne sont pas racontées au sens classique du terme. Elles sont évoquées par des voix (off) qui se souviennent, par des images, par des bribes de conversation entre les témoins de ses amours et par quelques dialogues entre les personnages.
Voici une séquence du début du film. Des formes, des silhouettes, des voix et des bruits ont peu à peu émergé de l'écran noir. Le décor est celui de l'ambassade de France, intérieur et parc. Une femme habillée de noir danse avec un homme en noir. Près d'eux un autre homme en noir.

La lumière revient peu à peu.
La pluie, le bruit, très fort pendant plusieurs secondes.
Il diminue. Les cris isolés et les rires percent, plus précis, le bruit de la pluie.
La lumière revient toujours.
Tout à coup, cris plus précis, plus près, de femme. Rires de la même femme.

VOIX 1
Quelqu'un crie… une femme…

VOIX 2
Quoi ?

VOIX 1
Des mots sans suite.
Elle rit.

VOIX 2
Une mendiante.
Temps.

VOIX 1
Folle ?

VOIX 2
C'est ça…

Dans les allées du parc, soleil d'après la pluie. Soleil mouvant. Taches de lumière grise, pâle.
Cris et rires de la mendiante toujours.

VOIX 1
Ah oui… je me souviens. Elle se tient au bord des fleuves… elle vient de Birmanie… ?

VOIX 2
Oui.

Tandis que les voix parlent de la mendiante les trois personnes bougent, quittent la pièce par des portes latérales.

VOIX 2
Elle n'est pas indienne.
Elle vient de Savannakhet.
Née là-bas.

VOIX 1
Ah oui… oui…
Un jour… il y a dix ans qu'elle marche, un jour, devant elle, le Gange… ?

VOIX 2
Oui.
Elle reste.

VOIX 1
C'est ça…

Les trois personnes ont disparu. L'endroit est vide.
Discours au loin, comme crié, dans une langue douce : le laotien.

VOIX 1 *(Temps)*
Douze enfants morts tandis qu'elle marche vers le Bengale… ?

VOIX 2
Oui. Elle les laisse. Les vend. Les oublie. *(Temps.)* Vers le Bengale devient stérile.

[Une réception à l'ambassade de France. Bribes de conversations des invités.]

Michael Richardson se lève, il fait quelques pas vers la réception, la regarde d'assez loin, puis il se retourne : voit le Vice-consul dans le parc.
Alors les femmes le voient aussi et reculent d'un pas.

Des femmes parlent (bas) :
– Regardez… Michael Richardson…

Temps.

– Ah oui... Il ne vient pas aux réceptions... ?

– Jamais, à la fin seulement, vers le milieu de la nuit. Ils restent à quelques intimes.

Temps.

– Quelle histoire... quel amour... On dit qu'il a tout quitté pour la suivre...

– Tout. Il était fiancé. Tout. En une nuit...

Silence.

[...]

Le Vice-consul regarde la réception. Michaël Richardson, de nouveau, le regarde. Le Vice-consul paraît très absorbé, ne le remarque pas.

Des hommes parlent :

– La nuit il tirait de son balcon.

– Oui. Il criait aussi. À moitié nu.

– Quoi ?

– Des mots sans suite. Il riait.

Temps.

– Aucune femme, à Lahore, ne l'aurait connu d'assez près qui pourrait dire un peu... ?

– Aucune. Jamais.

– Comment est-ce possible ?

– Dans sa résidence, personne n'est jamais allé, dans sa résidence de Lahore...

– C'est terrifiant... Cette abstinence... Terrible...

Silence.

– Vous avez entendu ? L'Ambassadeur a dit au Jeune Attaché : « Les gens s'écartent de lui, je sais... il fait peur... mais vous m'obligeriez si vous alliez lui parler un peu. »

Temps.

– Sur le milieu que sait-on ? sur l'enfance ?

– Son père, petit banquier à Neuilly. Enfant unique. Sa mère aurait quitté le père. Nombreux renvois pour mauvaise conduite. Études brillantes mais après le secondaire... c'est tout...

– On ne sait rien en somme...

– Rien.

Temps.

– Est-ce qu'il n'y aurait pas en chacun de nous... comment dire ? une chance sur mille d'être comme lui à... enfin... *(Arrêt)* je pose la question... c'est tout...

Pas de réponse.
Silence.

Marguerite Duras, *India Song*, Gallimard, 1973.

LE RÉCIT POLYPHONIQUE

• Dans ces deux extraits relevez les éléments (indications scéniques ou paroles) qui se rapportent :
– à l'histoire de la mendiante, du Vice-consul et de Michael Richardson,
– à d'autres domaines. De quels domaines s'agit-il ? Quelle est la fonction de ces éléments ?

Informations sur l'histoire	Autres éléments
	– Retour de la lumière : personnages et décor sortent progressivement du passé et de l'oubli. – Ambiances sonores (pluie, cris, rires) : évocation sonore de l'Inde.
– Cris de la mendiante (douleur, folie ?).	

• Rassemblez ces informations en résumant ce que vous avez appris :
– sur l'histoire,
– sur le décor et l'atmosphère.

L'ÉCRITURE MAGIQUE

• Sélectionnez dans ce texte un passage descriptif, un passage narratif, un dialogue. Comparez ces passages avec leurs correspondants dans la littérature classique. Dégagez la spécificité du récit, de la description et du dialogue chez Marguerite Duras.

• Montrez que l'écriture de Marguerite Duras tient à la fois du roman, du poème et du film.

• Les formules suivantes vous paraissent-elles caractériser le contenu et la forme de ce film ?
– juxtaposition d'informations et de sensations,
– cloisonnement entre le texte, l'image et les personnages,
– décalage des points de vue sur les personnages,
– écriture musicale,
– fragments de souvenirs,
– présence mystérieuse et fantômatique des personnages.

LES THÈMES

• Répertoriez les thèmes qui affleurent tout au long de ce texte : la solitude, la folie, etc.

• Définissez la tonalité créée par la succession et le retour de ces thèmes.

CRÉATIVITÉ

• Racontez une histoire poétique (par exemple celle de Gérard de Nerval, p. 48 ou celle de Julien Gracq, p. 17) en utilisant l'une des deux techniques employées par Marguerite Duras :
– une polyphonie de voix anonymes,
– des fragments de conversations entre des témoins de cette histoire.

LES ARTS

MAGIES DE L'OPERA

Après un passage à vide d'une dizaine d'années, l'opéra connaît en France depuis le début des années 80 un fort regain d'intérêt notamment auprès des jeunes. Dans L'Opéra ou la Défaite des femmes *Catherine Clément, journaliste et essayiste, analyse à la fois sa passion pour ce genre et sa répulsion à l'égard de l'idéologie véhiculée par l'intrigue de la plupart des opéras. Voici la première page de cet ouvrage.*

Une grande maison, étrange, au cœur de la ville. [...] Entrer dans l'opéra. Franchir, les uns après les autres, les portillons du rite ; tendre les billets, savoir leur prix, se laisser guider par une dame qui ouvre les portes, pénétrer au cœur. La salle immense, rouge et or, blanche et or, bleue et or : toujours, l'or des balcons, l'or des guirlandes. Dans cette architecture se lit tout un monde, qui n'existe plus. Errent en rêve les ombres d'une société. Là, les jeunes duchesses fragiles que Balzac a aimées dans *les Scènes de la vie parisienne* se laissent séduire par de douteux dandies [...]. Là, dans cette loge où se tient aujourd'hui l'une de ces pâles jeunes filles qui sortent encore avec leurs parents, Mathilde de La Mole* sentit son cœur s'enflammer pour Julien Sorel*, et se repentit de l'avoir mal traité... Et, tout en fièvre, elle se répétait les paroles chantantes et italiennes où venait de se prendre sa fierté : « Devo punirmi, se troppo amai*... » [...]

À l'opéra, on attente à la vie des puissants ; on brûle, on tue, on fait naître des passions, on les étouffe.

Souvenez-vous de *Senso*,* et des sombres splendeurs de Visconti. Lorsque le rideau se lève, sur une représentation du *Trouvère*,* tombent des hauteurs, par milliers, des bouquets aux couleurs de la future Italie en pleine gestation. Sortent en déroute, défaits par l'opéra, les officiers autrichiens de blanc vêtus ; mais dans une loge une femme aime déjà, comme dans un opéra, l'un de ces officiers ennemis. Se troppo amai... Devo punirmi.

Salle et scène se répondent, se renvoient le même reflet doré ; au spectacle brillant, aux costumes de scène, correspondent les longues robes et l'apparat des bourgeois en fête, à la recherche d'une noblesse oubliée. Tout autour, les statues immobiles tendent leurs bras polis ; sous le grand escalier, une nymphe [...] plonge un pied que des mains ont tant effleuré qu'il en est devenu lumineux, dans une vasque sans eau, et elle rit, de toutes ses dents de bronze. Des péristyles à l'antique dressent leurs colonnes sur de fausses mosaïques ; au-dessus, s'échelonnent les étages, les étages encore, jusqu'au lieu des rencontres qui porte le nom familial de *foyer*.

Les lumières, par degrés insensibles, s'étouffent. La rumeur se tait. Quelques toux surnagent ; ce sont des hommes après tout. L'orchestre improvise une musique pour l'accord ; traîne, un instant, au cor, un air triste du troisième acte. Le rideau va se lever : le lourd rideau peint où le velours à glands dorés se relève pour toujours sur une étoffe claire. Trompe-l'œil ; deux géantes d'or volent dans les airs pour retenir la scène. Trompe-l'œil ; la conque immense et veloutée d'où regardent des milliers d'yeux fascinés. Trompe-l'œil ; le rideau s'est levé sur une forêt de tulle et de bois, sur un palais de tissu. Il fait toujours un peu frais quand le rideau se lève ; un souffle passe de la scène à la salle. S'élèvent, alors, les voix.

Catherine Clément, *L'Opéra ou la Défaite des femmes*, Grasset, 1979.

Mathilde de la Mole et **Julien Sorel** : personnages du roman de Stendhal *Le Rouge et le Noir.*

Devo punirmi, se troppo amai : je dois me punir pour avoir trop aimé.

« **Senso** » : film de Luchino Visconti (1953) dont l'action se déroule à l'époque des guerres de libération de l'Italie contre l'Autriche (milieu du XIXe siècle).

« **Le Trouvère** » : opéra de Verdi.

LE RITUEL DE L'OPÉRA

• Montrez que ce texte présente le spectacle d'opéra comme un rituel. Retrouvez les passages qui exposent :

– les étapes du rituel : notez toutes les actions énumérées dans le texte, complétez cette liste ;

– le décor du rituel : relevez tous les éléments architecturaux et décoratifs évoqués pour décrire ce décor et complétez la liste. Distinguez le bâtiment de l'opéra, la salle de spectacle, les spectateurs ;

– le temps : relevez les détails qui font de l'opéra un lieu intemporel et immuable.

• En quoi la photo montre-t-elle que l'opéra est un monde de conventions et de magie ?

ÉCRITURE

• Décrivez et commentez un événement en le présentant comme un rituel. Utilisez la technique de Catherine Clément (énumération des étapes du rituel, présentation du décor, etc.).

N.B. Recherchez préalablement tout le vocabulaire qui vous permettra de construire des métaphores. Vous pouvez par exemple décrire un salon de bridge en utilisant le vocabulaire des religions, une réunion professionnelle en utilisant le vocabulaire des sports ou le vocabulaire militaire, etc.

DÉBATS

• Pensez-vous, comme Catherine Clément, que les sujets de presque tous les opéras mettent en scène le « sacrifice des femmes » ?

Orphée et Eurydice de Christophe Willibald Gluck, mise en scène : G. Vergez, théâtre des Champs-Élysées, février 1988.

GÉNÉRALISER, PARTICULARISER, DÉFINIR

■ GÉNÉRALISER ET PARTICULARISER

La pensée qui analyse, démontre, commente est souvent engagée soit dans un processus de généralisation (on passe d'un cas particulier à une idée générale), soit dans un processus inverse de particularisation. On peut exprimer ces processus de différentes façons :

☐ **Par un lexique approprié.**
Annonce du processus :
- en général/en particulier – généralement/particulièrement, spécifiquement, spécialement – élargissons, étendons le débat/donnons un exemple, un cas particulier – par extension

Expression de la généralisation :
- généraliser – systématiser – schématiser – synthétiser – théoriser – extrapoler – uniformiser.
- On peut en déduire, en tirer un principe, une loi, un système, une théorie, une règle, etc.
- On peut mettre sur le même plan, assimiler, ...
- Cette idée recouvre, englobe les cas de...
- Suffixe « -iser » : mondialiser, régionaliser.

Expression de la particularisation :
- particulariser – singulariser – individualiser – définir – caractériser – délimiter.
- Ce problème est caractéristique de, spécifique à...
- Ce problème se distingue de ..., se différencie de ..., s'écarte de ..., s'éloigne de ..., tranche avec ..., n'a rien à voir avec ..., contraste avec ... Ces interprétations divergent ...

(Voir aussi le vocabulaire de l'inclusion/exclusion p. 109.)

☐ **Par une extension ou une restriction de l'espace et du temps.**
partout/ici – là.
- Métaphores spéciales :
  l'idée que le monde est absurde occupe tout l'espace du théâtre français des années cinquante.
- toujours – habituellement – continuellement – souvent – jamais – etc./aujourd'hui – à cette époque – pour le moment – etc.

☐ **Par le jeu des articles, des adjectifs et des pronoms indéfinis et démonstratifs.**
Attention ! Ces mots n'apportent un sens de généralisation ou de particularisation qu'en relation avec le contexte.

Généralisation	Particularisation
Les Français aiment la bonne cuisine. Le Français aime la bonne cuisine. Un Français aime la bonne cuisine. = les Français en général	La cuisine française / J'ai acheté le pain / Les enfants de Jacques } particulier défini Un homme est entré... / Des enfants ont crié } particulier indéfini
tout (tous) – chacun – on – tout – le monde – n'importe qui/quoi – quiconque – qui que/quoi que... personne – nul – aucun – rien	quelqu'un – quelque chose – on (au sens de « nous ») ce – celui – celui-ci (tous les démonstratifs)
Les adjectifs et pronoms indéfinis permettent d'exprimer des degrés de généralisation : beaucoup (de) – la plupart (de) – certains – quelques – peu (de)	

1 Commentez l'emploi des articles dans ces phrases.

– *Le* lézard aime *le* soleil.

– « Mon enfant ! *Un* élève consciencieux vérifie toujours l'orthographe des mots inconnus dans *un* dictionnaire ! Va donc chercher *le* dictionnaire ! »

– La première chose qu'on voit en arrivant au village, c'est *l'*église, *une* charmante petite église romane.

– Actuellement « Le bœuf à la côte » c'est *le* restaurant de Paris.

– Le roman de Gérard Lefort, c'est un peu l'histoire de « Madame Bovary » mais en beaucoup moins bien. *Les* Flaubert sont rares... Encore que même Flaubert est inégal. J'aime mieux *le* Flaubert de « Madame Bovary » que *le* Flaubert de « Salammbô ».

2 Complétez avec : un– une– le– la.

Il était une heure du matin. J'arrivai dans ..... quartier où je n'étais jamais allé. Je trouvai enfin ..... adresse que l'on m'avait indiquée. C'était ..... petite maison entourée d'un jardin. À mon approche ..... chien aboya. Le portillon du jardin n'était pas fermé à clé mais j'hésitai à entrer à cause du chien ..... chien peut attaquer quand il sent que ..... homme a peur. Puis je me décidai ..... chien, après tout, est le meilleur ami de ..... homme.

3 Complétez en remplaçant les chiffres par un nom ou un pronom indéfini (voir tableau).
Les émissions de télévision où les gens viennent parler de leurs problèmes personnels et en particulier de leur vie sexuelle ne font pas l'unanimité chez les téléspectateurs. Certes, *100 %* des gens sont d'accord pour dire que ces émissions ne doivent pas être interdites mais *25 %* les trouvent choquantes. *70 %* trouvent normal que l'on puisse raconter sa vie intime en public mais *3 %* seulement affirment qu'ils le feraient sans complexes, *11 %* qu'ils le feraient peut-être. *84 %* disent qu'ils n'oseraient jamais.

4 Complétez avec un verbe ayant un sens de généralisation.
- Votre devoir est trop long et trop touffu. Vous devez apprendre à ..... votre pensée.
- On ..... trop souvent la pensée de Jean-Jacques Rousseau à l'idée que la nature est bonne et que c'est la société qui rend les hommes mauvais. C'est trop ..... une philosophie qui est en fait beaucoup plus complexe.
- Le problème de l'honnêteté des hommes politiques ..... le cas de l'utilisation des fausses factures pour équilibrer le budget de certaines municipalités. Le maire de Broussac, par exemple, en a fait un usage abondant. Mais il ne faut pas ..... son cas à celui de tous les maires de France qui, pour la plupart, sont honnêtes.

5 Complétez avec un verbe ayant un sens de particularisation.
- Dans cette réunion, on parle de tout et de n'importe quoi. Il faut ..... les problèmes et ..... avec précision un ordre du jour.
- Le parti socialiste et le parti communiste ne sont pas d'accord sur de nombreux points. Ils ..... notamment sur la politique extérieure.
- Ce metteur en scène a monté *Le Cid* dans un décor et avec des costumes contemporains. Cela ..... avec ce qu'on a l'habitude de voir. Son personnage de Rodrigue ..... aussi des conceptions traditionnelles. Il paraît moins orgueilleux, moins sûr de lui et par là, plus sympathique.
- Au début du XXe siècle, les peintres abstraits ..... radicalement de leurs prédécesseurs. Leur peinture ..... résolument de la représentation des choses.

■ DÉFINIR

☐ **En établissant une équivalence :**
■ c'est… – ça équivaut à… – ça signifie… – ça veut dire… – c'est le contraire de… – ça peut être assimilé à… – ça se définit comme…

☐ **En établissant une relation avec une catégorie :**
■ c'est une sorte de, une espèce de… – ça fait partie de…

☐ **En caractérisant :**
■ ça se caractérise par… – la caractéristique, la marque, la spécificité de… est… – on peut le définir par…

☐ **En reformulant :**
■ c'est-à-dire… – autrement dit… – si vous préférez…

☐ **En comparant :** (voir p. 40) **ou en donnant un exemple.**

6 Définissez et expliquez
en établissant une équivalence :
- le mot « bravache »,
- l'expression « peut-être »,
- un comportement égocentriste ;

en établissant une relation avec une catégorie :
- une impasse,
- un zèbre,
- un plumier ;

en caractérisant :
- le romantisme,
- la mode punk,
- ce qu'est pour vous le bonheur ;

en reformulant :
- la phrase de Calderón : « La vie est un songe. »,
- le proverbe : « Partir, c'est mourir un peu. »,
- l'expression : « Avoir les pieds sur terre. »

12 Citoyens du monde

Je ne suis ni Athénien, ni Grec mais citoyen du monde.

Socrate.

Bande dessinée
Bouc émissaire
Europe
Francophonie
Humour
Immigration
Influences culturelles
Inventions
Parodie
Paysages littéraires
Rejet des cultures étrangères

Si toutes les filles du monde voulaient s'donner la main,
tout autour de la mer elles pourraient faire une ronde.
Si tous les gars du monde voulaient bien êtr'marins,
ils f'raient avec leurs barques un joli pont sur l'onde.
Alors on pourrait faire une ronde autour du monde,
si tous les gens du monde voulaient s'donner la main.

Paul Fort, *Ballades françaises,* 1897-1949.

L'OUVERTURE AUX CULTURES ÉTRANGÈRES

CULTURE : FAUT-IL AVOIR PEUR DE L'AMÉRIQUE ?

Sur ses cimes comme dans ses plaines, toute histoire culturelle est circulation et compénétration afin que reparte l'invention. Il n'y aurait pas eu de comédie latine sans modèles grecs ni d'école de la Pléiade* sans poésie italienne. Edgar Poe a été reconnu comme grand écrivain par Baudelaire et Mallarmé alors qu'il ne l'était pas encore aux États-Unis. Aurions-nous dû avoir un ministre de la Culture sous Henri II pour prescrire à Ronsard des « quotas », en ne l'autorisant à imiter Pétrarque qu'une fois par semaine, et jamais le samedi soir ? Qu'eût été le cinéma des États-Unis sans les Européens, sans Chaplin, sans Stroheim, sans Lubitsch, sans Capra ? Leur musique sans le génie africain ? Les voies paradoxales de l'interaction des civilisations mènent parfois du Mal au Beau, de l'esclavage au jazz.

Certes, le miracle n'est pas toujours sûr. Ce n'est pas de gaieté de cœur que je tombe parfois sur les abjects dessins animés japonais que notre télévision inflige à nos enfants. L'art japonais nous a jadis donné mieux. Mais je ne vois pas que le tri puisse être fait de façon autoritaire. Le mauvais goût du client est ici coupable, autant et plus que la cupidité du fournisseur. Le seul remède est, en l'espèce, l'éducation du public par les œuvres et les progrès de son discernement. Après tout, c'est l'insignifiant Paul de Kock* qui, au XIXe siècle, a ouvert au roman français dans toute l'Europe, en Russie notamment, l'accès au grand public international où sont passés à sa suite Balzac, Stendhal, Flaubert et Zola. Prétendre détourner le cours des fleuves culturels, ou au contraire le grossir à volonté, ou en filtrer l'eau, c'est une risible fanfaronnade. Le roman américain a exercé une profonde influence sur les littératures et les lecteurs européens durant l'entre-deux-guerres, période d'isolationnisme des États-Unis. Au contraire, les romanciers de l'après-guerre, période réputée « impérialiste » ont été et sont fort peu lus, et encore moins imités de ce côté-ci de l'Atlantique. [...]

Nous rageons surtout en ce moment de voir les producteurs américains réussir à transposer mieux que nous dans le langage des médias de masse les recettes millénaires du grand spectacle populaire, le mélodrame, le féerique, l'épouvante, le mystère, la farce, la violence, les vices et les vertus élémentaires. Le Rocambole* moderne, c'est Rambo. Le Sherlock Holmes actuel, c'est Columbo. Bien sûr, nous avons Cyrano, Maigret et Manon des Sources : mais ce sont là des adaptations, non des créations. Pour nous consoler de notre infériorité dans l'invention de nouveaux mythes, nous décrétons que les feuilletons américains sont le fruit de basses opérations commerciales. Et Fantômas*, qu'est-ce que c'était ? [...]

Les films et les feuilletons télévisés américains ne se limitent pas aux mélos et aux polars. Ils traitent aussi, avec plus de courage que les nôtres, des vices et des scandales de la politique, de la société, de la presse, de la justice. Et pas dans l'abstrait, mais en mettant en scène des épisodes réels et récents. Pourquoi exploitons-nous beaucoup moins qu'eux ce filon ? Pourquoi n'avons-nous pas déjà un téléfilm sur l'affaire Pechiney* ? Parce que la vie culturelle française, depuis le début de la Ve République, a une tendance croissante à s'officialiser. Entre la subvention et la liberté, il faut choisir. Et une proportion élevée de nos producteurs ont choisi la subvention.

Jean-François Revel, *Le Point*, n° 1018, 21.3.1992.

La Pléiade : groupe de poètes (Ronsard, Du Bellay, etc.) du XVIe siècle (sous le règne d'Henri II). Ronsard s'est souvent inspiré de la poésie de Pétrarque (poète italien).

Paul de Kock (1793-1871) : auteur de drames, d'opéras comiques, de chansons et de romans-feuilletons. Il connut un succès prodigieux de son vivant. Il est totalement tombé dans l'oubli aujourd'hui.

Rocambole, Fantômas : héros de romans populaires puis de séries télévisées.

L'affaire Péchiney : scandale politico-financier en 1991.

RÉSUMÉ DU TEXTE

- À travers les nombreux exemples donnés par l'auteur, retrouvez les principales idées de son argumentation. Présentez ces idées dans un texte court sans donner d'exemples.

RECHERCHE ET COMMENTAIRE

- Utilisez un dictionnaire des noms propres (par exemple le *Petit Robert*) pour rechercher quelques informations sur les personnages cités que vous ne connaissez pas.
- Discutez la thèse de Jean-François Revel. Controntez-la à la situation de votre pays.

IDÉES

LE REJET DES AUTRES CULTURES

ATTITUDES XÉNOPHOBES

Dans ses deux ouvrages les plus accessibles, Tristes Tropiques *et* La Pensée sauvage, *l'anthropologue Claude Lévi-Strauss s'est attaché à montrer que les rites des sociétés primitives possèdent une parfaite cohérence et sont le reflet d'une vision de l'univers qui n'est pas moins complexe ni raffinée que celle des sociétés dites développées. Voici l'introduction d'un petit ouvrage qu'il a publié en 1951.*

L'attitude la plus ancienne, et qui repose sans doute sur des fondements psychologiques solides puisqu'elle tend à réapparaître chez chacun de nous quand nous sommes placés dans une situation inattendue, consiste à répudier purement et simplement les formes culturelles : morales, religieuses, sociales, esthétiques, qui sont les plus éloignées de celles auxquelles nous nous identifions. « Habitudes de sauvages », « cela n'est pas de chez nous », « on ne devrait pas permettre cela », etc., autant de réactions grossières qui traduisent ce même frisson, cette même répulsion, en présence de manières de vivre, de croire ou de penser qui nous sont étrangères. Ainsi l'Antiquité confondait-elle tout ce qui ne participait pas de la culture grecque (puis gréco-romaine) sous le même nom de barbare ; la civilisation occidentale a ensuite utilisé le terme de sauvage dans le même sens. Or derrière ces épithètes se dissimule un même jugement : il est probable que le mot barbare se réfère étymologiquement à la confusion et à l'inarticulation du chant des oiseaux, opposées à la valeur signifiante du langage humain ; et sauvage, qui veut dire « de la forêt », évoque aussi un genre de vie animale, par opposition à la culture humaine. Dans les deux cas, on refuse d'admettre le fait même de la diversité culturelle ; on préfère rejeter hors de la culture, dans la nature, tout ce qui ne se conforme pas à la norme sous laquelle on vit.

Ce point de vue naïf, mais profondément ancré chez la plupart des hommes, n'a pas besoin d'être discuté puisque cette brochure en constitue précisément la réfutation. Il suffira de remarquer ici qu'il recèle un paradoxe assez significatif. Cette attitude de pensée, au nom de laquelle on rejette les « sauvages » (ou tous ceux qu'on choisit de considérer comme tels) hors de l'humanité, est justement l'attitude la plus marquante et la plus distinctive de ces sauvages mêmes.

Claude Lévi-Strauss, *Race et Histoire,* Gonthier, 1961.
(Première édition, UNESCO, 1951.)

RHÉTORIQUE DE L'INTRODUCTION

- Analysez le déroulement de cette page d'introduction et retrouvez les éléments suivants :
  - idée générale,
  - exemples populaires,
  - exemples historiques,
  - analyse étymologique,
  - reformulation du problème,
  - annonce du développement,
  - généralisation du problème.
- Résumez en une phrase la thèse de Lévi-Strauss.

RECHERCHE D'EXEMPLES ET D'IDÉES

- Recherchez des exemples qui illustrent le problème posé par Lévi-Strauss dans les domaines moral, religieux, social, esthétique.
- Claude Lévi-Strauss annonce une réfutation de l'idée selon laquelle «tout ce qui ne se conforme pas à la norme sous laquelle on vit ne serait pas du domaine de la culture ». Recherchez des arguments et des exemples permettant cette réfutation.
- Quelle résonance particulière avait ce texte en 1951 ? Vous paraît-il toujours actuel ?

VOCABULAIRE

- Voici des catégories qui servent à différencier les hommes. Chacun de ces mots permet d'exclure « Nous ne sommes pas de la même famille » ou d'inclure « Nous appartenons au même milieu ».

Retrouvez les critères de sélection de chaque catégorie :
Exemple : la race (critères anatomiques et biologiques).
Quels sont les mots qui sont devenus suspects, péjoratifs, désuets ?
une race – une culture – une ethnie – une classe – un clan – une famille – un peuple – une peuplade – une tribu – un club – une communauté – une nation – une société – un pays – un monde – une catégorie socioprofessionnelle – un milieu – une maison – une lignée – le sang – un cercle – une association.

LE SACRIFICE DU BOUC ÉMISSAIRE FONDE L'ORDRE SOCIAL

René Girard analyse les structures des comportements sociaux dans les œuvres littéraires et dans l'histoire. Le journaliste Guy Sorman présente ici l'un des thèmes fondamentaux de la pensée de ce philosophe.

À peu près toutes les tragédies grecques, rappelle Girard, s'achèvent par le sacrifice d'une victime ; l'ordre de la Cité, qui avait été troublé par la crise mimétique*, est rétabli par le sacrifice. C'est par la désignation de cette victime, le bouc émissaire, que se refait l'unité du groupe et que la crise est évacuée. Mais, insiste Girard, le plus important est le mode de désignation de la victime. Le groupe qui se livre au « lynchage originel » doit ignorer que la victime est innocente ; il faut que le groupe la croie coupable, et désignée de manière divine.

Dans de nombreuses sociétés primitives, raconte Girard, la victime est choisie au terme d'un jeu de hasard. Dans les textes de l'Antiquité grecque, elle porte des signes : elle est boiteuse ou borgne, ou rousse ou trop blonde, ou trop intelligente. Bref, le bouc émissaire s'autodésigne par le fait qu'il est différent.

Une fois le bouc émissaire exécuté, l'unité du groupe se ressoude, la crise a été évacuée, canalisée vers un tiers. Ce lynchage originel est, selon Girard, le fondement de toute société. L'acte fondateur de la société humaine ne serait donc pas, comme le supposait Jean-Jacques Rousseau, le « contrat social* », ni, comme le proposait Freud, le meurtre du père par le fils.

Mais le sacrifice initial ne relève pas seulement de la littérature ; il a vraiment eu lieu. « Si l'archéologie le permettait, précise Girard, on retrouverait, au cœur de toute ville, le lieu de ce premier sacrifice et le nom de la victime. » Dans la suite des temps, ce premier sacrifice va être ritualisé, et son origine sera dissimulée : c'est le secret des prêtres. Et le but des religions est de répéter à l'infini l'acte fondateur, de manière à préserver l'unité sociale. Nos mythes ne sont donc pas, comme le prétendent beaucoup d'ethnologues, la transcription de besoins naturels, mais la trace d'événements qui se sont véritablement produits. Dans le cas où la société serait perturbée par une crise nouvelle, il ne sera pas inutile, ajoute Girard, de rééditer le lynchage, de revivifier le sacrifice. Un auteur du XIVe siècle, Guillaume de Machaut, raconte comment, la Grande Peste noire ayant profondément troublé l'ordre du temps, de nombreux Juifs furent alors brûlés ; la peste cessa et la société reprit son cours. Dans cet épisode, explique Girard, un peuple entier – les Juifs – a joué le rôle de bouc émissaire.

Toute civilisation, me dit Girard, est au départ une religion. Toutes les institutions sont d'origine religieuse et conservent des traces de ces origines sacrificielles. Prenez l'enseignement : son objet est-il de transmettre les connaissances ? ou n'est-il pas plutôt de pratiquer des rites initiatiques, d'exclure, de fabriquer des victimes ? Prenez le pouvoir politique. On croit généralement – c'est la thèse de Voltaire – que les monarques, profitant de leur autorité, se sont, au fil de l'Histoire, arrogé des pouvoirs religieux. C'est le contraire ! Le monarque n'est pas celui qui officie ; il est la victime en sursis que le peuple se réserve de sacrifier. Exemple : Louis XVI, Marie-Antoinette. [...]

Guy Sorman, *Les Vrais Penseurs de notre temps,* Fayard, 1989.

la crise mimétique : Pour Girard, au départ de toute société, il y a le mimétisme (le désir de ressembler à l'autre, d'avoir ce qu'il a). La motivation première des hommes serait l'imitation et cette imitation est source de conflits.
Exemple : la guerre de Troie. Elle a eu lieu parce que Pâris désirait Hélène qui avait été promise à Ménélas.

le contrat social : Pour Jean-Jacques Rousseau, à l'origine de la société, il y a un « contrat » que les « forts » passent avec les « faibles » sous prétexte de les protéger. Mais ce contrat primitif ne fait « que donner de nouvelles entraves au faible et de nouvelles forces au riche ».

COMMENTAIRE

- Présentez schématiquement l'enchaînement de cause à effet qui fonde la société selon Girard (crise mimétique et bouc émissaire).
- Recherchez des mythes, des fictions littéraires, des événements historiques qui illustrent la thèse de Girard.
- Même en dehors des périodes troubles (guerres, épidémies, etc.) la société et les groupes qui la constituent ont besoin de boucs émissaires. Montrez que la thèse de Girard s'applique aussi à la vie quotidienne.

LITTÉRATURE

DÉCORS ÉTRANGERS

CARNAVAL DE NAPLES

La scène suivante se passe à Naples, à la fin du XVIIIe siècle, quand cette ville, alors sous domination espagnole, était au faîte de sa splendeur. Le roi d'Espagne, quelques années auparavant, avait fait supprimer le carnaval mais les temps changent et dans les salons d'un palais napolitain trois personnages supputent sur son rétablissement : l'abbé Galiani qui a passé dix ans en France et ne jure que par ce pays et ses philosophes, Don Raimondo prince napolitain et le lieutenant de police espagnol.

– Je crois décidément qu'il y a bon espoir que le carnaval soit rétabli, monsieur le lieutenant de police, dit l'abbé Galiani en se frottant les mains.

– Mais vous vous trompez fort, monsieur l'abbé, rétorque don Raimondo, si vous estimez que le carnaval servira d'abord aux plaisirs amoureux des Napolitains. La morale castillane de l'honneur monogamique s'oppose aux mascarades et aux déguisements, mais pour d'autres raisons que celles que vous pensez. Opposer la raideur espagnole au libertinage napolitain, c'est donner crédit à une fausse alternative. Nous sommes plus fins que cela, monsieur l'abbé, ou plutôt nous sommes plus ambitieux. Évidemment, vos philosophes de Paris ne vous ont pas préparé à entendre ce mystère-là.

– Nous sommes tout oreilles, monseigneur.

– Ne vous êtes-vous jamais demandé ce qui pousse nos *lazzaroni* et nos bourgeois et la noblesse tout entière à se cacher le visage et à perdre pour une nuit leur identité ?

– Je vous l'ai dit : l'envie de s'amuser incognito.

– Ah ! vraiment ? Observez ce qui se passe cette nuit-là. L'homme prend le masque de la femme, la femme prend le masque de l'homme. L'enfant se déguise en vieillard, le vieillard en enfant. Les sexes, les âges et les situations sociales se trouvent comme par miracle intervertis. Chacun échange son rôle avec celui de son voisin. De quoi des cerveaux espagnols pourraient-ils avoir plus horreur ? L'échange des rôles, voilà l'essence du carnaval. Regardez ces hommes et ces femmes courir à droite et à gauche dans la rue et et se céder les uns aux autres les signes de reconnaissance par lesquels ils se distinguent habituellement. Ne dirait-on pas qu'ils arrivent à oublier qui ils sont ? Oh ! cette merveilleuse licence, de se rêver librement tels qu'ils pourraient être ! Croyez-vous, monsieur l'abbé, que votre insipide galanterie ne tient pas le dernier rang dans leurs préoccupations ?

Dominique Fernandez, *Porporino ou les Mystères de Naples*, Grasset, 1974.

lazzaroni : vauriens fainéants.

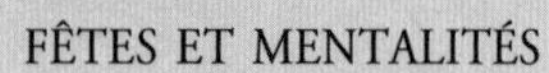

FÊTES ET MENTALITÉS

• Montrez que trois mentalités du XVIIIe siècle se devinent dans ce texte : l'italienne, l'espagnole et la française. Ces mentalités ont-elles évolué avec le temps ?

• Quelle est la signification profonde que Don Raimondo donne au carnaval ?

• Recherchez des types de spectacles ou de divertissements propres à certains pays (qu'ils soient encore pratiqués ou qu'ils appartiennent à l'histoire) : le flamenco andalou, les combats de gladiateurs de la Rome antique, le théâtre Nô japonais, etc.
Recherchez dans quelle mesure ils sont le reflet d'une mentalité, d'un mode de pensée et d'être spécifiques.

DÉSERT

Voici la première page d'un roman de J. M.G. Le Clézio

Ils sont apparus, comme dans un rêve, au sommet de la dune, à demi cachés par la brume de sable que leurs pieds soulevaient. Lentement ils sont descendus dans la vallée, en suivant la piste presque invisible. En tête de la caravane, il y avait les hommes, enveloppés dans leurs manteaux de laine, leurs visages masqués par le voile bleu. Avec eux marchaient deux ou trois dromadaires, puis les chèvres et les moutons harcelés par les jeunes garçons. Les femmes fermaient la marche. C'étaient des silhouettes alourdies, encombrées par les lourds manteaux, et la peau de leurs bras et de leurs fronts semblait encore plus sombre dans les voiles d'indigo.

Ils marchaient sans bruit dans le sable, lentement, sans regarder où ils allaient. Le vent soufflait continûment, le vent du désert, chaud le jour, froid la nuit. Le sable fuyait autour d'eux, entre les pattes des chameaux, fouettait le visage des femmes qui rabattaient la toile bleue sur leurs yeux. Les jeunes enfants couraient, les bébés pleuraient, enroulés dans la toile bleue sur le dos de leur mère. Les chameaux grommelaient, éternuaient. Personne ne savait où on allait.

Le soleil était encore haut dans le ciel nu, le vent emportait les bruits et les odeurs. La sueur coulait lentement sur le visage des voyageurs, et leur peau sombre avait pris le reflet de l'indigo, sur leurs joues, sur leurs bras, le long de leurs jambes. Les tatouages bleus sur le front des femmes brillaient comme des scarabées. Les yeux noirs, pareils à des gouttes de métal, regardaient à peine l'étendue de sable, cherchaient la trace de la piste entre les vagues des dunes.

Il n'y avait rien d'autre sur la terre, rien, ni personne. Ils étaient nés du désert, aucun autre chemin ne pouvait les conduire. Ils ne disaient rien. Ils ne voulaient rien. Le vent passait sur eux, à travers eux, comme s'il n'y avait personne sur les dunes. Ils marchaient depuis la première aube, sans s'arrêter, la fatigue et la soif les enveloppaient comme une gangue. La sécheresse avait durci leurs lèvres et leur langue. La faim les rongeait. Ils n'auraient pas pu parler. Ils étaient devenus, depuis si longtemps, muets comme le désert, pleins de lumière quand le soleil brûle au centre du ciel vide, et glacés de la nuit aux étoiles figées.

Ils continuaient à descendre lentement la pente vers le fond de la vallée, en zigzaguant quand le sable s'éboulait sous leurs pieds. Les hommes choisissaient sans regarder l'endroit où leurs pieds allaient se poser. C'était comme s'ils cheminaient sur des traces invisibles qui les conduisaient vers l'autre bout de la solitude, vers la nuit. Un seul d'entre eux portait un fusil, une carabine à pierre au long canon de bronze noirci. Il la portait sur sa poitrine, serrée entre ses deux bras, le canon dirigé vers le haut comme la hampe d'un drapeau. Ses frères marchaient à côté de lui, enveloppés dans leurs manteaux, un peu courbés en avant sous le poids de leurs fardeaux. Sous leurs manteaux, leurs habits bleus étaient en lambeaux, déchirés par les épines, usés par le sable. Derrière le troupeau exténué, Nour, le fils de l'homme au fusil, marchait devant sa mère et ses sœurs. Son visage était sombre, noirci par le soleil, mais ses yeux brillaient, et la lumière de son regard était presque surnaturelle.

J. M.G. Le Clézio, *Désert*, Gallimard, 1980.

DESCRIPTION ET EFFETS VISUELS

Une description littéraire est rarement un simple compte rendu de la réalité. Elle a pour but de produire des effets, de transmettre des impressions et une vision particulière du monde.

- Analysez cette description comme s'il s'agissait d'un film. Étudiez en particulier :
  - la position du narrateur-caméra et le mouvement du groupe qui est filmé,
  - la succession des cadrages (plans d'ensemble – plans moyens – gros plans, etc.).

  Quel est l'effet produit ?

LES SENSATIONS

- Faites la liste de toutes les sensations que cette description nous fait partager : sensations visuelles (formes – couleurs), bruits, température, etc. Procédez paragraphe par paragraphe.
- Relevez les comparaisons. Quelles impressions apportent-elles ? *Exemple : « Ils sont apparus comme dans un rêve » → impression de flou, d'irréel, comme s'il s'agissait d'un mirage.*
- Relevez tous les éléments qui n'appartiennent pas à la description objective proprement dite *(par exemple, des commentaires comme « Personne ne savait où on allait »).*

  Qu'apportent ces commentaires ?
- Caractérisez la vision que Le Clézio a voulu donner de cette caravane de Touaregs (nomades du désert du Sahara).

DÉROULEMENTS DESCRIPTIFS

- Imaginez plusieurs déroulements descriptifs possibles pour décrire :
  - un appartement (Balzac, par exemple sélectionne une série d'objets qui nous donnent des informations sur les occupants de l'appartement, cf. p. 15),
  - un paysage.

PARODIES

LE GRAND VIZIR – *SCÈNE I*

LE ROI, HORMONE

Une estrade improvisée, sur laquelle un fauteuil, où siège le Roi. Celui-ci est drapé dans un rideau rouge. Sur sa tête, une couronne de pacotille. Son conseiller, Hormone, accoutré ridiculement, entre. Il porte visiblement une fausse barbe, fixée au moyen d'un élastique, et ne manquera pas de la tirer à tout moment.*

LE ROI

J'ai couché avec ma mère, avec mes sœurs, avec ma fille, avec ma tante et le gardien du Trésor. Je suis las.

HORMONE

Sire, le peuple gronde.

LE ROI

J'ai tué mon bouffon et mon épagneul*. Un petit poignard a eu raison du Grand Chambellan ! J'ai occis* de ma main quelques prisonniers pour les délivrer d'eux-mêmes. Je suis las.

HORMONE

Sire, le peuple s'enfle.

LE ROI

Près de mille jeunes gens, nés sous le signe de la Vierge, ont perdu subitement la vie en entrant dans le signe du Bélier. Près de mille jeunes vierges, nées sous le signe du Bélier, ont perdu subitement l'honneur en entrant dans le signe du Taureau. Je suis las ! las !

HORMONE

Sire, le peuple se repeuple !

LE ROI

Une puce a partagé ma couche – et je n'en ai rien su !

HORMONE

Sire, le peuple...

LE ROI

... Hier soir, alors que je me trouvais seul dans les jardins suspendus, j'ai saisi le soleil à la gorge et j'ai serré de toutes mes forces. As-tu remarqué, Hormone, comme les ténèbres rougeoyaient ?

HORMONE

Sire, le peuple aspire à se tremper dans votre sang.

LE ROI

Quoi de plus naturel, Hormone ?

HORMONE

Oui, au fait, quoi de plus naturel !

LE ROI, *descendant de son trône et lui donnant une rude bourrade dans les côtes*

Parfait, vieux chenapan* ! Ta réplique sonne...

HORMONE, *lui renvoyant sa bourrade*

Toi aussi, belle canaille. Tu es doué. Très doué, même.

LE ROI

Je sais. Aux fêtes de patronages*, c'est toujours moi qui faisais Ponce Pilate*. Mon lavement de mains, à lui seul, durait les trois quarts de la représentation. *(Sifflement admiratif d'Hormone.)* Je rinçais soigneusement la cuvette. J'exigeais de l'eau romaine, une serviette romaine, un savon romain, et fixant dans les yeux Jésus-Christ qui ne disait rien, mais n'en pensait pas moins, je m'adressais à lui une nouvelle fois : « Vois, je vais tremper dans l'eau mes lignes de la main. Si tu es tout-puissant, fais qu'elles tombent et restent au fond de la cuvette... Alors je ressortirai des mains vierges, sans lignes ni raison, des mains lisses comme un œuf, où notre rencontre ne sera pas inscrite, pour ton bonheur et pour le mien. Des mains qui n'auront pas besoin de se laver les mains... » Je les plongeais dans la cuvette... Un immense frisson saisissait le public. Il y avait toujours deux à trois évanouissements.

René de Obaldia, *Sept impromptus à loisirs,* Grasset, 1967.

la pacotille : marchandise sans valeur.

un épagneul : race de chien.

occire : (archaïque) tuer.

un chenapan, une canaille : (désuet) voyou. Ici, terme affectif.

le patronage : activités périscolaires récréatives et culturelles.

Ponce Pilate : gouverneur de Judée à l'époque où le Christ fut crucifié par ses adversaires. Il refusa de prendre parti dans la querelle en se lavant symboliquement les mains.

LE COMIQUE DE LA PARODIE

La parodie consiste à tourner en dérision un genre littéraire en mélangeant les styles d'écriture. On raconte par exemple une histoire comique en utilisant tantôt un style propre au comique, tantôt des mots, des formules, des formes spécifiques à la tragédie. Le burlesque est une forme de parodie qui consiste à traiter un sujet noble dans une langue populaire.

- De quel type de littérature fait-on la parodie dans « Le Grand Vizir » ?
- Étudiez tous les effets parodiques (décalage entre le sujet et le style) :
  – dans les indications scéniques,
  – dans le dialogue ; repérez les thèmes et les formules qui appartiennent à la tragédie et les procédés de rupture.
- Retrouvez des effets de répétitions et de parallélismes, des effets de surprise, des incongruités, des exagérations, etc.

CRÉATIVITÉ

Imaginez une parodie de la scène du *Cid* (p. 203). Voici quelques suggestions :

– Rodrigue (un jeune voyou), le Comte (un chef de bande). la scène se passe dans un terrain vague et débouche sur un duel au pistolet ;

– Rodrigue (un apprenti cuisinier), le Comte (un grand chef). La scène se passe dans les cuisines d'un grand restaurant et débouche sur un défi : celui qui fera le meilleur gâteau...

Le Grand Vizir, « La Communauté théâtrale », théâtre Montparnasse, 1964.

INFLUENCES ET PLAGIATS

« LE CID », VU PAR CORNEILLE ET PAR GUILLÉN DE CASTRO

Pour composer *Le Cid,* une des pièces les plus populaires du théâtre classique français, Pierre Corneille s'est largement inspiré des *Enfances du Cid* écrit vingt ans plus tôt par l'Espagnol Guillén de Castro. En étudiant le même épisode vu par les deux auteurs nous essaierons de saisir la spécificité du théâtre classique français par rapport au théâtre baroque espagnol.

LES PERSONNAGES

• Comparez le nombre de personnages dans les deux scènes. Quelle est la fonction des personnages autres que Rodrigue et le Comte dans la pièce de Guillén de Castro ?
Pourquoi Corneille a-t-il isolé les deux héros ?
• Répartissez les qualificatifs suivants selon qu'ils conviennent plutôt aux héros de Corneille, plutôt aux héros de Castro ou peuvent s'appliquer aux deux pièces.

RODRIGUE
provocateur – fougueux – fier – téméraire – préoccupé par son honneur – conscient de la grandeur de sa famille – sentencieux

LE COMTE
orgueilleux – méprisant – ironique – dominateur – insultant – admiratif – considère Rodrigue comme un enfant – cherche un compromis – compréhensif

• Quelle est la version qui vous paraît :
– la plus spectaculaire (ou théâtrale) ?
– la plus pathétique ?
– la plus concentrée sur l'affrontement ?
– la plus imagée et la plus vivante ?
• Appliquez aux deux scènes les critères de l'art baroque.

LE DÉBAT CORNÉLIEN

Les héros cornéliens ont en commun les mêmes valeurs morales. Les mots suivants reviennent souvent dans leur bouche : vertu (force morale), **courage, vaillance** et **valeur** (courage dans les actions militaires), **honneur** (haute considération de soi-même et des autres), **devoir** (obligation que l'on a d'assumer toutes ces valeurs).

• Après que le Comte a giflé Don Diègue, imaginez le débat intérieur qui agite Rodrigue ? Chimène ? Le Comte ?

• Compte tenu des valeurs morales communes aux personnages, y a-t-il plusieurs issues possibles au conflit ?

Jean Vilar (le comte) et Gérard Philipe (Don Rodrigue), dans *Le Cid,* TNP, novembre 1951.

L'action se déroule au XIe siècle à l'époque où l'Espagne tente de repousser l'invasion arabe. Chimène et Rodrigue s'aiment. Ils appartiennent tous deux à des grandes familles d'Espagne proches du roi de Castille et leurs parents ne s'opposent pas à leur mariage. Mais le roi confie à Don Diègue, père de Rodrigue, l'éducation du prince héritier de la Couronne. Jaloux de ce choix, le comte de Gormas, père de Chimène, insulte Don Diègue, et le gifle. C'est un affront qui doit être vengé et Don Diègue, trop âgé pour s'attaquer au comte, charge Rodrigue de laver son honneur. Rodrigue s'apprête donc à provoquer le Comte en duel.

LA VERSION DE CORNEILLE (1637)

DON RODRIGUE
À moi, Comte, deux mots.
LE COMTE
Parle.
DON RODRIGUE
Ôte-moi d'un doute.
Connais-tu bien don Diègue ?
LE COMTE
Oui.
DON RODRIGUE
Parlons bas ; écoute.
Sais-tu que ce vieillard fut la même vertu,
La vaillance et l'honneur de son temps ? le sais-tu ?
LE COMTE
Peut-être.
DON RODRIGUE
Cette ardeur que dans les yeux je porte,
Sais-tu que c'est son sang ? le sais-tu ?
LE COMTE
Que m'importe ?
DON RODRIGUE
À quatre pas d'ici je te le fais savoir.
LE COMTE
Jeune présomptueux !
DON RODRIGUE
Parle sans t'émouvoir.
Je suis jeune, il est vrai ; mais aux âmes bien nées
La valeur n'attend point le nombre des années.
LE COMTE
Te mesurer à moi ! qui t'a rendu si vain,
Toi qu'on n'a jamais vu les armes à la main ?
DON RODRIGUE
Mes pareils à deux fois ne se font point connaître,
Et pour leurs coups d'essai veulent des coups de maître. [...]
LE COMTE
Je sais ta passion, et suis ravi de voir
Que tous ses mouvements cèdent à ton devoir ;
Qu'ils n'ont point affaibli cette ardeur magnanime ;
Que ta haute vertu répond à mon estime ;
Et que, voulant pour gendre un cavalier parfait,
Je ne me trompais point au choix que j'avais fait ;
Mais je sens que pour toi ma pitié s'intéresse ;
J'admire ton courage, et je plains ta jeunesse.
DON RODRIGUE
D'une indigne pitié ton audace est suivie :
Qui m'ose ôter l'honneur craint de m'ôter la vie ? [...]
LE COMTE
Es-tu si las de vivre ?
DON RODRIGUE
As-tu peur de mourir ?
LE COMTE
Viens, tu fais ton devoir, et le fils dégénère
Qui survit un moment à l'honneur de son père. [...]

Pierre Corneille, *Le Cid,* Acte II, scène 2, 1637.

LA VERSION DE G. DE CASTRO (1618)

Rodrigue. – Comte ?

Le Comte. – Qui es-tu ?

Rodrigue. – Je voulais justement te le faire savoir.

Chimène. – Qu'y a-t-il ? Je me meurs !

Le Comte. – Que me veux-tu ?

Rodrigue. – Je veux te parler. Ce vieillard, là-bas, sais-tu qui il est ?

Le Comte. – Je le sais. Pourquoi ?

Rodrigue. – Pourquoi ? Parle bas, écoute.

Le Comte. – Parle.

Rodrigue. – Ne sais-tu pas qu'il a été dépouillé de son honneur et de sa vaillance ?

Le Comte. – Oui, peut-être.

Rodrigue. – Et que c'est son sang et le mien que j'ai dans les yeux, le sais-tu ?

Le Comte. – Et quand cela serait (abrège tes discours), qu'importe ?

Rodrigue. – Si tu viens avec moi, tu le sauras.

Le Comte. – Laisse-moi, blanc-bec ; est-il possible ? Va, chevalier novice, va, et apprends d'abord à combattre et à vaincre. Et tu pourras ensuite prétendre à l'honneur d'être vaincu par moi sans que j'éprouve de honte à te vaincre et à te tuer. Oublie à présent tes offenses car nul n'a jamais mené à bien une vengeance mortelle avec des lèvres encore mouillées de lait.

Rodrigue. – C'est avec toi que je veux débuter dans le métier des armes, et l'apprendre ; et tu verras si je sais vaincre, je verrai si tu sais tuer. Et mon épée mal dirigée te dira, au bout de mon bras droit, que le cœur est le maître de cette science que je n'ai pas apprise. Et je serai satisfait quand j'aurai mêlé à l'offense faite le lait de mes lèvres avec le sang de ta poitrine.

Peranzules. – Comte !

Arias. – Rodrigue.

Chimène. – Pauvre de moi !

Don Diègue (à part). – Mon cœur s'enflamme.

Rodrigue. – Chaque ombre portée par cette maison est pour toi un asile sacré...

Chimène. – Contre mon père, Seigneur ?

Rodrigue. – Et c'est pourquoi je ne te tue pas maintenant.

Chimène. – Écoute !

Rodrigue. – Pardon, Madame, mais je suis fils de mon honneur ! – Suivez-moi, Comte !

Le Comte. – Blanc-bec à l'orgueil de géant, je te tuerai si je te trouve en ma présence. [...]

(Le Comte et Rodrigue sortent en ferraillant ; tous sortent après eux, et ils disent derrière la scène les répliques suivantes :)

Le Comte. – Je suis mort !

Chimène. – Sort inhumain ! Hélas, mon père !

Peranzules. – Tue-le ! Meurs ! *(en coulisse).*

(Trad. Claude Jacquet, Larousse, 1970.)

VOIX

INFO MÉMOIRE

LE SALON DES INVENTIONS DE GENÈVE

La journaliste de France Info, Yolaine de la Bigne, fait un compte rendu original du Salon des inventions de Genève.

• Rédigez une présentation originale des inventions authentiques ci-dessous :
• Faites la liste des différentes inventions présentées.
• Relevez les traits d'humour de Yolaine de la Bigne.

AIDE À L'ÉCOUTE

une lotion : liquide utilisé pour un traitement médical.

un conduit : un tuyau.

une gouttière : réceptacle pour l'eau de pluie fixé sur la partie inférieure du toit.

une sacoche : sac que l'on peut fixer à un vélo.

un flotteur : objet léger qui permet à un autre objet de flotter sur l'eau.

barres d'ancrage : ici, barres qui servent à fixer les flotteurs au vélo.

hulla-hop : cerceau, cercle léger que l'on fait tourner autour de la taille.

un préservatif : objet pour la contraception.

La lampe parapluie, inventée en 1987 par Lawrence A. Lansing. Parapluie éclairé par une lampe qui permet au piéton d'avoir une meilleure visibilité dans l'obscurité.

La bicyclette du futur (Alvaro Zucconi, 1988).
Le pédalage s'effectue à l'envers mais la bicyclette avance normalement.
Cela permet une économie d'effort de 50 %.

La voiture qui peut décoller (Paul Moller, 1988).
Engin révolutionnaire qui roule et qui vole.
Vitesse moyenne : 400 km/h.

Le marteau automatique (Roland Seigneur, 1988).
Il débite automatiquement les clous qu'il doit enfoncer. Le manche comporte un réservoir qui peut contenir 50 pointes.

Le chauffe-eau solaire de poche (Guy Bols, 1987).
Il est portatif et pliable. Une fois dépliés, les panneaux captent les rayons du soleil et chauffent le réservoir. L'eau est portée à 65° en 20 minutes.

D'après *Le Livre mondial des inventions,* Fixot, 1990.

OPINIONS

DÉBAT SUR L'UNION EUROPÉENNE

Des députés européens et des journalistes répondent aux inquiétudes d'un auditeur dans l'émission de radio « Le téléphone sonne ». L'émission a eu lieu en 1992, à l'époque des débats sur le traité de Maastrich (création d'une monnaie unique européenne, droit de vote pour les Européens aux élections locales des pays de la Communauté).

• Notez les principales remarques des participants de façon à faire un bref compte rendu du débat.
• Essayez de déterminer la nationalité des députés étrangers.

AIDE À L'ÉCOUTE

le blablabla : bavardage inutile destiné à endormir la méfiance.

cela lui passe au-dessus de la tête : c'est trop difficile pour qu'il comprenne.

un ressortissant : personne qui relève de l'autorité d'un pays, citoyen.

À TRAVERS LA FRANCE

FESTIVAL DE LA FRANCOPHONIE DE LIMOGES : L'OPINION DES FRANCOPHONES

Moussa Konaté (Africain francophone) et Jean-Marc Dalpé (Canadien québécois) donnent leur avis sur l'intérêt des manifestations francophones.

• Quelles sont les critiques émises par l'Africain francophone et par le Québécois ?
• Remarquez les caractéristiques de l'accent français québécois.
• Le français des pays francophones comporte certains particularismes. Recherchez dans la liste de droite le sens des mots en italiques.

J'ai acheté un tapis pour mon *vivoir.* (Québec)
Avant les élections il a *viré son pantalon.* (La Réunion)
J'ai une heure *de fourche* ce matin. (Belgique)
Elle est *fine* c'te fille-là. (Québec)
Je reviens dans une heure. Je vais *faire mes besoins.* (Sénégal)
Dans cette affaire, il *a fait patate.* (Québec)
C'est quelqu'un de *bien situé.* (Burkina Faso)
Il est avec son *deuxième bureau.* (Bénin)

bonne profession
chouette
faire des courses
libre
maîtresse
rater son coup
retourner sa veste
salle de séjour

D'après Loïc Depecker, *Les Mots de la francophonie,* Belin, 1988.

LASER

FAIZANT

• De quoi se moque l'humoriste Jacques Faizant dans ces dessins ? Réécrivez le contenu des bulles dans un français plus « classique ».
Faut-il lutter, peut-on lutter contre l'introduction de mots étrangers dans une langue ?

COMIQUE ET PARODIE DANS LA BD

Les deux Gaulois Astérix et Obélix ont quitté leur village de Bretagne pour se rendre en Angleterre. Ils ont pour mission d'apporter un tonneau de potion magique (celle qui rend invincible) au chef d'un village anglais qui résiste à l'occupant romain. Conduits par l'Anglais Jolitorax, ils approchent du village mais les armées romaines les ont repérés.

TECHNIQUES DE LA BANDE DESSINÉE

• Observez les éléments suivants et montrez comment ils permettront de raconter l'histoire d'une manière originale et de créer des effets comiques.

Les images :

– les changements de plan :
plan d'ensemble, plan moyen, plan rapproché, gros plan ;

– les angles de vue :
de face, latéral, en plongée, en contre-plongée ;

– le dessin :
réaliste ou caricatural (caricature des personnages ou des actions).

La succession des vignettes :
changement de point de vue du récit, élipses.

Les bulles

– les variations des caractères typographiques, les signes symboliques ;

– le texte : *la parodie de la langue anglaise, de la langue de l'Antiquité, les effets de répétition.*

ÉCRITURE

• Exprimez dans un récit tout ce qui est dit et raconté dans les vignettes 6 à 11.
« Un peu plus loin à travers champ un Anglais arrosait sa pelouse. Il la considérait avec fierté… »

CRÉATION D'UN SCRIPT DE BANDE DESSINÉE

• Imaginez le script d'une bande dessinée à partir du texte p. 207. Faites un découpage en vignettes. Indiquez brièvement le contenu de chaque vignette, le type de plan, l'angle de vue, etc. Rédigez le contenu des bulles. Vous pouvez adopter un style adapté aux enfants ou donner une vision parodique de l'histoire, la tourner en dérision, etc.

Astérix chez les Bretons, Uderzo et Goscinny, Éd. Dargaud, 1966.

LE PETIT CHAPERON ROUGE

Il était une fois une petite fille de Village, la plus jolie qu'on eût su voir ; sa mère en était folle, et sa mère-grand* plus folle encore. Cette bonne femme lui fit faire un petit chaperon* rouge, qui lui seyait si bien, que partout on l'appelait le Petit chaperon rouge.

Un jour sa mère, ayant cuit et fait des galettes, lui dit : « Va voir comme se porte ta mère-grand, car on m'a dit qu'elle était malade, porte-lui une galette et ce petit pot de beurre. » Le petit chaperon rouge partit aussitôt pour aller chez sa mère-grand, qui demeurait dans un autre Village. En passant dans un bois elle rencontra compère le Loup, qui eut bien envie de la manger ; mais il n'osa, à cause de quelques Bûcherons qui étaient dans la Forêt. Il lui demanda où elle allait ; la pauvre enfant, qui ne savait pas qu'il est dangereux de s'arrêter à écouter un Loup, lui dit : « Je vais voir ma Mère-grand, et lui porter une galette avec un petit pot de beurre que ma Mère lui envoie. – Demeure-t-elle bien loin ? lui dit le Loup. – Oh ! oui, dit le petit chaperon rouge, c'est par delà le moulin que vous voyez tout là-bas, là-bas, à la première maison du Village. – Hé bien, dit le Loup, je veux l'aller voir aussi ; je m'y en vais par ce chemin ici, et toi par ce chemin-là, et nous verrons qui plus tôt y sera. » Le Loup se mit à courir de toute sa force par le chemin qui était le plus court, et la petite fille s'en alla par le chemin le plus long, s'amusant à cueillir des noisettes, à courir après des papillons, et à faire des bouquets des petites fleurs qu'elle rencontrait. [...]

Charles Perrault, *Contes,* 1691.

une mère-grand : une grand-mère.

un chaperon : sorte de coiffe.

L'HUMOUR DANS L'EXPRESSION

Le style humoristique n'est plus réservé aujourd'hui aux professionnels du rire et aux journaux satiriques. Les journaux les plus sérieux et même parfois certaines revues scientifiques adoptent de plus en plus une expression ludique.

■ LE JEU SUR LES SITUATIONS ET SUR LES REGISTRES DE LANGUE

L'utilisation d'un mot hors de son champ habituel d'emploi peut créer un décalage humoristique.
Par exemple l'emploi de « cow-boy » pour parler d'un homme d'affaires entreprenant et peu scrupuleux ou l'emploi de « pyjama » pour parler du pelage du zèbre.
Cet effet peut être renforcé en jouant sur les registres de langue. Par exemple :
« Elle s'est fringuée avec les rideaux du salon et l'abat-jour. »

1 Le texte suivant est extrait d'un article présentant les récentes innovations en matière d'élevage agricole. Un agriculteur, Emmanuel Robert, essaie d'acclimater en France une race d'autruche : le nandou.
Relevez :
– les jeux sur les registres de langue,
– les jeux sur les situations et les comparaisons inattendues.

Le nandou est une autruche fort aimable, mais elle bouffe tout ce qu'elle trouve et plus particulièrement les végétaux colorés. Le nandou est une vraie tondeuse. Elle donnera à votre gazon des allures de *green* anglais. Elle sera câline avec vous, mais tout de même un peu « pot de colle ». Avec un seul de ses œufs, vous pourrez faire une omelette aussi grosse que si vous cassiez quinze œufs de poule. En fouillant dans de vieux bouquins, Emmanuel Robert a découvert qu'on élevait des autruches il y a une cinquantaine d'années dans sa région de Seine-et-Marne. Lui qui s'était déjà diversifié en récoltant du safran acheta un couple de nandous. Ce volatile de poids (45 kg à jeun) sert de chien, puisqu'il garde la maison ou les autres volailles. C'est un formidable partenaire de jogging, puisqu'il court à 72 km/h, surtout si en bout de course il y a de la belle herbe. Un nandou coûte environ 4 000 F. Vous pourrez vendre ses plumes, décorer ses œufs et le louer à votre voisin pour qu'il ne vous réveille pas le dimanche matin en tirant comme un malade sur le moteur de sa tondeuse.

L'Événement du jeudi, 6.6.1991.

2 Voici le résumé du plus célèbre des opéras français : *Carmen* de Georges Bizet (d'après une nouvelle de Prosper Mérimée). Racontez cette histoire de manière amusante (en utilisant par exemple le registre militaire, celui de la corrida, les idées associées au tabac, les stéréotypes espagnols, etc.).

Acte I : Don José, jeune brigadier, est en faction devant la caserne de Séville quand passe la belle Carmen, une gitane, employée dans une fabrique de cigares. La jeune femme provoque Don José (air célèbre : « L'amour est un oiseau rebelle ») qui reste cependant indifférent. Peu après, Carmen est arrêtée par la police pour s'être battue avec ses collègues de travail. Don José est chargé de la garder. Mais la jeune femme ne tarde pas à séduire le brigadier qui tombe fou amoureux d'elle et favorise son évasion. Don José est alors conduit en prison.

Acte II : Sorti de prison Don José retrouve Carmen dans une taverne. Mais arrive un torero célèbre, Escamillo, qui tente d'impressionner Carmen par le récit de ses exploits (air célèbre : « Toréador »).

Acte III : Poursuivis par la police, Carmen et Don José (qui a déserté) se réfugient dans la montagne auprès d'une troupe de contrebandiers. Mais Escamillo poursuit Carmen de ses assiduités et l'invite à l'accompagner aux fêtes de Séville où il doit participer à une corrida.
Acte IV : Devant les arènes de Séville, Carmen paraît au bras d'Escamillo. Don José tenaillé par la jalousie les guette. Seul face à celle qu'il adore, il supplie et menace. Carmen clame son désir de liberté. Il la tue, alors que retentissent des vivas dans l'arène.

■ LE JEU SUR LE SENS DES MOTS

On peut jouer sur le fait que les mots ont souvent plusieurs sens et qu'ils entrent dans des expressions où ils perdent totalement leur sens premier.
On pourra ainsi jouer sur les deux sens du verbe « voler » (se déplacer dans les airs – dérober) pour relater l'évasion par hélicoptère d'un prisonnier condamné pour cambriolage.
Un article de l'hebdomadaire *Le Point* (7.12.1990) qui analyse la concurrence entre deux entreprises fabriquant des couteaux commence ainsi :

LAMES DE FOND
Opinel et Laguiole sont à couteaux tirés. La France serait-elle coupée en deux ? Il y a les partisans de l'Opinel, et ceux qui ne jurent que par le Laguiole…

3 **Imaginez des débuts d'articles amusants.**

Contexte	Mots ou expressions à utiliser
– Fait divers. Échauffourées lors d'une manifestation de viticulteurs. Quelques blessés légers.	*pépin :* 1) graine du raisin – 2) difficulté, problème. *raisin :* 1) fruit – 2) (argot) sang. *pousser le bouchon un peu loin :* (fam.) exagérer.
– Article sur un ouvrage qui dénonce la mauvaise qualité de la nourriture dans les restaurants « service rapide ».	*mettre les pieds dans le plat :* (fam.) aborder brutalement une question délicate ou tabou. *assaisonner :* 1) ajouter des ingrédients à un plat – 2) (fam.) réprimander avec rudesse. *cuisiner :* 1) faire la cuisine – 2) (fam.) interroger quelqu'un avec insistance.

■ LE JEU SUR LES PARLERS SPÉCIFIQUES

Les gens ont des habitudes de langage spécifiques selon leur profession, leur âge, leur milieu social, etc. Il est parfois amusant d'utiliser ce vocabulaire particulier dans un autre contexte.

4 **Dans *Le dico franco-français* (J.C. Lattès, 1992), Philippe Vandel a répertorié ces vocabulaires spécifiques et s'est amusé à traduire certains extraits littéraires dans ces langages particuliers. Dans la traduction suivante repérez les tics spécifiques au style journalistique. Passage à traduire :**
« Il y avait beaucoup de puits de bitume dans cette vallée des Bois. Le roi de Sodome et le roi de Gomorrhe furent mis en fuite ; leurs gens y périrent et ceux qui échappèrent s'enfuirent sur une montage. »
Genèse (Ancien Testament), chapitre XIV, verset 10.)

Traduction par un journaliste des années 90 :
LA PUNITION AU BOUT DU CHEMIN
« Les réserves d'or noir de la région ne représentaient que la partie immergée de l'iceberg. Les deux chefs d'État, eux qu'on surnomme déjà "Les rois pervers", optèrent pour la fuite en avant. Dans un premier temps, les populations locales, de type méditerranéen prononcé, succombèrent à la tragédie fatale, dans un final dantesque. Dans un second temps, les survivants, rescapés de l'horreur, déployèrent la panoplie sauvetage selon un scénario minutieusement ajusté. Voire. Ils s'enfuirent dans la montagne, entre Zéred et Jourdain, terre de contrastes. Au jour d'aujourd'hui, ils sont en sécurité, mais pour combien de temps encore ? »

5 **Comment le disent-ils ? Retrouvez la formulation du politicien, celle du comédien et celle du journaliste.**
– Pour exprimer sa satisfaction professionnelle : *ça marche très fort en ce moment – j'ai reçu un abondant courrier – j'ai gagné trois points dans le dernier sondage.*
– Pour parler de tout ce qui en France n'est pas Paris : *la Province – la France profonde – les quatre coins de l'Hexagone.*
– Pour dire qu'il est au chômage : *je prends du recul – je réfléchis – j'écris un livre.*
– Pour annoncer qu'il part aux sports d'hiver en Suisse : *je vais faire une enquête – je pars en voyage d'étude – je vais faire une tournée mondiale.*

THÈMES GÉNÉRAUX

PROBLÈMES DE SOCIÉTÉ, ÉVÉNEMENTS, RÉALITÉS FRANÇAISES

LITTÉRATURE (AUTEURS)

ART (ARTISTES)

INDEX DES CONTENUS

THÉÂTRE (AUTEURS)

CINÉMA (FILMS ET RÉALISATEURS)

COURANTS ET PROBLÈMES LITTÉRAIRES ET ARTISTIQUES

GRAMMAIRE ET EXPRESSION

Cette chronologie a pour but de replacer dans une perspective historique les principaux documents culturels présentés dans les ouvrages de la série *Le Nouveau Sans Frontières.* Les références renvoient aux livres (L) ou aux cahiers d'exercices (C), aux niveaux (I, II, III, IV) et aux pages des ouvrages.

♦ ♦ ♦ ♦ ♦ ♦ ♦ ♦ ♦ ♦ ♦ ♦ ♦ ♦

DE LA PRÉHISTOIRE À LA NAISSANCE DE LA LANGUE FRANÇAISE

■ PRÉHISTOIRE ET ANTIQUITÉ

Le territoire de la France actuelle a été habité dès la Préhistoire.

• *1000 av. J.-C.* Installation des Celtes (appelés aussi Gaulois).

• *IIe siècle av. J.-C.* Les Romains commencent la conquête de la Gaule. Ce sont les provinces du Sud qui sont d'abord colonisées.

• *52 av. J.-C.* Jules César vainqueur des Gaulois commandés par Vercingétorix, à Alésia. Colonisation progressive du territoire. Développement d'une grande civilisation gallo-romaine.

■ LE MOYEN ÂGE

• *Ve siècle.* Les Francs, d'origine germanique, occupent la Gaule. Un de leur roi, Clovis, se convertit au catholicisme.

• *VIIIe siècle.* Charlemagne constitue un empire regroupant la France, l'Allemagne et l'Italie.

• *IXe siècle.* Les Normands (ou Vikings), peuple d'origine scandinave, envahissent la France. Le pays est dévasté et se morcelle en une mosaïque de petits territoires, propriétés des seigneurs qui les défendent.

• *Xe siècle.* Les Sarrasins (peuples arabes qui ont colonisé l'Afrique du Nord) envahissent le sud de la France.

• *La féodalité.* C'est une organisation avant tout guerrière. D'une part, le seigneur doit résister aux envahisseurs. D'autre part, il essaie d'agrandir son domaine (son fief). Il s'ensuit tout un jeu d'alliances et de rapports de vassalité entre les chefs de guerre. Les seigneurs élisent un roi qui n'a qu'un pouvoir consultatif et modérateur en cas de conflit.

• *Xe siècle.* La propriété du roi de France, Hugues Capet, est un petit territoire comprenant Paris et Orléans. Toute l'histoire de la France résultera de la volonté du roi et de ses successseurs d'agrandir ce territoire par conquêtes et alliances. Le pouvoir royal sera alors de plus en plus important et deviendra héréditaire.

L'Église constituera l'autre pouvoir d'unification et de développement économique et culturel.

• *XIe siècle.* Essor de la dynastie des Capétiens. Les rois soumettent les vassaux indisciplinés. L'administration et le droit se développent.

• *XIIe et XIIIe siècles :* les Croisades. Expéditions militaires organisées par l'Église pour la délivrance de la Terre Sainte et notamment de Jérusalem mais aussi pour sauver l'empire chrétien d'Orient menacé par les Turcs. Huit croisades seront successivement organisées dont deux par Saint-Louis (Louis IX, 1214-1270), figure emblématique du roi chrétien accompli, soucieux de faire régner la justice.

■ LES VESTIGES

Nombreux vestiges de la Préhistoire comme les alignements de menhirs à Carnac (L II, 125) et les peintures rupestres des grottes de Lascaux (L IV, 26).

Vestiges des infrastructures et des édifices de la civilisation gallo-romaine : théâtre antique d'Orange (L II, 194), amphithéâtre de Nîmes (L II, 167), pont du Gard (L II, 167).

■ L'IDÉOLOGIE ET LES ŒUVRES

• Le christianisme imprègne toute la société du Moyen Âge et impose sa vision de l'univers. La France se couvre d'édifices religieux : abbayes de Cluny (L II, 127) et du Mont-Saint-Michel (L II, 191), cathédrale d'Amiens (L II, 145), de Chartres (L II, 191), d'Arles (C III, 151) et de Paris (L I, 21), Palais des papes à Avignon (L III, 9).

• La féodalité se forge par ailleurs ses propres modèles culturels qui influenceront jusqu'à nos jours la littérature.

– L'idéal chevaleresque, fondé sur les valeurs de courage, de bravoure, de fidélité, de générosité et d'appartenance à une lignée. *La Chanson de Roland* (L II, 158) et les romans de chevalerie témoignent de cet esprit.

– L'idéal de l'amour courtois inscrit la relation amoureuse dans le même esprit de respect, de soumission et de fidélité que les relations entre seigneurs et vassaux. Le troubadour idéalise la femme aimée, discipline son désir et se donne pour tâche de la conquérir par ses propres qualités.

• La société guerrière que fut la féodalité a laissé de nombreux vestiges de châteaux et de fortifications : Aigues-Mortes (L II, 195), Salses (L II, 126), Montségur (L II, 125).

• La bourgeoisie montante exprime ses préoccupations dans les romans et les farces (*Farce du cuvier,* C II, 55) et les fabliaux (C III, 72).

Les romans de chevalerie de **Chrétien de Troyes** se déroulent dans une atmosphère de merveilleux féerique *(Le Chevalier au lion)* ou mystique (le roman de *Perceval*).

• *XIVe siècle.* Guerre de Cent Ans : long conflit entre la France et l'Angleterre qui a pour origine un conflit féodal (les rois d'Angleterre étaient vassaux des rois de France) doublé d'une querelle dynastique (le roi d'Angleterre réclamait la couronne de France).

Deux figures émergent de cette époque troublée : Du Guesclin, homme de guerre breton au service du roi de France et type du parfait chevalier, et Jeanne d'Arc, jeune fille qui réussit à redonner courage à l'armée du roi de France.

• *XVe siècle.* Il est dominé par la figure du roi Louis XI. Pragmatique et rusé, il fut un des principaux constructeurs de l'unité nationale. À sa mort, en 1483 le domaine royal coïncide presque avec la France actuelle.

♦ ♦ ♦ ♦ ♦ ♦ ♦ ♦ ♦ ♦ ♦ ♦ ♦ ♦

LA RENAISSANCE

■ FIN DU XVe SIÈCLE

Développement progressif de la monarchie absolue. Les administrations royales s'installent dans toute la France. Naissance de l'économie capitaliste.

■ DÉBUT DU XVIe SIÈCLE

Les thèses religieuses calvinistes se répandent en France. Elles influenceront la plupart des penseurs et des artistes.

• ***Règne de Louis XII.*** La France revendique l'héritage du Milanais. Début des guerres d'Italie. L'Italie commence à exercer une profonde influence sur la France.

• ***Règne de François Ier*** (1494-1547). Il fut un des grands introducteurs de la Renaissance italienne en France. Il fit venir à la Cour de grands artistes tels que Léonard de Vinci, Le Primatice, B. Cellini.

• ***Règne de Henri II*** (1547-1559). Marié à Catherine de Médicis qui, après la mort de son mari, aura une profonde influence sur la politique française. Influencé par sa favorite Diane de Poitiers, il combat les calvinistes et renforce la centralisation du pouvoir.

• Pour lutter contre l'extension du protestantisme, l'Église catholique lance la Contre-Réforme (Concile de Trente).

■ LES ARTS ET LES LETTRES

Ils connaissent une véritable renaissance qui suit celle qu'ont connue au siècle précédent les autres pays d'Europe.

• Les châteaux et les hôtels particuliers deviennent de somptueuses résidences : hôtel de Cluny (L II, 127), hôtel du Louvre (L I, 52), châteaux d'Azay-le-Rideau (L II, 126), de Fontainebleau (L II, 195), d'Amboise (L III, 18), de Chambord.

• En peinture, l'École de Fontainebleau exalte et idéalise la beauté du corps et témoigne du goût de l'époque pour la mythologie, le raffinement et le maniérisme : **Dubois** (L III, 28), **Clouet** (L I, 116), **Cousin** (L IV, 31).

• Une philosophie humaniste prédomine dans la pensée et les arts : redécouverte de l'Antiquité considérée comme un potentiel de richesses, ouverture sur le monde, foi en l'homme, dans la connaissance et dans le progrès.

Œuvres de **Rabelais** *(Gargantua, Pantagruel).* Poésie de **Ronsard** et de **Du Bellay.**

« Souvent femme varie
Et bien fol qui s'y fie. »
François Ier, qui eut une vie amoureuse bien remplie, écrivit un jour ces deux vers.

« Un quart d'heure avant sa mort, il était encore en vie. »
Dernier vers d'une chanson composée à la gloire de monsieur de La Palice, général de l'armée de François Ier. La phrase absurde est devenue populaire (une « lapalissade » signifie « une évidence »).

L'ÂGE DU BAROQUE ET DU CLASSICISME

■ LA FIN DU XVIe SIÈCLE

• ***Règnes de Charles IX et de Henri III.*** Période d'instabilité politique et religieuse. Les guerres de religions entre catholiques et protestants sont aussi une lutte pour le pouvoir et une remise en cause de l'autorité du roi.

De cette période troublée un épisode est resté célèbre : le massacre de la Saint-Barthelémy (24 août 1572) où les chefs protestants furent massacrés par les catholiques sur ordre de la reine mère (Catherine de Médicis).

• ***Règne de Henri IV*** (1589-1610). Ancien protestant converti au catholicisme, il rétablit la paix et l'autorité royale. Il promulgue l'Édit de Nantes qui assure la coexistence pacifique des catholiques et des protestants, restaure les finances, donne un essor considérable à l'agriculture. Il est assassiné par Ravaillac en 1610.

■ ART ET LITTÉRATURE BAROQUES

Les œuvres sont le reflet de l'époque troublée : pessimisme, représentation de la mort, goût de l'instabilité des formes, refuge dans la fantaisie, l'imagination et l'illusion.

• À la fin du XVIe siècle, le philosophe **Montaigne** fonde sagesse et art de vivre sur une vision sceptique du monde. L'époque foisonne en poètes et en dramaturges dont la plupart sont aujourd'hui oubliées.

« Labourage et pâturage sont les deux mamelles de la France. »
Sully, ministre du roi Henri IV.

■ LE XVIIe SIÈCLE

• ***Règne de Louis XIII*** (1610-1643). Il inaugure une nouvelle période de troubles. Avec un roi qui n'est encore qu'un enfant (sa mère Marie de Médicis assure la régence) les grands seigneurs et les protestants se révoltent. Tout change quand le cardinal de Richelieu devient chef du Conseil du roi. Richelieu mate les Grands et les protestants et établit un régime fort, base d'une monarchie absolue qui ne fera que se renforcer au cours du siècle.

Sous le règne de Louis XIII, la Préciosité (C III, 88) peut être interprétée comme un refuge dans la perfection formelle et la rigueur abstraite.

Les premières pièces de **Corneille,** jusqu'au *Cid* (L IV, 203) relèvent de cette esthétique baroque.

• L'architecture et la peinture sont également influencées par cette esthétique qui trouve pourtant ses meilleures réalisations dans les autres pays d'Europe (Italie, Allemagne et Autriche, Espagne, Portugal, etc.). Les œuvres sont marquées par les jeux d'ombres et de lumières, de courbes et de contre-courbes, de spirales et de volutes qui donnent l'impression du mouvement : palais du Luxembourg (L II, 96), église de la Sorbonne (L I, 52), peintures de **Georges de la Tour** (L III, 29), de **Le Nain** et de **Philippe de Champaigne.**

• ***Règne de Louis XIV*** (1643-1715). À la mort de son père le jeune roi n'a que 5 ans. Mazarin, chef du Conseil, doit faire face à une nouvelle révolte des nobles et des parlementaires : la Fronde. La France fut plongée pendant trois ans (1649-1652) dans une terrible guerre civile. L'échec des « Frondeurs » prépara le triomphe de l'absolutisme.

Lorsque le roi prend effectivement le pouvoir, il décide de gouverner seul. Il nomme lui-même ses ministres et la noblesse n'a plus que des charges honorifiques. Elle est tenue de faire acte de présence à la Cour et de suivre l'étiquette (règlement qui fixe tous les actes de la vie des courtisans).

Écrivains, poètes, artistes, musiciens sont largement sollicités pour les divertissements de la Cour.

Louis XIV mène une politique de grandeur dans tous les domaines (extension du territoire, développement de l'industrie et du commerce, culture). Mais cette politique s'avérera ruineuse pour le pays.

■ LE CLASSICISME

• À partir du règne de Louis XIV, les écrivains codifient l'art qui doit avoir une double fonction : plaire et édifier. L'écrivain est toujours un moraliste et ses œuvres reflètent l'idéal de « l'honnête homme » propre à l'époque.

L'art est une recherche d'équilibre, d'harmonie, de mesure et de perfection formelle. À ce titre, il a une valeur universelle.

Les œuvres témoignent aussi d'une époque où l'on prend plaisir à raisonner et à comprendre : goût pour l'analyse psychologique, exploration de la nature humaine.

• En architecture, en sculpture et en peinture, les mots clés sont : ordre, équilibre, goût de l'Antiquité et de l'Histoire : château de Versailles (L II, 62), peintures de **Nicolas Poussin** (L III, 28 – L IV, 107), de **Rigaud** et de **Mignard.**

• La tragédie est un genre très exploité. **Corneille** met en scène le conflit du devoir et de l'amour dans *Le Cid* (L IV, 202), *Horace, Polyeucte.* **Racine** met à nu les passions qui submergent la raison : *Andromaque, Iphigénie* (C III, 50), etc.

• La comédie conquiert ses lettres de noblesse avec Molière qui tourne en dérision les passions et les codes sociaux de son époque : *L'Avare* (L III, 175), *Le Misanthrope* (L III, 71), *Le Bourgeois Gentilhomme* (L IV, 152), *Le Malade imaginaire* (L IV, 153).

• **La Bruyère** dans ses *Caractères* (C I, 97), **La Fontaine** dans ses *Fables* (C III, 121) et **Mme de Sévigné** dans ses *Lettres* (C II, 7) feront aussi une peinture critique de la société.
• **Mme de La Fayette** excelle dans l'analyse psychologique (L IV, 67) et **Perrault** dans le conte (L IV, 207).
• La philosophie rationaliste de **Descartes** marquera profondément et durablement la pensée française.

Ces morales des *Fables* de La Fontaine sont dans la mémoire de tous les Français :

« Tout flatteur vit aux dépens de celui qui l'écoute. »
Le Corbeau et le Renard

« La raison du plus fort est toujours la meilleure. »
Le Loup et l'Agneau

« Patience et longueur de temps
Font plus que force et que rage. »
Le Lion et le Rat

« Amour, amour, quand tu nous tiens,
On peut bien dire : "Adieu prudence !" »
Le Lion amoureux

« Selon que vous serez puissant ou misérable,
Les jugements de cour vous rendront blanc ou noir. »
Les Animaux malades de la peste

« Rien ne sert de courir, il faut partir à point. »
Le Lièvre et la Tortue

« Ventre affamé n'a point d'oreilles. »
Le Milan et le Rossignol

« Je voudrais qu'à cet âge [la vieillesse]
On sortît de la vie ainsi que d'un banquet,
Remerciant son hôte, et qu'on fît son paquet ;
Car de combien peut-on retarder le voyage ? »
La Mort et le Mourant

« Savoir dissimuler est le savoir des rois. »
Richelieu, ministre de Louis XIII.

« L'État, c'est moi. »
Attribué à Louis XIV.

« J'ai failli attendre. »
Louis XIV, un jour que son carrosse avait eu quelques secondes de retard.

LE SIÈCLE DES LUMIÈRES (XVIIIe)

■ LA PREMIÈRE MOITIÉ DU SIÈCLE

La mort de Louis XIV en 1715 inaugure une période de paix qui durera jusqu'en 1740 (débuts des conflits avec l'Angleterre pour le partage du monde).

La régence de Philippe d'Orléans puis le règne de Louis XV (jusqu'en 1774) sont marqués par :

– un effacement des persécutions religieuses et une libéralisation des mœurs (atmosphère de fêtes galantes et de frivolité) ;

– une expansion coloniale et un grand développement du commerce. La France s'enrichit. La bourgeoisie prend de plus en plus d'importance ;

– un grand progrès dans les domaines éducatif, scientifique et technique ;

– un affaiblissement de la monarchie absolue ;

– un grand rayonnement de la France en Europe.

■ LA SECONDE MOITIÉ DU SIÈCLE

• Les nombreuses guerres, suivies de défaites et de la perte d'une grande partie de l'empire colonial, la misère du peuple, l'incapacité du roi Louis XVI à instaurer une monarchie parlementaire laissant le pouvoir à la bourgeoisie vont provoquer la Révolution de 1789.

• Louis XVI, de tempérament doux et religieux, est peu préparé à faire face aux transformations économique (production manufacturière), sociale (montée de la bourgeoisie) et idéologique (philosophie des lumières).

Les réformes d'assainissement de l'économie échouent devant l'égoïsme des privilégiés.

■ LA RÉVOLUTION DE 1789

Elle commence par une révolte des nobles qui veulent remettre en question le pouvoir royal tout en conservant leurs privilèges.

• ***Mai 1789.*** Convocation des États généraux. La royauté absolue fait place à une monarchie constitutionnelle.

• ***14 juillet 1789 :*** prise de la Bastille.
4 août 1789 : abolition des privilèges.
28 août 1789 : déclaration des droits de l'homme.

Ces épisodes consacrent la fin de l'Ancien Régime au profit de la bourgeoisie. Un compromis fragile est établi entre le roi et les révolutionnaires.

La suite de la Révolution se présente comme une lutte pour le pouvoir entre les diverses factions de l'Assemblée : partisans d'une monarchie constitutionnelle et parlementaire, bourgeoisie libérale et modérée, république populaire.

• ***21 septembre 1792 :*** proclamation de la Ire République.
21 janvier 1793 : exécution du roi.

• ***1793 :*** profitant des difficultés économiques, sociales et politiques, l'aile gauche dure de l'Assemblée instaure une dictature révolutionnaire et un régime de terreur (Robespierre, Saint-Just).

• La Révolution est dans un état de guerre permanent à l'intérieur et à l'extérieur. Cette instabilité favorisera la prise de pouvoir par un militaire : Napoléon Bonaparte (coup d'État de 1799).

■ LES IDÉES DES PHILOSOPHES

Au XVIIIe siècle, l'écrivain s'éloigne de la Cour et entre en politique. Ceux que l'on appelle les philosophes veulent avant tout faire passer dans leurs écrits des idées nouvelles : foi dans les sciences et dans la connaissance, liberté, tolérance, justice, égalité. L'organisation sociale et les valeurs sont mises dans une perspective historique et géographique (comparaison avec d'autres sociétés, avec le système politique de l'Angleterre, etc.). Il s'agit de transformer la société et la politique afin que chaque individu puisse être pleinement heureux.

Principaux écrivains philosophes : **Montesquieu, Voltaire** (C III, 86), **Diderot, Rousseau** (C II, 135 – L III, 147 – L IV, 148).

À la fin du siècle, les personnages des pièces de **Beaumarchais** (C II, 64) préfigurent la Révolution.

■ ÉVEIL DE LA SENSIBILITÉ ET PEINTURE DES MŒURS

• Évocation de la sensualité, des émotions et des troubles du cœur dans les pièces de **Marivaux** ainsi que dans les peintures de **Watteau** (L III, 29) et **Fragonard** (L II, 197).

• Peinture des mœurs et des réalités sociales dans l'œuvre de **l'abbé Prévost** (C III, 153) et dans les tableaux de **Greuze** (L II, 69).

« – C'est une révolte ?
– Non, Sire, c'est une révolution. »
Dialogue entre Louis XVI et le duc de Liancourt au soir de la prise de la Bastille (14 juillet 1789).

LE XIXe SIÈCLE

LES PROGRÈS DE LA DÉMOCRATIE

Le XIXe siècle se présente comme une alternance de révolutions et de restaurations de l'ordre antérieur, évoluant progressivement vers une disparition de la monarchie, une instauration de la République et un progrès de la démocratie.

• *1804-1815.* Premier Empire. Napoléon Ier modifie profondément les structures étatiques mais précipite la France dans une série de guerres désastreuses.

• *1815-1830.* Restauration monarchique. Louis XVIII et Charles X. Période de réaction idéologique et politique qui par contrecoup va susciter le développement des thèses libérales et des théories socialistes.

• ***Révolution de 1830.***

• *1830-1848.* Monarchie bourgeoise de Louis-Philippe. Apparition du grand capitalisme et industrialisation du pays.

• ***Révolution de février 1848.***

• *1848-1851.* IIe République. Affirme le droit au travail. Rétablit la liberté de presse et de réunion. Abolit l'esclavage dans les colonies.

• *1851-1870.* Second Empire. Prise du pouvoir par Napoléon III. Période de grand essor économique. Poursuite de l'expansion coloniale (Afrique du Nord, centrale et occidentale, Moyen-Orient, Extrême-Orient).

• *1870.* Guerre franco-prussienne et instauration de la IIIe République. Ce régime, qui durera jusqu'à la guerre de 1939, modèlera le passé immédiat de la France actuelle. C'est une république laïque, démocratique et parlementaire qui s'attacha à mettre en œuvre de profondes réformes notamment dans le domaine de l'instruction publique.

L'expansion coloniale y atteint son apogée.

CARACTÉRISTIQUES DU SIÈCLE

• La toute-puissance d'une bourgeoisie qui a la nostalgie des valeurs aristocratiques.

• L'apparition d'un prolétariat ouvrier qui est à la merci des aléas de l'économie.

• L'avènement d'une conscience historique et nationale.

• L'avènement d'une culture de masse. À la fin du siècle, la quasi-totalité du pays est alphabétisée. La presse connaît un développement considérable et l'écrivain joue un rôle important dans la société.

LE ROMANTISME

• Il véhicule les valeurs de la Révolution et cultive la nostalgie de l'épopée napoléonienne : individualisme et exaltation du moi, engagement politique pour la liberté, l'égalité et la fraternité, culte du héros solitaire et des énergies collectives.

Le lyrisme et l'épopée imprègnent tous les genres littéraires et notamment la poésie qui fait un retour en force après sa quasi-disparition pendant le XVIIIe siècle.

• En littérature : **Chateaubriand** (C II, 127 – L IV, 14), **Madame de Staël** (C II, 127), **Lamartine, Vigny, Musset, Hugo** (L II, 159 – C III, 153 – L IV, 29, L IV, 99 – L IV, 183), **Stendhal** (C II, 72, 109 – L IV, 98), **Balzac,** précurseur du réalisme (L II, 47, 175 – C II, 109 – L III, 123 – C III, 123 – L IV, 15).

• En peinture : **David** (L III, 49) – **Ingres, Géricault, Delacroix.**

LE RÉALISME

L'échec de la IIe République met fin aux utopies romantiques. Les écrivains se tournent vers la peinture de la réalité. Mais à partir de sujets quotidiens, il s'agit néanmoins de produire une œuvre artistique, c'est-à-dire de transcender le réel.

• En littérature : **Flaubert** (C III, 127), **Maupassant** (L III, 107 – L IV, 132), **George Sand** (C II, 73), **Zola** (L IV, 33 – L IV, 116), **Mérimée** (L IV, 184).

• En peinture : **Courbet** (C III, 16 – L IV, 15), **Béraud** (L II, 109).

SYMBOLISME ET IMAGINAIRE

Par l'intermédiaire de **Hugo, Musset** et **Nerval** (L IV, 48), le romantisme se prolonge dans ses aspects visionnaires. L'imaginaire prend le pas sur le réel. On explore les mystères du monde, interroge les signes, établit des correspondances entre les sensations.

• **Baudelaire** (L II, 111 – L III, 43 – L IV, 130), **Rimbaud** (L II, 143 – L III, 159), **Maeterlinck** (L III, 199).

• Le lyrisme du sculpteur **Rodin** (L I, 175), l'expressionnisme de **Van Gogh** (L I, 175 – L II, 85 – C II, 104 – L IV, 55) imposent une vision très personnelle du monde.

• **Jules Verne** produit la première grande œuvre de science-fiction (C I, 97 – L II, 175 – C III, 145). **Cros** (C III, 43) fait entendre une voix où se mêlent fantaisie et « spleen » romantique.

L'IMPRESSIONNISME

• À la fin du siècle, un groupe de peintres se donne pour tâche de restituer la vérité de la perception en explorant les effets de la lumière sur les objets.

• **Renoir** (L IV, 54), **Monet** (L I, 29 – L II, 84 – L IV, 131), **Sisley** (L III, 28), **Degas** (L II, 69 – L IV, 139).

• Dans le même esprit, la poésie de **Verlaine** peut être considérée comme une poésie de la sensation (C I, 50 – C II, 123 – C II, 159).

« Soldats, songez que du haut de ces pyramides, quarante siècles vous contemplent. »
Le général Bonaparte, futur Napoléon Ier, à ses soldats, lors de la campagne d'Égypte.

« Impossible n'est pas français. »
Napoléon Ier.

LA PREMIÈRE MOITIÉ DU XXe SIÈCLE

« Debout les morts ! »
L'adjudant Péricard à ses soldats épuisés durant la guerre de 1914-1918.

D'UNE GUERRE À L'AUTRE

• *1900-1914.* La « Belle Époque ». Sous un gouvernement radical qui fait voter la séparation de l'Église et de l'État, des années optimistes où l'on cultive la joie de vivre et célèbre les triomphes du progrès scientifique et technique (automobile, cinéma, électricité, etc.).

• *1914-1918.* Première Guerre mondiale. La France en sort épuisée humainement (plus d'un million de morts) et économiquement.

• *1918-1928.* La France se relève rapidement de sa situation désastreuse et entre dans une période d'expansion économique. Les « années folles » sont marquées par une explosion démographique, une grande vitalité économique et culturelle et l'apogée du système colonial.

Progrès social : journée de 8 heures, assurances sociales, enseignement secondaire gratuit.

• *1929.* Crise économique qui frappe toute l'Europe : chômage et appauvrissement.

• *1929-1936.* Développement de l'idéologie communiste qui marquera la vie intellectuelle française jusqu'à la fin des années 80.

Développement d'une idéologie nationaliste.

Les bouleversements de l'Europe (franquisme espagnol, nazisme allemand et fascisme italien) imposent à chacun de choisir son camp.

• *1936-1939.* Le Front populaire (union des partis de gauche) accorde d'importants avantages aux ouvriers (congés payés) et entreprend de grandes réformes de structures (nationalisations).

• *1939-1945.* Seconde Guerre mondiale. La France, qui ne s'est pas suffisamment préparée à la guerre, est rapidement occupée.

Développement de la Résistance initiée d'Angleterre par le général de Gaulle.

L'ESPRIT DU DÉBUT DU SIÈCLE

• L'optimisme, l'humour et le rire du théâtre de **Feydeau**, de **Courteline** (C III, 32 – L IV, 52), de **Rostand** (L III, 210) et de **Jules Romain** (C II, 59 – C III, 95).

• Les recherches formelles et l'alliance de futurisme et de tradition de la poésie d'**Apollinaire** (C I, 155 – C III, 112 – L IV, 29 – L IV, 131).

• La quête du moi. **Proust** cerne les nuances des sensations et des sentiments et peint l'histoire d'une époque et d'une conscience (L III, 147 – L IV, 32). **Alain-Fournier** entreprend une quête poétique de son enfance (C III, 49 – L II, 175). **Gide** libère le moi et les sens en faisant éclater la morale (L IV, 80).

LES ARTS : VERS L'ABSTRACTION

• Fauvisme : triomphe de la couleur sur la forme. **Derain** (L III, 29 – L IV, 55), **Dufy** (L IV, 139), **Marquet, Van Dongen.**

• Cubisme : prédominance de la forme sur la couleur. **Braque** (L III, 28), **Léger** (L IV, 94), **Picasso** (L I, 29, 175 – L IV, 38), **Delaunay** (L IV, 106).

• L'art abstrait : abandon complet de la représentation du réel. **Sonia Delaunay** (L III, 28), **Dewasne** (L IV, 38), **Herbin** (L I, 172).

• À l'opposé de l'abstraction, l'expressionnisme tente de susciter l'émotion par un travail sur la figuration. **Chagall** (L IV, 49), **Modigliani** (L I, 117), **Balthus** (L III, 181), **Buffet** (L I, 117).

LE SURRÉALISME

En réaction contre l'horreur et l'absurdité de la guerre de 1914, le Surréalisme conteste les cadres traditionnels de la pensée et de la morale. Il se lance dans d'audacieuses recherches formelles, explore l'inconscient et débouche sur une philosophie de la totalité.

Tzara (C II, 11), **Breton** (C I, 97), **Aragon** (C I, 11), **Éluard** (C I, 94, 101, 117 – L II, 127 – C III, 74 – L IV, 30).

Dans les arts plastiques le Surréalisme est illustré par les œuvres de **Dali** (C III, 82 – L IV, 71), **Miró** (L IV, 123), **Ernst** (C III, 16), **Tanguy** (L IV, 39), **Magritte** (L III, 96 – L IV, 22, 38).

L'écriture surréaliste

Faites-vous apporter de quoi écrire, après vous être établi en un lieu aussi favorable que possible à la concentration de votre esprit sur lui-même. Placez-vous dans l'état le plus passif, ou réceptif, que vous pourrez. Faites abstraction de votre génie, de vos talents et de ceux de tous les autres. Dites-vous bien que la littérature est un des plus tristes chemins qui mènent à tout.

Écrivez vite sans sujet préconçu, assez vite pour ne pas retenir et ne pas être tenté de vous relire. La première phrase viendra toute seule, tant il est vrai qu'à chaque seconde il est une phrase étrangère à notre pensée consciente qui ne demande qu'à s'extérioriser. Il est assez difficile de se prononcer sur le cas de la phrase suivante ; elle participe sans doute de notre activité consciente et de l'autre, si l'on admet que le fait d'avoir écrit la première entraîne un minimum de perception. Peu doit vous importer, d'ailleurs ; c'est en cela que réside, pour la plus grande part, l'intérêt du jeu surréaliste.

André Breton, *Premier Manifeste du surréalisme,* Gallimard, 1924.

« Nous vaincrons parce que nous sommes les plus forts. »
Paul Reynaud, ministre des Finances, au début de la guerre de 1939. (L'avenir ne tardera pas à lui donner tort.)

■ ENGAGEMENT ET TRADITIONS FORMELLES

La littérature de l'époque qui précède et qui suit la Seconde Guerre mondiale est marquée par son engagement politique. Les romanciers et dramaturges suivants ont en commun de faire passer l'exposé des idées avant les recherches formelles (à la différence des surréalistes) : réflexion sur l'action, l'héroïsme, le sens de l'existence, l'engagement politique, etc.

Malraux, Saint-Exupéry (L III, 31 – L IV, 169), **Camus** (L II, 191), **Sartre** (L IV, 18). **Beauvoir.**

Certaines pièces de **Giraudoux** (L III, 55 – L IV, 100) et d'**Anouilh** (L III, 135 – L IV, 84) sont dans cet esprit.

■ LA POÉSIE DES RÉGIONS

Certains écrivains trouvent leur inspiration dans les particularismes, les mentalités ou la poésie des régions.

La Provence pour **Giono** (C II, 109) et **Pagnol** (C II, 73 – L III, 19 – L III, 94). La région bordelaise pour **Mauriac** (C III, 131). Les Cévennes pour **Chabrol** (L IV, 64).

« Un homme seul est toujours en mauvaise compagnie. »
Paul Valéry, 1871-1945.

« – Et le Christ ?
– C'est un anarchiste qui a réussi.
C'est le seul. »
André Malraux dans *l'Espoir,* 1937.

LA SECONDE MOITIÉ DU XXe SIÈCLE

« Lorsqu'une œuvre semble en avance sur son époque, c'est simplement que son époque est en avance sur elle. »
Jean Cocteau, 1889-1963.

■ LA IVe RÉPUBLIQUE

• ***Août 1944.*** Le général de Gaulle entre dans Paris libéré. Il constitue un gouvernement provisoire. Mise en place de la Sécurité sociale et nationalisation des sources d'énergie et du crédit.

Conflit entre l'assemblée législative élue (les femmes votent pour la première fois) et le général de Gaulle qui démissionne.

• ***1947-1958.*** La IVe République, système de type parlementaire où le président de la République n'avait pratiquement aucun pouvoir, connut un état de crise quasi permanent (23 gouvernements s'y succédèrent en dix ans).

Développement de la guerre froide et menace de conflit nucléaire.

Instabilité de l'empire colonial dont les pays aspirent à l'indépendance (guerre d'Indochine puis guerre d'Algérie).

• ***1958.*** L'incapacité des gouvernements successifs à résoudre le conflit algérien ramène le général de Gaulle au pouvoir. Celui-ci fait voter par référendum une nouvelle constitution qui donne d'importants pouvoirs au président de la République.

■ LA Ve RÉPUBLIQUE

• ***Les années 60.*** De Gaulle, président de la République (1958 à 1969).

Abandon de l'empire colonial dont les différents pays retrouvent leur indépendance. La France entre dans une période de paix propice au développement économique.

Développement de la société de consommation.

Explosion socioculturelle de mai 1968 dont l'effet principal est la libération des mœurs.

• ***1967.*** Loi Neuwirth sur la libéralisation de la contraception.

• ***1969.*** Départ du président de Gaulle après l'échec de son référendum sur la régionalisation et la réforme du Sénat.

• ***1969-1974.*** Présidence de Georges Pompidou. La France se divise en deux camps : une droite dont l'aile libérale ne va pas tarder à prendre le pouvoir avec l'élection de Valéry Giscard d'Estaing et une gauche qui porte un projet de société nouvelle.

• ***1974-1981.*** Septennat de Valéry Giscard d'Estaing. Réformes des mœurs (loi sur l'interruption volontaire de grossesse). Réforme de l'enseignement (tronc commun de quatre ans pour tous les élèves des collèges). Réformes sociales.

• ***1981.*** François Mitterrand (parti socialiste) président de la République. Victoire de la gauche aux élections législatives.

• ***1981-1982.*** Période de nombreuses réformes (nationalisations, décentralisation, abolition de la peine de mort, réformes économiques et sociales visant à rendre la société plus juste).

• ***1982-1986.*** La crise économique mondiale nécessite l'arrêt des réformes.

■ NOUVEAU ROMAN ET THÉÂTRE DE L'ABSURDE

Le pessimisme de l'après-guerre produit une littérature qui remet en cause ses éléments fondamentaux : psychologie et personnages. Elle met en scène un homme égaré qui, en faisant l'expérience de l'absurde, atteint la grandeur tragique.

Au théâtre : **Ionesco** (L II, 23 – L IV, 118), **Beckett** (C III, 140), **Arrabal** (C II, 131), **Obaldia** (L IV, 200), **Tardieu** (L IV, 37).

Dans le roman : **Robbe-Grillet** (L IV, 114), **Sarraute** (L III, 175 – L IV, 115).

■ LE NOUVEAU RÉALISME DANS L'ART

Tout comme le nouveau roman, l'art est fasciné par les objets. Les Nouveaux Réalistes exposent les relations ambiguës entre l'homme et les productions de la société de consommation.

Armand (L III, 77), **César** (L I, 172), **Christo** (L II, 21 – L IV, 22), **Tinguely** (C II, 101 – C IV, 22), **Spoéri** (L IV, 22).

■ LES CHEMINS DE L'IMAGINAIRE

Un surréalisme assagi continue à marquer certains écrivains dont l'œuvre s'organise autour d'une mystérieuse quête.

Gracq (C II, 73 – L IV, 17 – L IV, 122), **Mandiargues** (L II, 53 – C II, 109 – C III, 50), **Tournier** (L III, 43 – L III, 134 – L IV, 185).

■ LA POÉSIE

Peut-être parce qu'elle est souvent mise en musique par des chanteurs comme **Charles Trenet, Georges Brassens, Jean Ferrat** et **Léo Ferré**, la poésie trouve un regain d'intérêt auprès du public.

Prévert invente une poésie simple du quotidien (C I, 58, 75, 92, 109, 137 – L II, 39, 63, 167 – C II, 145). **Bosquet** (C I, 21), **Clancier**(C I, 146) et **Roy** (L III, 19) retrouvent une tradition humaniste et poétique. **Guillevic** (L II, 135) réintroduit le sacré dans la vie quotidienne.

• *1986-1988.* Victoire de la droite aux élections législatives. Jacques Chirac devient Premier ministre. Période dite de cohabitation.
• *1988.* Nouvelle élection de François Mitterrand à la présidence.

La mondialisation de l'économie a mis fin aux grandes utopies des décennies précédentes. La partition droite/gauche s'estompe. L'objectif essentiel des gouvernements est de gérer au mieux la crise de l'économie mondiale.

• *1992.* Les Français approuvent par référendum le traité d'union européenne de Maastricht.

Le nombre de chômeurs atteint 3 millions, l'instabilité politique et économique internationale suscite des craintes et des incertitudes.

■ LE ROMAN DEPUIS 1968

• Il semble impossible de regrouper les écrivains qui semblent émerger de la production littéraire des années 70 et 80. On appréciera l'inspiration historique chez **Yourcenar** (L IV, 168), la poésie de la nature chez **Le Clézio** (C III, 146 – L IV, 199), la fantaisie formelle de **Pérec** (C II, 72 – C III, 69), l'exploration du souvenir chez **Modiano** (C II, 144), l'évocation de l'Italie chez **Fernandez** (L IV, 198), la description des conflits familiaux chez **Navarre** (L III, 187), l'univers de la science-fiction chez **Sternberg** (L IV, 149).
• La littérature française n'est plus seulement l'affaire de la France mais aussi celle des pays francophones.

Senghor (L IV, 30), **Chédid** (L IV, 33), **Ben Jelloun** (L IV, 49), **Césaire** (L IV, 171).

■ LES ARTS DEPUIS 1968

• Support-surface : **Hantaï** (L IV, 154), **Vialla** (L III, 77).
• Nouvelle figuration : **Schlosser** (L IV, 22), **Arroyo** (L III, 77), **Monory** (L III, 77).
• Art du comportement : **Ben, Jaccard,** etc. (L IV, 154).
• Architecture : Centre Georges-Pompidou ((L I, 13), Arche de la Défense (L I, 61), Pyramide du Louvre (L II, 21), Opéra-Bastille (C III, 25), Cité Antigone à Montpellier (L IV, 174), Futuroscope de Poitiers (L II, 100).

■ LES MAÎTRES À PENSER

Ethnologie : **Levi-Strauss** (L IV, 196).
Philosophie des sciences : **Thom** (L IV, 97).
Critique littéraire : **Barthes** (L IV, 28), **Girard** (L IV, 197).
Sociologie : **Morin** (L IV, 113).
Écologie : **Cousteau** (L III, 197).

« Je vous ai compris. »
Le général de Gaulle à Alger, aux Français qui souhaitaient que l'Algérie reste française (1958). Deux ans après, de Gaulle entamait le processus d'indépendance de l'Algérie.

« Comment voulez-vous gouverner un pays qui a 246 variétés de fromages ? »
Attribuée au général de Gaulle durant les journées chaudes de Mai 68.

« Il faut se méfier des ingénieurs,
ça commence par la machine à coudre,
ça finit par la bombe atomique. »
Marcel Pagnol, 1895-1975.

« L'homme est l'avenir de l'homme. »
Francis Ponge, 1899-1988.

DOCUMENTS SONORES N S F IV

Tous les documents ont été fournis par Radio France

DOSSIER 1 – LA SOCIÉTÉ SPECTACLE

France Info : ouverture des jeux Olympiques d'Albertville, 1992

« Les étoiles du cinéma » : Michel Galabru

« Le pays d'ici » : France Culture : le mont Aigoual, 1991

DOSSIER 2 – L'EMPIRE DES SENS

France-Info : exposition Séville, interview J.-P. Vignier, 1992

« Le téléphone sonne » : France Inter : les Tags, 1991

« Radioscopie » : Raymond Devos

« Le pays d'ici » : France Culture : le Marais poitevin, 1990

DOSSIER 3 – LA RÈGLE DU « JE »

« Radioscopie » : Alain Delon

« Mes aventures de mer » : Daniel Gilard

« Le téléphone sonne » : France Inter : l'astrologie comme mode de recrutement, 1990

« Le pays d'ici » : France Culture : Maguelone, village près de Montpellier, 1991

DOSSIER 4 – RETOUR AUX SOURCES

France Info : tremblement de terre en Alsace, 1992

« Radioscopie » : le Commandant Cousteau

« Le téléphone sonne » : France Inter : les contrefaçons, 1990

« Le pays d'ici » : France Culture : Thiers, 1992

DOSSIER 5 – UN CERTAIN GOÛT DE LA PROVOCATION

Radio-Mémoire : « Inter Femmes » : Anne Gaillard, 1988

Radio-Mémoire : *« Le Masque et la Plume »*, 1965

« Le pays d'ici » : France Culture : Album de famille : Le Larzac, 1992

DOSSIER 6 – DE L'ESPRIT DE GÉOMETRIE

France Info : Élections législatives, 1992

« Le téléphone sonne » : France Inter : Les Sherlock Holmes de l'an 2000, 1991

« Le pays d'ici » : France Culture : Rouen, 1992

DOSSIER 7 – L'ÈRE DU SOUPÇON

France Info : ANPE, 1992

« Radioscopie » : Abbé Pierre

« Le téléphone sonne » : France Inter : les banlieues, 1990

DOSSIER 8 – LA NOUVELLE COMMUNICATION

France Info : Démission d'Édith Cresson, 1992

« Le téléphone sonne » : France Inter : Les Français et les langues vivantes, 1992

« Le pays d'ici » : France Culture : Les monts d'Arrée, 1991

DOSSIER 9 – AU PÉRIL DE LA SCIENCE

France Info : Accident de l'Airbus, 1991

« Radioscopie » : Joël de Rosnay

« Le téléphone sonne » : France Inter : la santé en question, 1992

« Le pays d'Ici » : France Culture : l'Ariège, 1990

DOSSIER 10 – L'HOMME EFFICACE

Radio Mémoire : *« La minute de Saint-Granier »*, 1960

« Le téléphone sonne » : France Inter : la lecture, 1991

« Le pays d'ici » : France Culture : Fécamp , 1991

DOSSIER 11 – LA TENTATION DE L'IRRATIONNEL

« Le pays d'ici » : France Culture : Poitiers, 1992

« Le téléphone sonne » : France Inter : les sectes, 1991

« Le pays d'ici » : France Culture : Auvergne, 1990

DOSSIER 12 - CITOYENS DU MONDE

France Info : *« Quelle époque épique »* Yolaine de La Bigne, Genève : salon des inventeurs, 1992

« Le téléphone sonne » : France Inter : l'Europe des citoyens, 1992

« Le pays d'ici » : France Culture : Festival de la francophonie de Limoges, 1991

RÉFÉRENCES PHOTOGRAPHIQUES

p. 10h : Gamma-sport ; p : 10b : Gamma-Geeraerts ; p. 14 : Artephot-Takase ; p. 15 : Dagli-Orti ; p. 18-19 : Bernand ; p. 21b : Scope-Faure ; p. 22 : Centre Georges Pompidou ; p. 23hg : Centre Georges Pompidou ; p. 23hd : Centre Georges Pompidou-Hatala ; p. 23bg : Musée National d'Art Moderne ; p.23bd : Giraudon-Photothèque R. Magritte ; p. 26h : Gamma-Ducasse-Lounes ; p. 26b : Gamma Broadcoast ; p. 29h : Gallimard ; p. 29b : Roger-Viollet ; p. 30 : Artephot-Faillet ; p. 31 : Hoa-Qui-Renaudeau ; p. 34-35 : Cambolive ; p. 38h : Artephot-Nimatallah ; p. 38b : Centre Georges Pompidou ; p. 39g : Centre Georges Pompidou ; p. 39d : Giraudon Ph R. Magritte. ; p. 42h : Gamma-Apesteguy-Deville ; p. 42b : Explorer-Frances ; p. 44 : Charmet ; p. 49 : Hazan ; p. 50-51 : AAA ; p. 53 : Roger-Viollet ; p. 54 : Artephot-Boulat ; p. 55h : Artephot-Bridgeman ; p. 55b : Gamma-Deville ; p. 59 : Diaf-Regent ; p. 60h : Magnum-Gaumy ; p. 60b : Magnum-Silverstone ; p. 62 : Dagli-Orti ; p. 67 : Robur-Picto Service ; p. 68 : Cinedis ; p. 70 : Artephot-Martin ; p. 71h : Artephot-Bridgeman ; p. 71b : Centre Georges Pompidou ; p. 76h : Magnum-Riboud ; p. 76b : Gaultier ; p. 85 : Bernand ; p. 87h : Prod/DB ; p. 87b : Cahiers du Cinéma ; p. 88 : Bibliothèque Forney ; p. 89 : Dupuy Compton ; p. 91h-91b : Bernand ; p. 94h : Keystone ; p. 94b : Lauros-Giraudon ; p. 98 : Giraudon ; p. 101 : Bernand ; p. 102 : Cinestar ; p. 104 : Prod/DB ; p. 106h Artephot-Nimatallah ; p. 106b : Artephot-Held ; p. 107 : Artephot-Reinhold ; p. 110 : Gauvreau ; p. 114-115 : Centre Georges Pompidou ; p. 117 : Charmet ; p. 119 : Roger-Viollet-Lipnitzki ; p. 121 : Keystone-Chaumeil ; p. 122 : Artephot-Nimatallah ; p. 123h : Rijksmuseum ; p. 123b : Artephot-Oronoz ; p. 126h : Artephot-Roland ; p. 126b : Fondation Maeght ; p. 129 : Bretécher Agripine ; p.131 : Artephot-Jourdain ; p. 132 : Gauvreau Bibliothèque Sainte Geneviève ; p. 135h-135b : Prod/DB ; p. 136h : Gamma-Bassignac/Duclos/Buri ; p. 138 : Artephot-Oronoz ; p. 139h : Artephot-Faillet ; p. 139b : Musée National d'Art Moderne ; p. 142h : Sygma-Robert ; p. 142b : Gamma-Wada ; p. 147 : Ministère délégué à la Santé ; p. 151h : Cahiers du Cinéma ; p. 151b : Walt Disney ; p. 152-153 : Bernand ; p. 155 : Scope-Sudres ; p. 158 : Centre Georges Pompidou ; p. 159h : Musée National d' Art Moderne ; p. 159b : Francolon ; p. 160 : Crédit Agricole ; p. 166 : Gamma-Francolon ; p. 167 : Charmet ; p. 170 : Artephot-ET. Archives ; p. 175h : Fondation Maeght ; p. 175md : Archipress-Freppel ; p. 175bg : Hervé ; p. 175bd : Moch ; p. 178h : Cat's ; p. 178m : Charmet ; p. 178b : Sygma-Préau ; p. 182 : Bulloz ; p. 183 : Lauros-Giraudon ; p. 186 : Carré d'Art de Nîmes ; p. 191 : Coqueux ; p. 194 : Magnum-Höpker ; p. 198 : Hoa-Qui-Renaudeau ; p. 201-202 : Bernand ; p. 206-207 : Astérix, Editions Albert René.

Conception graphique : François Huertas
Recherches iconographiques : Atelier d'Images
Edition : Corinne Booth-Odot
Fabrication : Pierre David

N° d'éditeur 10041205-(IV)-(58)-CABN-80
imprimé en France - Septembre 1997
par Mame Imprimeurs à Tours (n° 40353)